i-Ready® Classroom
Matemáticas

Grado 3 • Volumen 1

Curriculum Associates

NOT FOR RESALE

978-1-4957-8171-1
©2020–Curriculum Associates, LLC
North Billerica, MA 01862
No part of this book may be reproduced
by any means without written permission
from the publisher.
All Rights Reserved. Printed in USA.
7 8 9 10 11 12 13 14 15   21

Contenido

····UNIDAD····

1

Números de tres dígitos
Valor posicional, suma y resta

Comienzo de la unidad **1**

Amplía tu vocabulario **2**

Lección 1 **Usa el valor posicional para redondear números** **3**
EPM 1, 2, 3, 4, 5, 6, 7

Lección 2 **Suma números de tres dígitos** **25**
EPM 1, 2, 3, 4, 5, 6, 7, 8

Lección 3 **Resta números de tres dígitos** **47**
EPM 1, 2, 3, 4, 5, 6, 7, 8

Reflexión **75**

Matemáticas en acción **Usa el redondeo y las operaciones** **76**

Repaso de la unidad **84**

Vocabulario **87**

···UNIDAD··· 2

Multiplicación y división
Conceptos, relaciones y patrones

Comienzo de la unidad **89**

Amplía tu vocabulario **90**

Lección 4   *Comprende* **Significado de la multiplicación** **91**
EPM 1, 2, 3, 4, 5, 6

Lección 5   **Multiplica con 0, 1, 2, 5 y 10** **103**
EPM 1, 2, 3, 4, 5, 6, 8

Lección 6   **Multiplica con 3, 4 y 6** **125**
EPM 1, 2, 3, 4, 5, 6, 7, 8

Lección 7   **Multiplica con 7, 8 y 9** **153**
EPM 1, 2, 3, 4, 5, 6, 7

Lección 8   **Ordena y agrupa para multiplicar** **181**
EPM 1, 2, 3, 4, 5, 6, 7, 8

Lección 9   **Usa el valor posicional para multiplicar** **209**
EPM 1, 2, 3, 4, 5, 6, 7, 8

Lección 10   *Comprende* **Significado de la división** **225**
EPM 1, 2, 3, 4, 5, 6

Lección 11   *Comprende* **Conexión entre la multiplicación y
la división** **237**
EPM 1, 2, 3, 4, 5, 6, 7

Lección 12   **Datos de multiplicación y división** **249**
EPM 1, 2, 3, 4, 5, 6, 7, 8

Lección 13   *Comprende* **Patrones** **271**
EPM 1, 2, 3, 4, 5, 6, 7, 8

Reflexión **283**

Matemáticas en acción   **Resuelve problemas de multiplicación y división** **284**

Repaso de la unidad **292**

Vocabulario **295**

UNIDAD 3

Multiplicación
Hallar el área, resolver problemas verbales y usar gráficas a escala

Comienzo de la unidad 299

Amplía tu vocabulario 300

Lección 14 *Comprende* Área 301
EPM 1, 2, 3, 4, 5, 6

Lección 15 Multiplica para hallar el área 313
EPM 1, 2, 3, 4, 5, 6, 7, 8

Lección 16 Suma áreas 335
EPM 1, 2, 3, 4, 5, 6, 7

Lección 17 Resuelve problemas verbales de un paso usando la multiplicación y la división 357
EPM 1, 2, 3, 4, 5, 6, 7

Lección 18 Resuelve problemas verbales de dos pasos usando las cuatro operaciones 385
EPM 1, 2, 3, 4, 5, 6

Lección 19 Gráficas a escala 413
EPM 1, 2, 3, 4, 5, 6, 7

Reflexión 441

Matemáticas en acción Usa las cuatro operaciones 442

Repaso de la unidad 450

Vocabulario 453

Unidad 1 Práctica acumulativa CP1

Unidad 2 Práctica acumulativa CP5

Unidad 3 Práctica acumulativa CP9

Glosario A1

$\frac{1}{8}$ de milla

····UNIDAD····

4

Fracciones
Equivalencia y comparación, medición y datos

Comienzo de la unidad 455

Amplía tu vocabulario 456

| Lección 20 | *Comprende* Qué es una fracción .... 457 |
| EPM 1, 2, 3, 4, 5, 6 |

| Lección 21 | *Comprende* Fracciones en una recta numérica .... 469 |
| EPM 1, 2, 3, 4, 5, 6, 7 |

| Lección 22 | *Comprende* Fracciones equivalentes .... 481 |
| EPM 1, 2, 3, 4, 5, 6, 7 |

| Lección 23 | Halla fracciones equivalentes .... 493 |
| EPM 1, 2, 3, 4, 5, 6, 7, 8 |

| Lección 24 | *Comprende* Comparación de fracciones .... 521 |
| EPM 1, 2, 3, 4, 5, 6, 7 |

| Lección 25 | Usa símbolos para comparar fracciones .... 533 |
| EPM 1, 2, 3, 4, 5, 6, 7 |

| Lección 26 | Mide la longitud y representa datos en diagramas de puntos .... 549 |
| EPM 1, 2, 3, 4, 5, 6 |

Reflexión 571

Matemáticas en acción Usa fracciones 572

Repaso de la unidad 580

Vocabulario 583

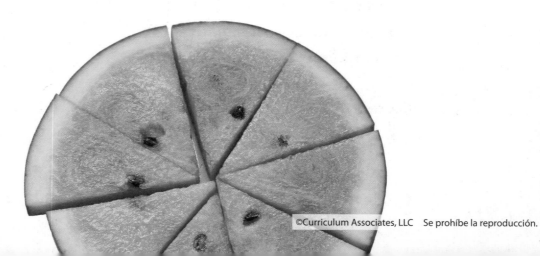

UNIDAD 5

Medición
Tiempo, volumen líquido y masa

Comienzo de la unidad **585**

Amplía tu vocabulario **586**

Lección 27 **Tiempo** **587**
EPM 1, 2, 3, 4, 5, 6, 7

Lección 28 **Volumen líquido** **615**
EPM 1, 2, 3, 4, 5, 6

Lección 29 **Masa** **637**
EPM 1, 2, 3, 4, 5, 6, 8

Reflexión **659**

Matemáticas en acción **Resuelve problemas sobre medición** **660**

Repaso de la unidad **668**

Vocabulario **671**

UNIDAD 6

Figuras
Atributos y categorías, perímetro y área y división

Comienzo de la unidad **673**

Amplía tu vocabulario **674**

| Lección 30 | *Comprende* Categorías de figuras **675**
EPM 1, 2, 3, 4, 5, 6, 7

| Lección 31 | Clasifica cuadriláteros **687**
EPM 1, 2, 3, 4, 5, 6, 7

| Lección 32 | Área y perímetro de figuras **709**
EPM 1, 2, 3, 4, 5, 6, 7

| Lección 33 | Divide figuras en partes con áreas iguales **737**
EPM 1, 2, 3, 4, 5, 6, 7

Reflexión **753**

| Matemáticas en acción | Trabaja con figuras **754**

Repaso de la unidad **762**

Vocabulario **765**

Unidad 4 Práctica acumulativa **CP13**

Unidad 5 Práctica acumulativa **CP17**

Unidad 6 Práctica acumulativa **CP21**

Glosario **A1**

☑ COMPRUEBA TU PROGRESO

Antes de comenzar esta unidad, marca las destrezas que ya conoces. Al terminar cada lección, comprueba si puedes marcar otras.

Puedo . . .	Antes	Después
Usar el valor posicional para redondear números a la decena más cercana y a la centena más cercana, por ejemplo: • 315 redondeado a la decena más cercana es 320. • 826 redondeado a la centena más cercana es 800.	☐	☐
Usar el valor posicional para sumar y restar, por ejemplo: $329 + 148 = (300 + 100) + (20 + 40) + (9 + 8)$ $\qquad = 400 + 60 + 17$ $\qquad = 477$	☐	☐
Resolver problemas verbales al sumar y restar usando el valor posicional.	☐	☐

Amplía tu vocabulario

Vocabulario matemático

Define las palabras de repaso. Luego trabaja con un compañero para clarificar las definiciones.

Palabra de repaso	Lo que pienso ahora	Revisa tu pensamiento
valor posicional		
reagrupar		
diferencia		
recta numérica		

Vocabulario académico

Pon una marca junto a las palabras académicas que ya conoces. Luego usa las palabras para completar las oraciones.

☐ ordenar   ☐ estimar   ☐ crítico   ☐ comentar

1 Puedo .... la longitud de mi pie sin tener que medirlo.

2 Reagrupar es una destreza .... para sumar números.

3 Vamos a trabajar juntos y a .... nuestros roles y responsabilidades para el proyecto de la clase.

4 Los números se pueden .... en una tabla de valor posicional colocándolos en sus columnas correspondientes.

Usa el valor posicional para redondear números

Estimada familia:

Esta semana su niño está aprendiendo a usar el valor posicional para redondear números.

Los números se **redondean** cuando se quiere tener una idea de lo grandes o pequeños que son cuando no es necesario saberlo con exactitud. Por ejemplo, cuando se compran varios artículos, se podría redondear cada precio al dólar más cercano antes de calcular mentalmente el total.

Estos bloques muestran el número 217. ¿Cómo se redondea 217 a la centena más cercana?

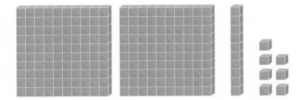

217 es 2 centenas + 1 decena + 7 unidades

Para redondear 217 a la centena más cercana, se decide si 217 está *antes* o *después* del punto medio entre 200 y 300. Para hacerlo se observan las decenas.

5 decenas es exactamente la mitad de una centena. Por lo tanto, si hay menos de 5 decenas en 217, estará más cerca de 200. Si hay 5 decenas o más, el número estará más cerca de 300.

Como 217 tiene solo 1 decena, 217 redondeado a la *centena más cercana* es 200. Por lo tanto se *redondea hacia abajo* a 200.

Para redondear 217 a la *decena más cercana*, se deben observar las unidades. El número está entre 210 y 220. Si tiene menos de 5 unidades, estará más cerca de 210. Si tiene 5 unidades o más, estará más cerca de 220.

Como 217 tiene 7 unidades, 217 *se redondea hacia arriba* a 220.

Invite a su niño a compartir lo que sabe sobre usar el valor posicional para redondear números haciendo juntos la siguiente actividad.

ACTIVIDAD REDONDEAR NÚMEROS

Haga la siguiente actividad con su niño para usar el valor posicional para redondear números.

Materiales tarjetas con dígitos del 0 al 8, bolsa, tablero de juego y la tabla de respuestas que se muestra abajo

Juegue este juego con su niño para que practique redondear números.

- Recorte las tarjetas de dígitos y colóquelas en una bolsa.
- Escoja 3 tarjetas y anote los números en cualquier orden.
  Luego devuelva las tarjetas a la bolsa. *Ejemplo: 2, 7, 4*
- Escriba un número de 3 dígitos usando los números que sacó.
  Ejemplo: 472
- Redondee el número a la centena más cercana. *Ejemplo: 500*
- Sombree la centena correspondiente en su tablero de juego.
- Gana el primer jugador que sombree 5 números.

Jugador 1	100	200	300	400	500	600	700	800	900
Jugador 2	100	200	300	400	500	600	700	800	900

Jugador 1:

Dígitos	Número de 3 dígitos	Redondeado a la centena más cercana

Jugador 2:

Dígitos	Número de 3 dígitos	Redondeado a la centena más cercana

Explora Usar el valor posicional para redondear números

Ya sabes que los números de tres dígitos se forman con grupos de centenas, decenas y unidades. Usa lo que sabes para tratar de resolver el siguiente problema.

Objetivo de aprendizaje

- Usar la comprensión del valor posicional para redondear números enteros a la decena o centena más cercana.

EPM 1, 2, 3, 4, 5, 6, 7

> **Mira el número 384 en la tabla de valor posicional. ¿Entre qué dos decenas está? ¿Entre qué dos centenas está?**

Centenas	Decenas	Unidades
3	8	4

PRUÉBALO

Herramientas matemáticas

- bloques de base diez
- tablas de valor posicional de centenas
- rectas numéricas

CONVERSA CON UN COMPAÑERO

Pregúntale: ¿Cómo empezaste a resolver el problema?

Dile: Un modelo que usé fue . . .
Me ayudó a . . .

CONÉCTALO

1 REPASA

a. ¿Entre qué dos decenas está 384? **b.** ¿Entre qué dos centenas está 384?

2 SIGUE ADELANTE

Ubicar un número entre dos decenas o dos centenas puede ayudarte a **redondear** hacia arriba o hacia abajo a la decena o a la centena más cercana. Cuando un número está en el punto medio entre dos decenas o dos centenas, la regla es redondear hacia arriba.

Redondear a la decena más cercana

Mira los números **8**, **14** y **5** en la recta numérica. Completa los espacios en blanco para indicar cómo redondear estos números a la **decena más cercana**.

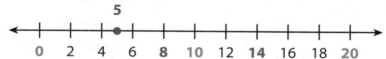

a. 8 se redondea *hacia arriba* a ....

b. 14 se redondea *hacia abajo* a ....

c. 5 se redondea *hacia arriba* a ....

Redondear a la centena más cercana

Halla **25, 175** y **50** en la recta numérica para redondearlos a la **centena más cercana**.

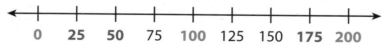

d. 25 se redondea a ....   **e. 175** se redondea a ....

f. 50 se redondea a ....

3 REFLEXIONA

Explica tu respuesta al problema 2f.

....

....

Prepárate para usar el valor posicional para redondear números

1 Piensa en lo que sabes acerca de redondear. Llena cada recuadro. Usa palabras, números y dibujos. Muestra tantas ideas como puedas.

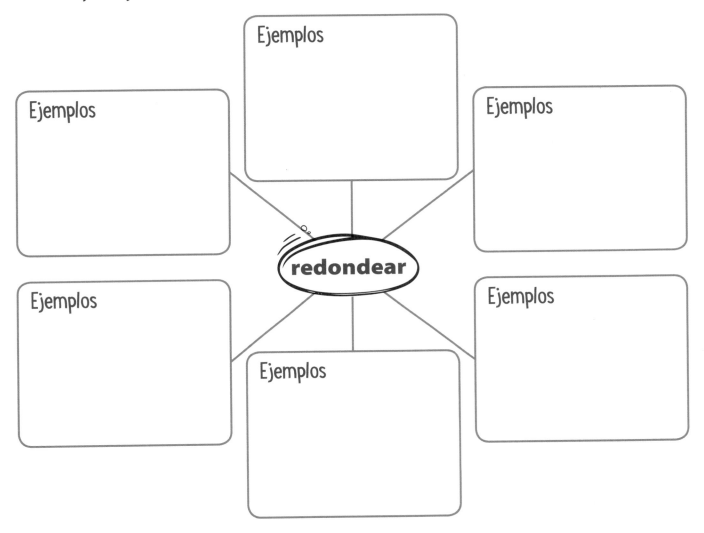

Ejemplos

Ejemplos

Ejemplos

redondear

Ejemplos

Ejemplos

Ejemplos

2 Redondea 451 a la centena más cercana. Explica tu respuesta.

3 Resuelve el problema. Muestra tu trabajo.

Mira el número 253 en la tabla de valor posicional. ¿Entre qué dos decenas está? ¿Entre qué dos centenas está?

Centenas	Decenas	Unidades
2	5	3

Solución ....

4 Comprueba tu respuesta. Muestra tu trabajo.

Desarrolla Redondear a la decena más cercana

Lee el siguiente problema y trata de resolverlo.

> **Ally registra el tiempo que dedica a hacer su tarea. Ella redondea cada tiempo a los diez minutos más cercanos. Si Ally dedica 37 minutos a hacer su tarea, ¿cómo registra ella este tiempo?**

PRUÉBALO

Herramientas matemáticas

- bloques de base diez
- tablas de 100
- tablas de valor posicional de centenas
- rectas numéricas

CONVERSA CON UN COMPAÑERO

Pregúntale: ¿Por qué elegiste esa estrategia?

Dile: Yo ya sabía que . . . Así que . . .

Explora diferentes maneras de entender cómo redondear a la decena más cercana.

> **Ally registra el tiempo que dedica a hacer su tarea. Ella redondea cada tiempo a los diez minutos más cercanos. Si Ally dedica 37 minutos a hacer su tarea, ¿cómo registra ella este tiempo?**

HAZ UN DIBUJO

Puedes usar una tabla de 100 para ayudarte a redondear a la decena más cercana.

37 está entre las decenas **30** y **40**.

1	2	3	4	5	6	7	8	9	10
11	12	13	14	15	16	17	18	19	20
21	22	23	24	25	26	27	28	29	30
31	32	33	34	35	36	37	38	39	40
41	42	43	44	45	46	47	48	49	50
51	52	53	54	55	56	57	58	59	60
61	62	63	64	65	66	67	68	69	70
71	72	73	74	75	76	77	78	79	80
81	82	83	84	85	86	87	88	89	90
91	92	93	94	95	96	97	98	99	100

RESUELVE

Usa lo que sabes acerca de redondear para resolver el problema.

El número que está en el **punto medio** entre **30** y **40** es **35**.

37 es mayor que **35**; por lo tanto, **37** se redondea hacia arriba a **40**.

Ally registra el tiempo como 40 minutos.

CONÉCTALO

Ahora vas a usar el problema de la página anterior para ayudarte a entender cómo resolver un nuevo problema sobre redondear a la decena más cercana.

Redondea 943 a la decena más cercana.

1 ¿Entre qué dos decenas está el número 943? ....

2 ¿Qué número está en el punto medio entre estas dos decenas? ....

3 ¿Es 943 *menor que* o *mayor que* el número que está en el punto medio? ....

4 ¿Se redondea 943 hacia arriba o hacia abajo? ....

5 ¿Cuánto es 943 redondeado a la decena más cercana? ....

6 Explica cómo redondear un número a la decena más cercana.

7 REFLEXIONA

Repasa **Pruébalo**, las estrategias de tus compañeros, **Haz un dibujo** y **Resuelve**. ¿Qué modelos o estrategias prefieres para redondear a la decena más cercana? Explica.

....

....

....

....

....

APLÍCALO

Usa lo que acabas de aprender para resolver estos problemas.

8 ¿Cuánto es 106 redondeado a la decena más cercana? Muestra tu trabajo.

Solución ....

9 Redondea a la decena más cercana.

a. ¿Cuál es un número menor que 180 que se redondea a 180? Muestra tu trabajo.

Solución ....

b. ¿Cuál es un número mayor que 180 que se redondea a 180? Muestra tu trabajo.

Solución ....

10 ¿Qué números se redondean a 640 cuando se los redondea a la decena más cercana?

Ⓐ 644

Ⓑ 634

Ⓒ 645

Ⓓ 635

Ⓔ 600

Ⓕ 649

Practica redondear a la decena más cercana

Estudia el Ejemplo, que muestra cómo redondear a la decena más cercana. Luego resuelve los problemas 1 a 8.

EJEMPLO

Robert siempre le dice a su amigo cuántos puntos obtiene en su videojuego. Él redondea el número a la decena más cercana. El sábado, Robert obtuvo 63 puntos. ¿Cuántos puntos le dijo a su amigo que había obtenido?

51	52	53	54	55	56	57	58	59	**60**
61	62	**63**	64	65	66	67	68	69	**70**

63 está entre las decenas **60** y **70**. Como 63 es más cercano a 60, Robert le dijo a su amigo que había obtenido 60 puntos.

1 Luego esa misma tarde, Robert estuvo más tiempo jugando a su videojuego. Obtuvo 88 puntos. ¿Cuántos puntos le dijo a su amigo que

había obtenido? ....

2 ¿Entre qué dos decenas está el número 157? Encierra en un círculo las dos decenas en la recta numérica.

130   140   150   160   170   180

Vocabulario

redondear hallar un número que es cercano en valor al número dado hallando la decena, la centena u otro valor posicional más cercano.

3 ¿Cuánto es 157 redondeado a la decena más cercana? ....

4 Para ganar dinero, cepillas perros. Estás tan ocupado que contratas a tus amigos para que te ayuden. Les pagas a tus amigos $1 por cada perro que cepillan. Solo tienes billetes de $10 para pagarles. Debes redondear cada pago a la decena más cercana. Completa la tabla para mostrar cuánto le pagas a cada amigo.

Amigo	Número de perros cepillados	Pago a los $10 más cercanos
Jessica	12	$
Sophie	18	$
Mia	22	$

5 **a.** ¿Entre qué dos decenas está el número 767?

.... y ....

b. ¿Qué número está en el punto medio entre esas

dos decenas? ....

c. ¿Es 767 menor que o mayor que el número que está en el

punto medio? ....

d. ¿Se redondea hacia arriba o hacia abajo? ....

e. ¿Cuánto es 767 redondeado a la decena

más cercana? ....

6 **a.** ¿Entre qué dos decenas está el número 342?

.... y ....

b. ¿Se redondea hacia arriba o hacia abajo? ....

c. ¿Cuánto es 342 redondeado a la decena más cercana? ....

7 ¿Cuál es un número menor que 930 que se redondea a 930?

8 ¿Cuál es un número mayor que 930 que se redondea a 930?

Desarrolla Redondear a la centena más cercana

Lee el siguiente problema y trata de resolverlo.

> Hay 236 estudiantes de tercer grado en la escuela elemental Huron. ¿Cuánto es 236 redondeado a la centena más cercana?

PRUÉBALO

Herramientas matemáticas
- bloques de base diez
- tablas de valor posicional de centenas
- rectas numéricas

CONVERSA CON UN COMPAÑERO

Pregúntale: ¿Estás de acuerdo conmigo? ¿Por qué sí o por qué no?

Dile: La estrategia que usé para hallar la respuesta fue . . .

Explora diferentes maneras de entender cómo redondear a la centena más cercana.

> **Hay 236 estudiantes de tercer grado en la escuela elemental Huron. ¿Cuánto es 236 redondeado a la centena más cercana?**

HAZ UN DIBUJO
Usa bloques de base diez para mostrar el número que estás redondeando.

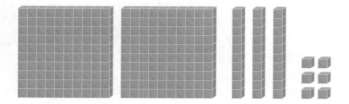

236 tiene 2 centenas; por lo tanto, está entre 200 y 300.

El dibujo muestra que 236 tiene 2 centenas + 3 decenas + 6 unidades.

RESUELVE
Usa lo que sabes acerca de redondear para resolver el problema.

Hay 10 decenas en cada centena. El **punto medio** entre 0 decenas y 10 decenas es **5 decenas**.

236 tiene 2 centenas, **3 decenas** y 6 unidades. Como 3 decenas es menor que 5 decenas, se redondea hacia abajo.

236 redondeado a la centena más cercana es 200.

CONÉCTALO

Ahora vas a usar el problema de la página anterior para ayudarte a entender cómo resolver un nuevo problema sobre redondear a la centena más cercana.

Redondea 358 a la centena más cercana.

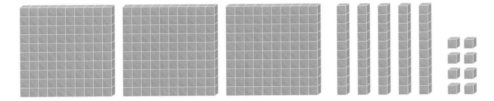

1 ¿Entre qué dos centenas está el número 358? ....

2 ¿Qué dígito está en la posición de las decenas? ....

3 ¿Qué número de decenas hay en el punto medio entre las centenas? ....

4 ¿Cuánto es 358 redondeado a la centena más cercana? ....

5 ¿Redondeaste hacia arriba o hacia abajo? Explica cómo supiste a qué centena redondear.

6 REFLEXIONA

Repasa **Pruébalo**, las estrategias de tus compañeros, **Haz un dibujo** y **Resuelve**. ¿Qué modelos o estrategias prefieres para redondear a la centena más cercana? Explica.

....

....

....

....

....

APLÍCALO

Usa lo que acabas de aprender para resolver estos problemas.

7 ¿Cuánto es 476 redondeado a la centena más cercana? Muestra tu trabajo.

Solución ....

8 Estás redondeando a la centena más cercana. ¿Qué números menores que 100 redondearías a 100? Muestra tu trabajo.

Solución ....

9 ¿Qué números se redondean a 300 cuando se los redondea a la centena más cercana?

Ⓐ 248

Ⓑ 348

Ⓒ 250

Ⓓ 350

Ⓔ 308

Practica redondear a la centena más cercana

Estudia el Ejemplo, que muestra cómo redondear a la centena más cercana.
Luego resuelve los problemas 1 a 10.

EJEMPLO

Hay 127 crayones en un recipiente. ¿Cuánto es
127 redondeado a la centena más cercana?

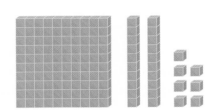

En el dibujo se ve que 127 tiene
1 centena + 2 decenas + 7 unidades.

El número 127 está entre 100 y 200. El
número que está en el punto medio entre 100 y 200 es 150.
El número 127 es menor que el número que está en el punto medio.

Por lo tanto, 127 es más cercano a 100 que a 200.
127 redondeado a la centena más cercana es 100.

1. ¿Entre qué dos centenas está el número 684?
   Encierra en un círculo las dos centenas en la recta numérica.

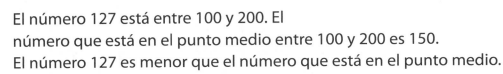

   200   300   400   500   600   700

2. ¿Cuál es el número que está en el punto medio entre las dos

   centenas que encerraste en un círculo? ....

3. ¿Cuánto es 684 redondeado a la centena más cercana? ....

4. ¿Cuánto es 694 redondeado a la centena más cercana? ....

5. ¿Cuánto es 674 redondeado a la centena más cercana? ....

6. ¿Cuánto es 624 redondeado a la centena más cercana? ....

7 Responde las siguientes preguntas para redondear 377 a la centena más cercana.

a. ¿Entre qué dos centenas está el número 377?

.... y ....

b. ¿Qué número está en el punto medio entre esas dos centenas? ....

c. ¿Es 377 *menor que* o *mayor que* el número que está en el punto medio?

....

d. ¿Se redondea hacia arriba o hacia abajo? ....

e. ¿Cuánto es 377 redondeado a la centena más cercana? ....

8 La siguiente tabla muestra las millas que hay entre ciudades de los Estados Unidos. Redondea cada distancia a la centena de millas más cercana.

Ciudades	Distancia en millas	Distancia a la centena de millas más cercana
Phoenix y Las Vegas	292	
Los Ángeles y San Francisco	386	

9 ¿Puedes resolver esta adivinanza sobre un número? Estas son las pistas.

• El número está entre dos centenas, 500 y 600.

• El número es mayor que el número que está en el punto medio.

• Vas a redondear hacia arriba para redondear este número a la centena más cercana.

¿Cuál es el número? Marca la respuesta correcta.

525   575   501   650

10 ¿Cuánto es 999 redondeado a la centena más cercana? ....

Refina Usar el valor posicional para redondear números

Completa el Ejemplo siguiente. Luego resuelve los problemas 1 a 9.

EJEMPLO

¿Cuánto es 362 redondeado a la decena más cercana?

Mira cómo podrías mostrar tu trabajo usando bloques de base diez.

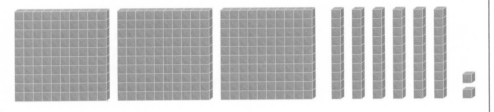

El número que está en el punto medio entre las decenas más cercanas es 5 unidades. Como 2 unidades es menor que 5 unidades, se redondea hacia abajo.

Solución ....

> Los bloques muestran el número de centenas, decenas y unidades que hay en 362.

EN PAREJA

Si le agregas 3 unidades al modelo, ¿se seguiría redondeando a la misma decena? Explica.

APLÍCALO

1 ¿Cuánto es 879 redondeado a la centena más cercana? Muestra tu trabajo.

> Lee el problema con atención. ¿Estás redondeando a la decena más cercana o a la centena más cercana?

EN PAREJA

¿Qué dígito del número te ayuda a decidir si debes redondear hacia arriba o hacia abajo?

Solución ....

2 El Sr. Edwards eligió un televisor de $479 y un reproductor de DVD de $129. Redondeó cada precio a los $10 más cercanos para estimar el costo total. ¿Cuánto es cada precio redondeado a los $10 más cercanos? Muestra tu trabajo.

¿Entre qué dos decenas está 479?

EN PAREJA
¿Por qué crees que el Sr. Edwards redondeó los precios a los $10 más cercanos y no a los $100 más cercanos?

Solución ....

3 Hay 416 estudiantes de tercer grado en la escuela Lincoln. ¿Cuál es el número de estudiantes de tercer grado redondeado a la centena más cercana?

¿Cuántas centenas y decenas tiene el número?

Ⓐ 400

Ⓑ 410

Ⓒ 420

Ⓓ 500

Lien eligió Ⓒ como la respuesta correcta. ¿Cómo obtuvo él esa respuesta?

EN PAREJA
¿Qué tipo de errores pudo haber cometido Lien?

4 Jolon anotó 194 puntos durante la temporada de básquetbol. ¿Cuánto es 194 redondeado a la centena más cercana?

Ⓐ 100

Ⓑ 180

Ⓒ 190

Ⓓ 200

5 Redondea a la decena más cercana. ¿Qué número NO se redondea a 590?

Ⓐ 596

Ⓑ 594

Ⓒ 588

Ⓓ 585

6 Di si cada enunciado es *Verdadero* o *Falso*.

	Verdadero	Falso
496 redondeado a la centena más cercana es 500.	Ⓐ	Ⓑ
496 redondeado a la decena más cercana es 500.	Ⓒ	Ⓓ
205 redondeado a la decena más cercana es 200.	Ⓔ	Ⓕ
745 redondeado a la centena más cercana es 800.	Ⓖ	Ⓗ

7 ¿Qué números se redondean a 250 cuando se los redondea a la decena más cercana?

Ⓐ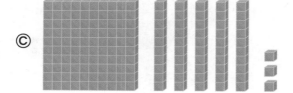
200   250

Ⓑ

Centenas	Decenas	Unidades
2	5	0

Ⓒ

Ⓓ 259

Ⓔ 245

8 Se vendió un total de 778 boletos para un evento de obra benéfica. Redondea el número de boletos a la decena más cercana y a la centena más cercana. Completa los espacios en blanco para mostrar cuántos boletos se vendieron aproximadamente.

Redondeado a la decena más cercana, se vendieron .... boletos.

Redondeado a la centena más cercana, se vendieron .... boletos.

9 DIARIO DE MATEMÁTICAS

Redondea 465 a la centena más cercana. Explica tu razonamiento.

☑ **COMPRUEBA TU PROGRESO** Vuelve al comienzo de la Unidad 1 y mira qué destrezas puedes marcar.

Suma números de tres dígitos

Estimada familia:

Esta semana su niño está usando diferentes estrategias para sumar números de tres dígitos.

Por ejemplo, abajo se muestra una manera en que se puede usar el **valor posicional** para sumar 153 + 260.

Puede sumar las unidades primero, luego sumar las decenas, luego sumar las centenas, escribiendo cada suma en una línea separada. Luego se deben sumar las tres **sumas parciales** para obtener el total.

$$
\begin{array}{r}
153 \\
+\ 260 \\
\hline
3 \\
110 \\
300 \\
\hline
413
\end{array}
$$

3 ⟶ 3 unidades + 0 unidades = 3 unidades, o 3.

110 ⟶ 5 decenas + 6 decenas = 11 decenas, o 1 centena + 1 decena, o 110

300 ⟶ 1 centena + 2 centenas = 3 centenas, o 300

Otra manera de resolver este problema usando el valor posicional es aplicar el **algoritmo** convencional de la suma, que requiere **reagrupar** las cantidades cuando los dígitos de una columna de valor posicional suman 10 o más. A continuación se muestra cómo sería este problema de suma cuando se resuelve usando el algoritmo.

El número pequeño indica que se reagruparon 100 unidades.

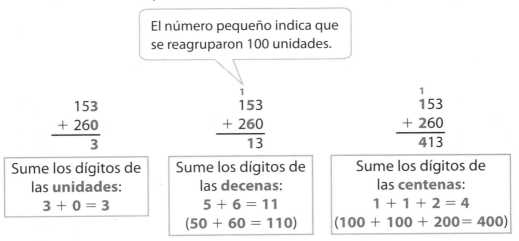

$\begin{array}{r}153 \\ +\ 260 \\ \hline 3\end{array}$	$\begin{array}{r}{\scriptstyle 1} \\ 153 \\ +\ 260 \\ \hline 13\end{array}$	$\begin{array}{r}{\scriptstyle 1} \\ 153 \\ +\ 260 \\ \hline 413\end{array}$
Sume los dígitos de las **unidades**: 3 + 0 = 3	Sume los dígitos de las **decenas**: 5 + 6 = 11 (50 + 60 = 110)	Sume los dígitos de las **centenas**: 1 + 1 + 2 = 4 (100 + 100 + 200 = 400)

Invite a su niño a compartir lo que sabe sobre sumar números de tres dígitos haciendo juntos la siguiente actividad.

ACTIVIDAD SUMAR NÚMEROS DE TRES DÍGITOS

Haga la siguiente actividad con su niño para sumar números de tres dígitos.

Materiales 3 cubos numéricos, lápiz y papel

Juegue con su niño este juego de sumar para practicar cómo sumar números de tres dígitos. El objetivo es obtener un total mayor que 500 a partir de la suma de 250 y otro número de tres dígitos.

- Pida a su niño que lance los tres cubos numéricos.

- Pídale que forme un número de tres dígitos a partir de los cubos numéricos. (Si obtiene 2, 6 y 1, los números posibles son 126, 162, 216, 261, 612 y 621). Escriba el número escogido.

- Su niño debe sumar 250 al número, usando cualquier estrategia de suma.

- Si el total es mayor que 500, él gana la ronda. Si no, la gana usted.

- Ahora, es el turno suyo. Jueguen cinco rondas para ver quién es el mejor de 5.

- Durante el juego haga a su niño preguntas como:

  - *¿Importa qué número formo con los tres cubos numéricos?*
    ¿Cómo cambiará eso el total?

  - *¿Cómo puedo escoger mi número para que el total sea lo más grande posible?*

Explora Sumar números de tres dígitos

En esta lección, vas a aprender estrategias para sumar números. Usa lo que sabes para tratar de resolver el siguiente problema.

> **Rodney tiene 147 canciones en su reproductor MP3. Elaine tiene 212 canciones en su reproductor MP3. ¿Cuántas canciones tienen Rodney y Elaine en total?**

Objetivo de aprendizaje

- Sumar y restar con fluidez hasta 1,000 usando estrategias y algoritmos basados en el valor posicional, las propiedades de las operaciones y/o la relación entre la suma y la resta.

EPM 1, 2, 3, 4, 5, 6, 7, 8

PRUÉBALO

Herramientas matemáticas

- bloques de base diez
- tablas de valor posicional de centenas
- rectas numéricas

CONVERSA CON UN COMPAÑERO

Pregúntale: ¿Cómo empezaste a resolver el problema?

Dile: Yo ya sabía que . . . así que . . .

CONÉCTALO

 REPASA

Explica cómo hallar el número de canciones que tienen Rodney y Elaine en total.

2 SIGUE ADELANTE

Puedes resolver problemas de suma de diferentes maneras. Descomponer números es una manera de hacer que un problema sea más fácil.

Supón que tienes el problema de suma 374 + 122.

a. Descompón 374 en unidades, decenas y centenas.

b. Descompón 122 en unidades, decenas y centenas.

c. Suma las unidades a las unidades, las decenas a las decenas y las centenas a las centenas para hallar 374 + 122.

d. Comprueba tu respuesta usando la estimación. Redondea 374 y 122 a la decena más cercana y suma. ¿Tiene sentido tu respuesta? Explica.

3 REFLEXIONA

¿De qué otra manera se puede hallar 374 + 122?

....

....

....

Prepárate para sumar números de tres dígitos

1 Piensa en lo que sabes acerca de descomponer números. Llena cada recuadro.
Usa palabras, números y dibujos. Muestra tantas ideas como puedas.

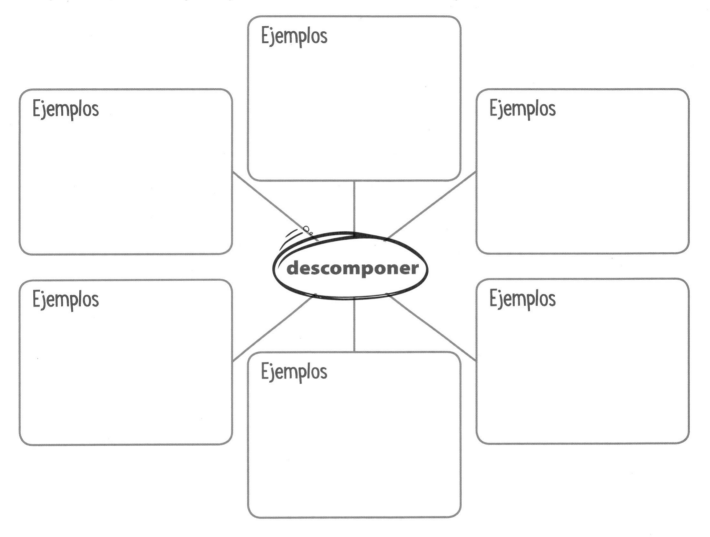

Ejemplos

Ejemplos

Ejemplos

Ejemplos

Ejemplos

Ejemplos

descomponer

2 Escribe dos maneras diferentes de descomponer 247.

3　Resuelve el problema. Muestra tu trabajo.

Benoit tiene 215 fotos en su teléfono.
Sara tiene 173 fotos en su teléfono.
¿Cuántas fotos tienen Benoit y Sara en total?

Solución ....

4　Comprueba tu respuesta. Muestra tu trabajo.

Desarrolla Usar estrategias de valor posicional para sumar

Lee el siguiente problema y trata de resolverlo.

> Garcia tiene 130 cromos.
> Mark tiene 280 cromos.
> ¿Cuántos cromos tienen Garcia y
> Mark en total?

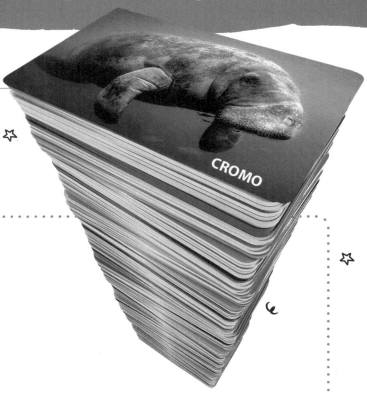

PRUÉBALO

Herramientas matemáticas

- bloques de base diez
- tablas de valor posicional de centenas
- rectas numéricas

CONVERSA CON UN COMPAÑERO

Pregúntale: ¿Por qué elegiste esa estrategia?

Dile: Un modelo que usé fue . . .
Me ayudó a . . .

Explora diferentes maneras de entender cómo sumar números de tres dígitos.

> **Garcia tiene 130 cromos. Mark tiene 280 cromos. ¿Cuántos cromos tienen Garcia y Mark en total?**

HAZ UN DIBUJO

Puedes usar bloques de base diez para ayudarte a sumar números de tres dígitos.

Este modelo muestra los
130 cromos que tiene Garcia.

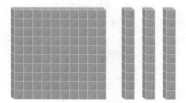

Este modelo muestra los
280 cromos que tiene Mark.

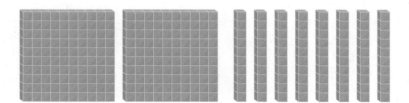

El siguiente modelo muestra el número total de cromos que tienen Garcia y Mark.

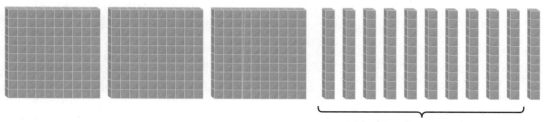

10 decenas = 1 centena

HAZ UN MODELO

También puedes usar el valor posicional y sumas parciales para ayudarte a sumar números de tres dígitos.

$$
\begin{array}{r}
130 \\
+\ 280 \\
\hline
\end{array}
$$

0 ⟶ Hay **0 unidades** en ambos números.

110 ⟶ 3 decenas + 8 decenas = **11 decenas**, o 1 centena + 1 decena, o **110**

300 ⟶ 1 centena + 2 centenas = **3 centenas**, o **300**

CONÉCTALO

Ahora vas a usar el problema de la página anterior para ayudarte a entender cómo usar diferentes estrategias para sumar.

1 Mira **Haz un dibujo**. Cada número se descompone en centenas y decenas. ¿Cuál es el número total de centenas y decenas?

.... centenas y .... decenas

2 Hay suficientes decenas para formar otra centena. Reagrupa las decenas.

11 decenas es lo mismo que .... centena y .... decena.

3 Ahora, ¿cuál es el número total de centenas y decenas?

.... centenas y .... decena

4 ¿Cuántos cromos tienen Garcia y Mark en total?

.... + 10 = ...

5 Mira **Haz un modelo**. ¿Cómo coinciden las sumas en este modelo con los bloques de **Haz un dibujo**?

6 Explica cómo usar el valor posicional y reagrupar para sumar números de tres dígitos.

7 REFLEXIONA

Repasa **Pruébalo**, las estrategias de tus compañeros, **Haz un dibujo** y **Haz un modelo**. ¿Qué modelos o estrategias prefieres para sumar números de tres dígitos? Explica.

....

....

....

Lección 2 Suma números de tres dígitos **33**

APLÍCALO

Usa lo que acabas de aprender para resolver estos problemas.

8 Completa las sumas de las unidades, las decenas y las centenas.
Luego suma para hallar el total.

$$275$$
$$+\,216$$

.... ⟶ 5 unidades + 6 unidades

.... ⟶ 7 decenas + 1 decena

.... ⟶ 2 centenas + 2 centenas

.... ⟶ total

9 El nuevo tanque de leche de una granja puede almacenar 185 galones
más que el tanque viejo. El tanque viejo podía almacenar 275 galones.
¿Cuántos galones puede almacenar el tanque nuevo? Muestra tu trabajo.

Solución ....

10 ¿Cuánto es 649 + 184? Muestra tu trabajo.

Solución ....

Practica usar estrategias de valor posicional para sumar

Estudia el Ejemplo, que muestra cómo sumar números de tres dígitos. Resuelve los problemas 1 a 6.

EJEMPLO

Esta semana, 248 personas asistieron a la obra de teatro de la escuela del martes por la noche. 175 asistieron a la del jueves por la noche. ¿Cuántas personas asistieron a la obra de teatro en esas dos noches?

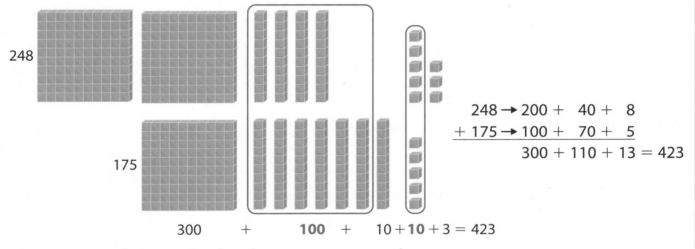

$$248 \rightarrow 200 + 40 + 8$$
$$+ 175 \rightarrow 100 + 70 + 5$$
$$300 + 110 + 13 = 423$$

$$300 \quad + \quad 100 \quad + \quad 10 + 10 + 3 = 423$$

423 personas asistieron a la obra de teatro en esas noches.

Resuelve. Completa los espacios en blanco para sumar.

1 631 $\longrightarrow$ 600   + ... +   1

  + 368 $\longrightarrow$ .... +   60   +   8

    900   +   90   + ... = ...

2   167
   +208

.... $\longrightarrow$ 7 unidades + 8 unidades = ... unidades, o .... decena + ... unidades

   60 $\longrightarrow$ 6 decenas + 0 decenas = ... decenas

.... $\longrightarrow$ 1 centena + 2 centenas = ... centenas

....

3 Halla 157 + 291. Muestra tu trabajo.

Solución ....

4 Felice toma 142 fotos durante sus vacaciones. Su mamá toma 382. ¿Cuántas fotos tomaron en total? Muestra tu trabajo.

Solución ....

5 Usa la estimación para comprobar tu respuesta al problema 4.

Redondea 142 a la centena más cercana.

Redondea 382 a la centena más cercana.

.... + ... = ...

¿Es razonable tu respuesta al problema 4? Explica.

6 Usa dos de los números del recuadro para formar el total más grande posible. Luego usa dos de los números para formar el total más pequeño posible. Explica cómo obtuviste tus respuestas.

| 348 | 256 | 289 | 361 |

Desarrolla Conectar estrategias de valor posicional con un algoritmo

Lee el siguiente problema y trata de resolverlo.

¿Cuál es el total?
Usa el valor posicional para ayudarte a sumar.

$$225$$
$$+\ 229$$

PRUÉBALO

Herramientas matemáticas
- bloques de base diez
- tablas de valor posicional de centenas

CONVERSA CON UN COMPAÑERO

Pregúntale: ¿Estás de acuerdo conmigo? ¿Por qué sí o por qué no?

Dile: No sé bien cómo hallar la respuesta porque . . .

Explora otra manera de entender cómo sumar usando el valor posicional.

> **¿Cuál es el total?**
> **Usa el valor posicional para ayudarte a sumar.**

$$225$$
$$+\ 229$$

HAZ UN MODELO

Puedes usar el valor posicional y sumas parciales para sumar. Suma unidades con unidades, decenas con decenas y centenas con centenas.

```
    225
+  229
─────────
     14  ⟶  5 unidades + 9 unidades = 14 unidades, o 1 decena + 4 unidades
     40  ⟶  2 decenas + 2 decenas = 4 decenas
+  400  ⟶  2 centenas + 2 centenas = 4 centenas
```

HAZ UN MODELO

Puedes anotar tu trabajo de una manera más corta.

Suma unidades con unidades, decenas con decenas y centenas con centenas. Anota tu trabajo mostrando la reagrupación sobre el problema y escribe el total en una fila. Una cuadrícula puede ayudarte a llevar la cuenta del valor posicional de los dígitos.

Paso 1: Sumar las unidades.   *Paso 2:* Sumar las decenas.   *Paso 3:* Sumar las centenas.

$5 + 9 = 14$ $1 + 2 + 2$ $2 + 2$

1 decena y 4 unidades

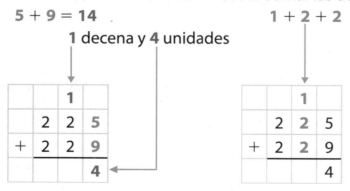

CONÉCTALO

Ahora vas a usar el problema de la página anterior para ayudarte a entender cómo sumar usando el valor posicional.

1 Mira el primer **Haz un modelo**. ¿Qué total de valor posicional se debería reagrupar? Explica.

2 Mira el segundo **Haz un modelo**. La suma de las unidades es 14. ¿Dónde ves las 14 unidades en **Haz un modelo**?

3 ¿Cuál es el total? ¿Necesitaste reagrupar otra vez? Explica.

4 ¿En qué se parecen y en qué se diferencian las dos maneras de sumar en cada **Haz un modelo**?

5 Usa la cuadrícula para hallar 158 + 363. Suma por valor posicional y muestra el total en una fila. Explica tu trabajo.

	1	5	8
+	3	6	3

6 **REFLEXIONA**

Repasa **Pruébalo**, las estrategias de tus compañeros y los **Haz un modelo**. ¿Qué modelos o estrategias prefieres para sumar? Explica.

....

....

....

APLÍCALO

Usa lo que acabas de aprender para resolver estos problemas.

7 Halla el total.

	2	4	5
	1	1	4
+	3	2	8

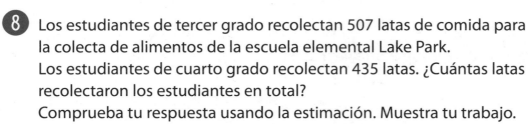

8 Los estudiantes de tercer grado recolectan 507 latas de comida para la colecta de alimentos de la escuela elemental Lake Park.
Los estudiantes de cuarto grado recolectan 435 latas. ¿Cuántas latas recolectaron los estudiantes en total?
Comprueba tu respuesta usando la estimación. Muestra tu trabajo.

Redondea a la decena más cercana para comprobar:

Solución ....

9 Halla el total.

$$\begin{array}{r} 284 \\ + 258 \\ \hline \end{array}$$

Practica conectar estrategias de valor posicional con un algoritmo

Estudia el Ejemplo, que muestra cómo usar un algoritmo puede ayudarte a sumar números de tres dígitos. Luego resuelve los problemas 1 a 7.

EJEMPLO

En un fin de semana, 172 adultos y 253 niños fueron a la feria. ¿Cuántas personas fueron a la feria el fin de semana?

Reagrupa 10 decenas.

$$
\begin{array}{r}
172 \\
+\ 253 \\
\hline
5 \\
120 \\
\underline{300} \\
425
\end{array}
$$

5 ⟶ 2 unidades + 3 unidades
120 ⟶ 7 decenas + 5 decenas
300 ⟶ 1 centena + 2 centenas

	1		
	1	7	2
+	2	5	3
	4	2	5

Por lo tanto, 425 personas fueron a la feria el fin de semana.

Completa los espacios en blanco para sumar.

1
$$
\begin{array}{r}
124 \\
+\ 253 \\
\\
\end{array}
$$

.... ⟶ 4 unidades + 3 unidades = 7 unidades

.... ⟶ 2 decenas + 5 decenas = 7 decenas

.... ⟶ 1 centena + 2 centenas = 3 centenas

377

2

	4	5	9
+	2	6	0
		1	

Completa los espacios en blanco para sumar.

3

	2	2	8
+	1	3	6

4

	2	5	1
+	2	5	4
			5
	1	0	0
	4	0	0

5

```
  151
+ 154
```

6

```
  368
+ 245
```

300   + ...   +   8

.... +   40   +   5

500   +   100   + ... = ...

7

	4	1	8
	2	5	4
+	3	2	8

Refina Sumar números de tres dígitos

Completa el Ejemplo siguiente. Luego resuelve los problemas 1 a 9 usando la estrategia que elijas.

EJEMPLO

El lunes una florería vendió 617 rosas. El martes la florería vendió 279 rosas. ¿Cuántas rosas se vendieron en total el lunes y el martes?

Mira cómo podrías mostrar tu trabajo descomponiendo 617 y 279.

$$617 + 279 = (600 + 200) + (10 + 70) + (7 + 9)$$
$$= 800 + 80 + 16$$
$$= 896$$

Solución ....

El estudiante descompuso 617 y 279 en centenas, decenas y unidades. Eso hace que sea más fácil sumar los dos números.

EN PAREJA
¿De qué otra manera podrías resolver este problema?

APLÍCALO

1 Diana tiene 109 imanes. Roger tiene 56 imanes más que Diana. ¿Cuántos imanes tienen Diana y Roger en total? Muestra tu trabajo.

¿Cuántos imanes tiene Roger?

EN PAREJA
¿Cómo sabías qué hacer primero?

Solución ....

2 Halla la suma de 345 y 626.

¿Qué valor posicional
debes reagrupar?

Solución ....

EN PAREJA
¿Cómo podrías estimar
para ver si tu respuesta
tiene sentido?

3 ¿Cuánto es 149 + 293?

Ⓐ 442

Ⓑ 432

Ⓒ 342

Ⓓ 440

¿Dónde escribes una
decena reagrupada?
¿Dónde escribes una
centena reagrupada?

Finn eligió Ⓑ como la respuesta correcta. ¿Cómo obtuvo él
esa respuesta?

EN PAREJA
¿Tiene sentido
la respuesta de Finn?

4 El Sr. Coleman conduce 129 millas el lunes. El martes conduce 78 millas más que el lunes. ¿Cuántas millas conduce el Sr. Coleman el lunes y martes en total?

Ⓐ 51

Ⓑ 207

Ⓒ 285

Ⓓ 336

5 Halla la suma de 258 y 436. Haz una estimación para comprobar si tu respuesta tiene sentido. Muestra tu trabajo.

Solución

6 El total de la siguiente ecuación se puede escribir usando decenas y unidades.

$$68 + 16 = \underline{\quad ? \quad} \text{ decenas y } \underline{\quad ? \quad} \text{ unidades.}$$

Selecciona un número de cada columna para hacer verdadera la ecuación.

Decenas	Unidades
○ 2	○ 4
○ 7	○ 9
○ 8	○ 12
○ 9	○ 14

7 Halla 147 + 123. Muestra tu trabajo.

8 Completa la tabla para mostrar cuántas centenas, decenas y unidades hay en el número 746.

Número	Centenas	Decenas	Unidades
746			

Escribe un número que cumpla las siguientes condiciones:

- El número debe ser de un dígito.
- Cuando se suma el número a 746, el dígito en la posición de las unidades del total es menor que el dígito de las unidades del número 746.

Solución

9 DIARIO DE MATEMÁTICAS

¿Qué estrategia usarías para hallar 379 + 284? Explica y luego halla el total.

☑ **COMPRUEBA TU PROGRESO** Vuelve al comienzo de la Unidad 1 y mira qué destrezas puedes marcar.

Resta números de tres dígitos

Estimada familia:

Esta semana su niño está usando diferentes estrategias para restar números de tres dígitos.

Por ejemplo, una manera de hallar la diferencia $260 - 153$ es usar una recta numérica para mostrar la ecuación de suma relacionada, $153 + ? = 260$.

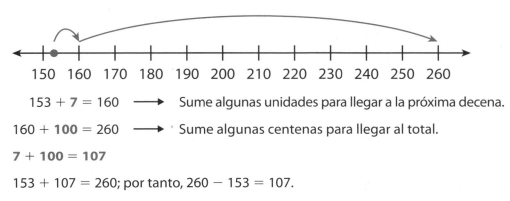

150 160 170 180 190 200 210 220 230 240 250 260

$153 + \mathbf{7} = 160$ ⟶ Sume algunas unidades para llegar a la próxima decena.

$160 + \mathbf{100} = 260$ ⟶ Sume algunas centenas para llegar al total.

$\mathbf{7 + 100 = 107}$

$153 + 107 = 260$; por tanto, $260 - 153 = 107$.

Otra manera de resolver este problema es usar el valor posicional y el algoritmo convencional de la resta. Esto requiere reagrupar las cantidades cuando no es posible restar los dígitos de una columna de valor posicional porque el número que se resta es mayor que el número al que se resta. A continuación se muestra cómo sería este problema de resta cuando se resuelve usando el algoritmo.

> Las 6 decenas pasan a ser 5 decenas y 10 unidades.

$$\begin{array}{r} {\scriptstyle 5\,10} \\ 2\,\cancel{6}\,\cancel{0} \\ -\,1\,5\,3 \\ \hline 7 \end{array}$$

$$\begin{array}{r} {\scriptstyle 5\,10} \\ 2\,\cancel{6}\,\cancel{0} \\ -\,1\,5\,3 \\ \hline 0\,7 \end{array}$$

$$\begin{array}{r} {\scriptstyle 5\,10} \\ 2\,\cancel{6}\,\cancel{0} \\ -\,1\,5\,3 \\ \hline 1\,0\,7 \end{array}$$

| Reste los dígitos de las **unidades**: No se puede restar 3 a 0. Debe reagruparse una decena. $10 - 3 = 7$ | Reste los dígitos de las **decenas**: $5 - 5 = 0$ $(50 - 50 = 0)$ | Reste los dígitos de las **centenas**: $2 - 1 = 1$ $(200 - 100 = 100)$ |

Invite a su niño a compartir lo que sabe sobre restar números de tres dígitos haciendo juntos la siguiente actividad.

ACTIVIDAD RESTAR NÚMEROS DE TRES DÍGITOS

Haga la siguiente actividad con su niño para ayudarlo a restar números de tres dígitos.

Materiales 3 cubos numéricos, lápiz y papel

Juegue con su niño este juego de restar para practicar cómo restar números de tres dígitos. El objetivo es obtener como resultado la menor diferencia posible al restar un número de tres dígitos a 880.

• Cada jugador lanza los tres cubos numéricos.

• Con los números que hayan salido, cada jugador debe formar un número de tres dígitos. (Si obtiene 2, 6 y 1, los números posibles son 126, 162, 216, 261, 612 y 621.) Escriba el número escogido.

• Luego, cada jugador debe restar el número que formó a 880 usando cualquier estrategia de resta.

• El jugador que obtenga la menor diferencia gana la ronda.

• Jueguen 5 rondas para ver quién es el mejor de 5.

• Durante el juego haga a su niño preguntas como:

  • *¿Importa qué número formo con los tres cubos numéricos? ¿Cómo cambiará eso la diferencia?*

  • *¿Cómo puedo escoger mi número de manera que mi diferencia sea la menor posible?*

Explora Restar números de tres dígitos

En esta lección vas a aprender estrategias para restar números. Usa lo que sabes para tratar de resolver el siguiente problema.

Objetivo de aprendizaje

- Sumar y restar con fluidez hasta 1,000 usando estrategias y algoritmos basados en el valor posicional, las propiedades de las operaciones y/o la relación entre la suma y la resta.

EPM 1, 2, 3, 4, 5, 6, 7, 8

> **Eva compró una bolsa de 475 cuentas de vidrio. Usó 134 cuentas para hacer un collar. ¿Cuántas cuentas quedan en la bolsa?**

PRUÉBALO

Herramientas matemáticas

- bloques de base diez
- tablas de valor posicional de centenas
- rectas numéricas

CONVERSA CON UN COMPAÑERO

Pregúntale: ¿Cómo empezaste a resolver el problema?

Dile: No sé bien cómo hallar la respuesta porque . . .

CONÉCTALO

① REPASA

Explica cómo hallar cuántas cuentas le quedan a Eva.

② SIGUE ADELANTE

Se pueden resolver los problemas de resta de diferentes maneras. Descomponer números es una manera de hacer que un problema sea más fácil.

Supón que tienes el problema de resta 525 − 213.

a. Descompón 525 en centenas, decenas y unidades.

b. Descompón 213 en centenas, decenas y unidades.

c. Resta las unidades a las unidades, las decenas a las decenas y las centenas a las centenas para hallar 525 − 213.

d. Comprueba tu respuesta usando la estimación. Redondea 525 y 213 a la decena o centena más cercana y resta. ¿Tiene sentido tu respuesta? Explica.

③ REFLEXIONA

¿Cuál es otra manera en la que se puede hallar 525 − 213?

....

....

....

Prepárate para restar números de tres dígitos

1 Piensa en lo que sabes acerca de la reagrupación. Llena cada recuadro. Usa palabras, números y dibujos. Muestra tantas ideas como puedas.

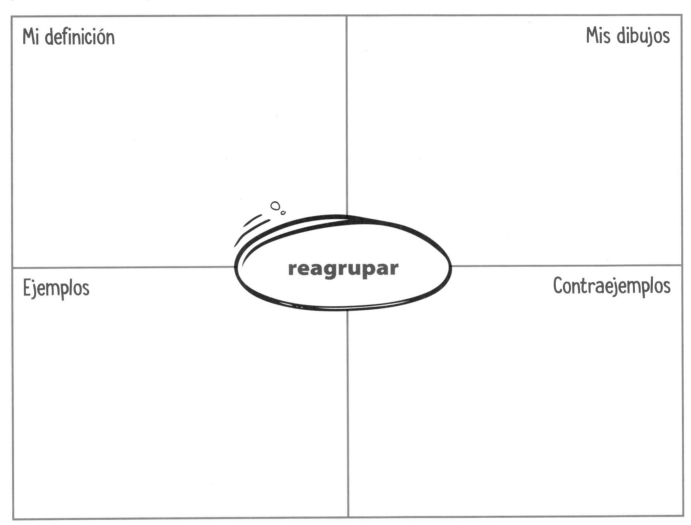

Mi definición	Mis dibujos
Ejemplos	Contraejemplos

reagrupar

2 Explica cómo podrías reagrupar para hallar 194 − 187.

3 Resuelve el problema. Muestra tu trabajo.

**Alexi debe plantar 355 flores en un jardín.
Planta 223 flores antes de tomarse un descanso.
¿Cuántas flores le quedan por plantar?**

Solución ....

4 Comprueba tu respuesta. Muestra tu trabajo.

Desarrolla Usar estrategias de valor posicional para restar

Lee el siguiente problema y trata de resolverlo.

> Catalina registra el estado del tiempo durante 365 días. Está soleado 186 días. ¿Cuántos días no está soleado?

PRUÉBALO

Herramientas matemáticas

- bloques de base diez
- tablas de valor posicional de centenas
- rectas numéricas

CONVERSA CON UN COMPAÑERO

Pregúntale: ¿Puedes explicarme eso otra vez?

Dile: No comprendo cómo . . .

Explora diferentes maneras de entender la resta de números de tres dígitos.

**Catalina registra el estado del tiempo durante 365 días.
Está soleado 186 días. ¿Cuántos días no está soleado?**

HAZ UN DIBUJO
Puedes usar bloques de base diez para restar números de tres dígitos.

Este modelo muestra 365 − 186. Todos los bloques muestran 365. Una decena y una centena están reagrupadas. Los bloques tachados muestran 186.

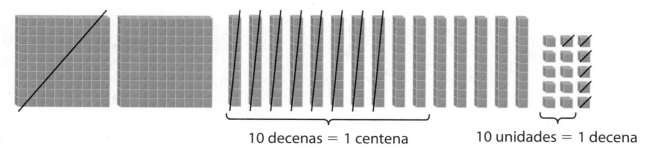

10 decenas = 1 centena   10 unidades = 1 decena

Bloques que quedan: 1 centena + 7 decenas + 9 unidades

HAZ UN MODELO
Puedes también descomponer por valor posicional para restar números de tres dígitos.

365 = 3 centenas + 6 decenas + 5 unidades
    = 3 centenas + 5 decenas + 15 unidades
    = **2 centenas + 15 decenas + 15 unidades**

186 = 1 centena + 8 decenas + 6 unidades

Resta unidades, decenas y centenas.
15 unidades − 6 unidades = 9 unidades
15 decenas − 8 decenas = 7 decenas
2 centenas − 1 centena = 1 centena

Combina estas diferencias.
1 centena + 7 decenas + 9 unidades

CONÉCTALO

Ahora vas a usar el problema de la página anterior para ayudarte a entender cómo usar diferentes estrategias para restar.

$365 - 186 = \square$

Paso 1: $365 = \mathbf{300} + \mathbf{60} + \mathbf{5}$ $186 = \mathbf{100} + \mathbf{80} + \mathbf{6}$

Paso 2: $\quad\quad = \mathbf{300} + \mathbf{50} + \mathbf{15}$ $= \mathbf{100} + \mathbf{80} + \mathbf{6}$

Paso 3: $\quad\quad = \mathbf{200} + \mathbf{150} + \mathbf{15}$ $= \mathbf{100} + \mathbf{80} + \mathbf{6}$

1 Mira el 365 en el Paso 1. ¿Puedes restar unidades a unidades, decenas a decenas y centenas a centenas?

2 Explica la reagrupación que se usó para pasar del Paso 1 al Paso 2.

Explica la reagrupación que se usó para pasar del Paso 2 al Paso 3.

3 Resta cada posición:

$200 - 100 =$ .... $150 - 80 =$ .... $15 - 6 =$ ....

Ahora halla qué resulta al sumar las tres diferencias. ....

¿Cuántos días no está soleado? ....

4 Explica cómo restar números de tres dígitos cuando se debe reagrupar dos veces.

5 REFLEXIONA

Repasa **Pruébalo**, las estrategias de tus compañeros, **Haz un dibujo** y **Haz un modelo**. ¿Qué modelos o estrategias prefieres para restar números de tres dígitos? Explica.

....

....

....

....

APLÍCALO

Usa lo que acabas de aprender para resolver estos problemas.

6 Halla $362 - 125$. Muestra tu trabajo.

Solución ....

7 Ellie lee un libro que tiene 853 páginas. Durante el fin de semana lee 146 páginas. ¿Cuántas páginas más debe leer para terminar el libro?

Ⓐ 670 páginas

Ⓑ 703 páginas

Ⓒ 707 páginas

Ⓓ 713 páginas

8 Halla $425 - 289$. Muestra tu trabajo.

Solución ....

Practica usar estrategias de valor posicional para restar

Estudia el Ejemplo, que muestra cómo el valor posicional puede ayudarte a restar números de tres dígitos. Luego resuelve los problemas 1 a 5.

EJEMPLO

El artista de globos de la feria vendió 253 globos. De esos globos, 129 eran cabezas de monstruos. ¿Cuántos globos no eran cabezas de monstruos?

Halla $253 - 129$.

$253 = 2$ centenas $+$ **5 decenas** $+$ **3 unidades**
   o 2 centenas $+$ **4 decenas** $+$ **13 unidades**
$129 = 1$ centena $+ 2$ decenas $+ 9$ unidades
$253 - 129 = 1$ centena $+ 2$ decenas $+ 4$ unidades

124 globos no eran cabezas de monstruos.

1 Completa los espacios en blanco para hallar $352 - 147$.

$352 = $ .... centenas $+$ .... decenas $+$ 2 unidades

   o .... **centenas** $+$ **4 decenas** $+$ .... **unidades**

$147 = $ .... **centena** $+$ **4 decenas** $+$ .... **unidades**

Resta: .... centenas $+ 0$ decenas $+$ .... unidades

$352 - 147 = $ ....

2 Completa los espacios en blanco para hallar $459 - 260$.

$459 = $ .... centenas $+$ .... decenas $+$ 9 unidades

   o   **3 centenas** $+$ **15 decenas** $+$ .... **unidades**

$260 = $ .... **centenas** $+$ **decenas** $+$ .... **unidades**

Resta: .... centena $+$ .... decenas $+$ .... unidades

$459 - 260 = $ ....

3 Completa los espacios en blanco para hallar 905 − 425.

905 = ... + 0 + 5

o .... + 100 + 5

425 = ... + ... + 5

Resta centenas: ....

Resta decenas: ....

Resta unidades: ....

905 − 425 = ...

Resta. Reagrupa si es necesario.

4 Halla 252 − 136. Muestra tu trabajo.

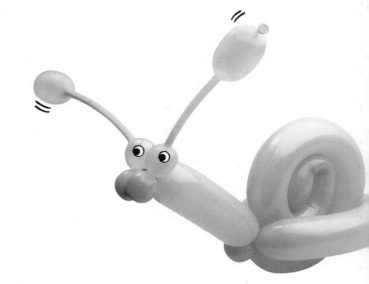

Solución ....

5 Halla 636 − 158. Muestra tu trabajo.

Solución ....

Desarrolla Sumar hacia delante para restar

Lee el siguiente problema y trata de resolverlo.

Perez tiene 205 semillas.
Siembra 137 semillas.
¿Cuántas semillas
le quedan a Perez?

PRUÉBALO

Herramientas matemáticas
- bloques de base diez
- tablas de valor posicional de centenas
- rectas numéricas

CONVERSA CON UN COMPAÑERO

Pregúntale: ¿Estás de acuerdo conmigo? ¿Por qué sí o por qué no?

Dile: Yo ya sabía que . . . así que . . .

Explora otra manera de entender la resta de números de tres dígitos.

> **Perez tiene 205 semillas. Siembra 137 semillas. ¿Cuántas semillas le quedan a Perez?**

HAZ UN MODELO

Puedes usar una recta numérica para sumar hacia delante para hallar una diferencia.

Para resolver el problema se puede usar la ecuación de resta $205 - 137 = \square$.
También se puede resolver el problema con la ecuación de suma $137 + \square = 205$.
Usa una recta numérica para sumar hacia delante desde 137 para llegar hasta 205.

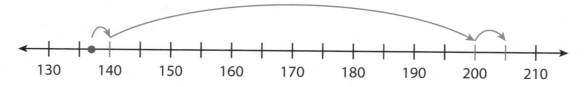

Halla los números que se suman para llegar al siguiente número:

$137 + 3 = 140$ ◀— Suma hacia delante unidades para llegar a la siguiente decena.

$140 + 60 = 200$ ◀— Suma hacia delante decenas para llegar a la siguiente centena.

$200 + 5 = 205$ ◀— Suma hacia delante unidades para llegar al total, 205.

Sumaste $3 + 60 + 5$ para llegar desde 137 hasta 205.

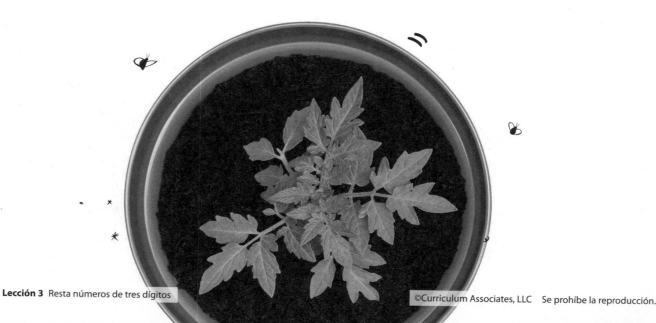

CONÉCTALO

Ahora vas a usar el problema de la página anterior y una tabla de valor posicional para ayudarte a entender cómo sumar hacia delante para restar.

1 Comienza en 137. ¿Cuál es la siguiente decena? .... ¿Cuántas unidades se suman para llegar a la siguiente decena? ....

El primer número ya está escrito en la tabla.

	Centenas	Decenas	Unidades	
137 +			3	= 140
140 +				= 200
200 +				= 205

2 ¿Cuántas decenas se suman para llegar de 140 a la centena que necesitas? Escribe tu respuesta en la tabla.

3 Ahora, ¿qué se suma para llegar desde 200 hasta 205? Escribe tu respuesta en la tabla.

4 Escribe una ecuación de suma para mostrar lo que sumaste.

¿Cuántas semillas le quedan a Perez? .... semillas

5 Explica cómo sumarías hacia delante para hallar esta diferencia: 202 − 195.

6 REFLEXIONA

Repasa **Pruébalo**, las estrategias de tus compañeros y **Haz un modelo**. ¿Qué modelos o estrategias prefieres para restar números de tres dígitos? Explica.

....

....

....

....

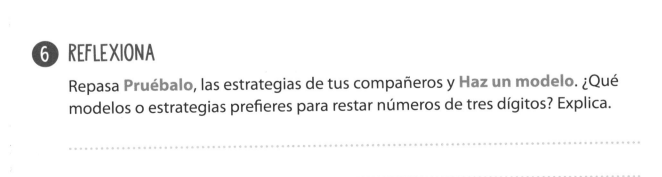

Lección 3 Resta números de tres dígitos   **61**

APLÍCALO

Usa lo que acabas de aprender para resolver estos problemas.

7 Edith tiene $600. Gasta $84. ¿Cuánto le queda a Edith? Muestra tu trabajo.

Solución ....

8 Halla la diferencia entre 430 y 182.

Ⓐ 148

Ⓑ 240

Ⓒ 248

Ⓓ 310

9 Juan envió y recibió 800 mensajes de texto. Envió 379 mensajes. ¿Cuántos mensajes de texto recibió Juan? Muestra tu trabajo.

Solución ....

Practica sumar hacia delante para restar

**Estudia el Ejemplo, que muestra cómo restar sumando hacia delante.
Luego resuelve los problemas 1 a 8.**

EJEMPLO

310 estudiantes fueron al museo de arte. 195 estudiantes salieron a las 9 a. m. Los otros salieron a las 9:30 a. m. ¿Cuántos estudiantes salieron al museo a las 9:30 a. m.?

$310 - 195 = \boxed{}$, o $195 + \boxed{} = 310$

Suma hacia delante desde 195 para llegar hasta 310.

Suma 5: $195 + \ \ 5 = 200$
Suma 100: $200 + 100 = 300$
Suma 10: $300 + \ 10 = 310$

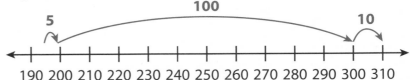

$5 + 100 + 10 = 115$
$195 + 115 = 310$ $310 - 195 = 115$

Por lo tanto, 115 estudiantes salieron a las 9:30.

Completa los espacios en blanco para mostrar la suma hacia delante para restar.

1 $75 + 5 +$ .... $= 100$; por lo tanto, $100 - 75 =$ ....

2 $114 + 6 +$ .... $+$ .... $= 132$; por lo tanto,

$132 - 114 =$ ....

3 $162 + 8 +$ .... $+ 1 = 201$; por lo tanto, $201 - 162 =$ ....

Resuelve.

4 $501 - 470 =$ ....

Explica cómo se puede empezar con 470 y sumar hacia delante para resolver el problema.

Resuelve.

5 100 − 78 = ...

Explica cómo se puede empezar con 78 y sumar hacia delante para resolver el problema.

6 200 − 96 = ...

Explica cómo se puede empezar con 96 y sumar hacia delante para resolver el problema.

7 305 − 212 = ...

Explica cómo se puede empezar con 212 y sumar hacia delante para resolver el problema.

8 303 − 196 = ...

Explica cómo se puede empezar con 196 y sumar hacia delante para resolver el problema.

Desarrolla Conectar estrategias de valor posicional con un algoritmo

Lee el siguiente problema y trata de resolverlo.

¿Cuál es la diferencia?
Usa el valor posicional para ayudarte a restar.

$$385$$
$$- 158$$

PRUÉBALO

Herramientas matemáticas

- bloques de base diez
- tablas de valor posicional de centenas
- rectas numéricas

CONVERSA CON UN COMPAÑERO

Pregúntale: ¿Por qué elegiste esa estrategia?

Dile: El modelo que usé fue . . . Me ayudó a . . .

Explora otra manera de entender cómo restar usando el valor posicional.

> **¿Cuál es la diferencia?**
> **Usa el valor posicional para ayudarte a restar.**

$$\begin{array}{r} 385 \\ -\ 158 \\ \hline \end{array}$$

HAZ UN MODELO
Puedes reagrupar cuando sea necesario para poder restar.

No se puede restar 8 a 5. Se debe reagrupar. Escribe 385 en una tabla de valor posicional.

Reagrupa una decena en la posición de las unidades.

Centenas	Decenas	Unidades
3	⑧	5

3	7	10 + 5 = 15

8 decenas = 7 decenas + 10 unidades

Ahora tienes suficientes unidades para restar.

	Centenas	Decenas	Unidades
	3	7	15
−	1	5	8

HAZ UN MODELO
Puedes anotar tu trabajo de una manera más corta.

Resta unidades a unidades, decenas a decenas y centenas a centenas. Anota tu trabajo mostrando la reagrupación sobre el problema y escribe la diferencia en una fila. Una cuadrícula puede ayudarte a llevar la cuenta del valor posicional de los dígitos.

Reagrupa **8 decenas** a **7 decenas** y **10 unidades**.

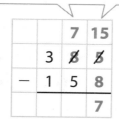

		7	15
	3	8̸	5̸
−	1	5	8
			7

		7	15
	3	8̸	5̸
−	1	5	8
			7

		7	15
	3	8̸	5̸
−	1	5	8
			7

Paso 1: Restar unidades.
¿Hay que reagrupar? Sí.
15 − 8 = 7

Paso 2: Restar decenas.
¿Hay que reagrupar? No.
7 − 5

Paso 3: Restar centenas.
¿Hay que reagrupar? No.
3 − 1

CONÉCTALO

Ahora vas a usar el problema de la página anterior para ayudarte a entender cómo restar usando el valor posicional.

1 Mira el primer **Haz un modelo**. ¿Tiene sentido la manera en que una de las decenas se reagrupó en unidades? Explica.

2 Mira el segundo **Haz un modelo**. ¿Por qué están tachados los **8** en la posición de las decenas y los **5** en la posición de las unidades? ¿Por qué se muestran **7** decenas y **15** unidades?

3 ¿Cómo completarías el problema para hallar la diferencia?

4 Cuando se debe reagrupar una decena y el dígito de las decenas es 0, se debe reagrupar desde la posición de las centenas. Usa la cuadrícula y los pasos del segundo **Haz un modelo** para hallar 500 − 219. Explica tu trabajo.

		5	0	0
−		2	1	9

5 REFLEXIONA

Repasa **Pruébalo**, las estrategias de tus compañeros y los **Haz un modelo**. ¿Qué modelos o estrategias prefieres para restar? Explica.

....

....

....

....

APLÍCALO

Usa lo que acabas de aprender para resolver estos problemas.

6 Resuelve cada problema de resta. Muestra tu trabajo.

a.

	8	7	2
−	7	4	1

b.

	4	0	9
−	2	4	3

7 En un año hay 180 días de clases. Si un año tiene 365 días, ¿cuántos días del año no hay clases? Comprueba tu respuesta usando el redondeo. Muestra tu trabajo.

Redondea a la centena más cercana para comprobar:

Solución ....

8 Halla la diferencia. Muestra tu trabajo.

345
− 187

Solución ....

Practica conectar estrategias de valor posicional con un algoritmo

Estudia el Ejemplo, que muestra cómo usar un algoritmo puede ayudarte a restar números de tres dígitos. Luego resuelve los problemas 1 a 9.

EJEMPLO

Ayla tiene un recipiente con 562 gramos de jugo de naranja. Vierte 381 gramos de jugo en un vaso. ¿Cuántos gramos de jugo quedan en el recipiente?

```
            4 centenas      16 decenas
    4 16
    5̶6̶2  =  5̶ ̶c̶e̶n̶t̶e̶n̶a̶s̶  +  6̶ ̶d̶e̶c̶e̶n̶a̶s̶  +  2 unidades
  − 381  =  3 centenas   +  8 decenas  +  1 unidad
    181  =  1 centena    +  8 decenas  +  1 unidad
```

Quedan 181 gramos de jugo en el recipiente.

Completa los espacios en blanco para restar.

1. Resta 849 a 960.

```
                      ............ decenas      ............ unidades
    960 = ............ centenas  +  6̶ ̶d̶e̶c̶e̶n̶a̶s̶  +  0̶ ̶u̶n̶i̶d̶a̶d̶e̶s̶
  − 849 = ............ centenas  +  4 decenas  +  9 unidades
  ............ = ............ centena  +  ............ decena  +  ............ unidad
```

2.

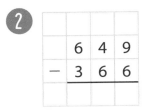

Resta.

3

```
    2  8  6
-   1  9  9
```

4

```
    8  0  0
-   5  1  2
```

5
```
   998
-  657
```

6
```
   865
-  328
```

7
```
   382
-  195
```

8
```
   280
-  153
```

9
```
  1,000
-   595
```

Refina Restar números de tres dígitos

Completa el Ejemplo siguiente. Luego resuelve los problemas 1 a 8 usando la estrategia que elijas.

EJEMPLO

Halla la diferencia de 805 y 279.

Mira cómo podrías mostrar tu trabajo usando el algoritmo.

Reagrupa dos veces:

$$800 + 0 + 5 = 700 + 100 + 5$$
$$= 700 + 90 + 15$$

$$
\begin{array}{r}
9 \\
7\ 10\ 15 \\
\cancel{805} \\
-\ 279 \\
\hline
526
\end{array}
$$

Solución ....

El estudiante primero reagrupó 1 centena a las decenas. Esto hizo que fuera posible reagrupar 1 decena a las unidades para formar 15.

EN PAREJA
¿De qué otra manera puedes resolver este problema?

APLÍCALO

1 Halla 450 − 131. Muestra tu trabajo.

¿Cómo puedes usar el valor posicional para ayudarte a reagrupar?

EN PAREJA
¿Cómo supiste que debías reagrupar?

Solución ....

2 Corey trabaja 144 horas al mes. Trabajó 72 horas hasta el momento este mes. ¿Cuántas más horas tiene que trabajar Corey este mes? Muestra tu trabajo.

¿Necesitas reagrupar?

Solución ....

3 Chad practicó bateo durante 205 minutos esta semana. Doug practicó bateo durante 110 minutos. ¿Cuántos más minutos practicó Chad que Doug?

Ⓐ 90 minutos

Ⓑ 95 minutos

Ⓒ 195 minutos

Ⓓ 315 minutos

Sam eligió Ⓓ como la respuesta correcta. ¿Cómo obtuvo él esa respuesta?

4 Gail condujo 900 millas desde su casa hasta una reunión familiar. En un momento durante su viaje de regreso a casa, vio que todavía le quedaban 455 millas para llegar a su casa. ¿Cuántas millas había conducido ya hacia su casa?

Ⓐ 545

Ⓑ 455

Ⓒ 555

Ⓓ 445

5 ¿Qué diagramas o soluciones representan la diferencia 354 − 298?

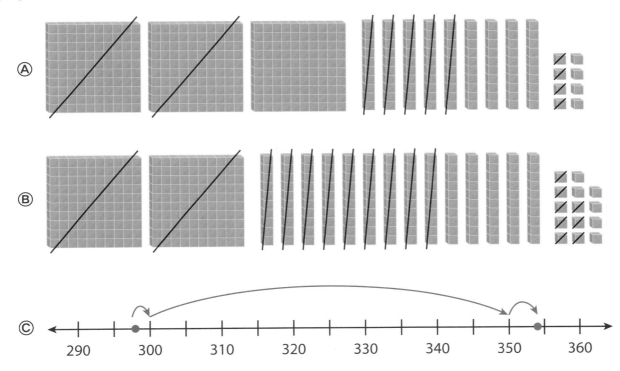

Ⓓ 2 centenas − 2 centenas = 0 centenas
15 decenas − 9 decenas = 6 decenas
14 unidades − 8 unidades = 6 unidades

Ⓔ
$$\begin{array}{r} \overset{14}{2\ \overset{14}{\cancel{4}}\ \cancel{14}} \\ \cancel{354} \\ -\ 298 \\ \hline 56 \end{array}$$

6 Halla 907 − 199. Muestra tu trabajo.

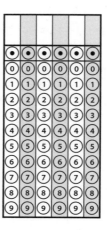

7 Neke tiene 308 palillos de manualidades. Compra un paquete de 625 palillos de manualidades. Usa 245 palillos para un proyecto. ¿Cuántos palillos de manualidades le quedan a Neke? Muestra tu trabajo.

A Neke le quedan .... palillos de manualidades.

8 DIARIO DE MATEMÁTICAS

¿Qué estrategia usarías para hallar 379 − 284?
Explica y luego halla la diferencia.

☑ COMPRUEBA TU PROGRESO Vuelve al comienzo de la Unidad 1 y mira qué destrezas puedes marcar.

En esta unidad aprendiste a . . .

Destreza	Lección
Usar el valor posicional para redondear números a la decena más cercana y a la centena más cercana, por ejemplo: • 315 redondeado a la decena más cercana es 320. • 826 redondeado a la centena más cercana es 800.	1
Usar el valor posicional para sumar y restar, por ejemplo: $329 + 148 = (300 + 100) + (20 + 40) + (9 + 8)$ $= 400 + 60 + 17$ $= 477$	2, 3
Resolver problemas verbales al sumar y restar usando el valor posicional.	2, 3

Piensa en lo que has aprendido.

Usa palabras, números y dibujos.

1 Dos cosas importantes que aprendí son . . .

2 Algo que sé bien es . . .

3 Algo que podría hacer mejor es . . .

Usa el redondeo y las operaciones

Estudia un problema y su solución

EPM 1 Entender problemas y perseverar en resolverlos.

Lee el siguiente problema en el que se usa el redondeo con la suma. Luego estudia cómo Alex resolvió el problema.

Adoptar un animal

La organización Wildlife Protectors salva animales que están en peligro. Alex los ayuda a recaudar dinero. Su objetivo es recaudar al menos $750. Alex pide a sus vecinos que compren kits de adopción. Estas son sus notas.

KITS DE ADOPCIÓN

Tigre
Kit de $59
Kit de $95
Kit de $199
Búho nevado
Kit de $29
Kit de $55
Kit de $99

Mis notas

- Dos personas gastarán hasta $200.
- Dos personas gastarán cerca de $100.
- Otras gastarán menos de $75.

Usa la información de las notas. Muestra qué kits y cuántos de cada uno debe vender Alex para lograr su objetivo. Explica tus elecciones.

Lee la solución que aparece en la página siguiente. Luego mira la lista de chequeo de abajo. Marca las partes de la solución que corresponden a la lista.

☑ LISTA DE CHEQUEO PARA LA SOLUCIÓN DE PROBLEMAS

- ☐ Di lo que se sabe.
- ☐ Di lo que pide el problema.
- ☐ Muestra todo tu trabajo.
- ☐ Muestra que la solución tiene sentido.

a. Haz un círculo alrededor de lo que se sabe.

b. Subraya las cosas que hace falta averiguar.

c. Encierra en un cuadro lo que se hace para resolver el problema.

d. Pon una marca ✓ junto a la parte que muestra que la solución tiene sentido.

LA SOLUCIÓN DE ALEX

Hola, soy Alex. Así fue como resolví este problema.

- **Puedo redondear los precios. Luego puedo estimar cuántos kits vender.**

$59 → $60 $95 → $100 $199 → $200

$29 → $30 $55 → $60 $99 → $100

- **Las dos personas que gastarán hasta $200 pueden comprar los kits de $199.**

    $200 + $200 = $400

Primero uso números redondeados; así tengo una idea de qué números funcionan antes de hacer toda la suma.

- **Las dos personas que gastarán cerca de $100 pueden comprar los kits de $99. Esto es cerca de $200 más.**

Ahora tengo $400 + $200, o $600.

- **$59 < $75. Si dos personas compran kits de $59, tendré casi $120 más.**

Ahora tengo cerca de $600 + $120, o $720.

- **$29 < $75. Si dos personas compran los kits de $29, tendré casi $60 más.**

Ahora tengo cerca de $720 + $60, o $780. Esto es al menos $750.

- **Ahora puedo hallar los precios reales.**

Dos kits por $199: $199 + $199 = $398

Dos kits por $99: $99 + $99 = $198

Dos kits por $59: $59 + $59 = $118

Dos kits por $29: $29 + $29 = $58

Cada uno de los sumandos es 1 menos que los números redondeados. Esto significa que cada total real es 2 menos que el total estimado.

$$
\begin{array}{r}
\overset{2\,3}{\$398} \\
\$198 \\
\$118 \\
+\$\ 58 \\
\hline
\$772
\end{array}
$$

$772 > $750, así que el plan funciona.

Prueba otro método

Hay muchas maneras de resolver problemas. Piensa en cómo podrías resolver el problema de "Adoptar un animal" de una manera distinta.

Adoptar un animal

La organización Wildlife Protectors salva animales que están en peligro. Alex los ayuda a recaudar dinero. Su objetivo es recaudar al menos $750. Alex pide a sus vecinos que compren kits de adopción. Estas son sus notas.

Mis notas

- Dos personas gastarán hasta $200.
- Dos personas gastarán cerca de $100.
- Otras gastarán menos de $75.

Usa la información de las notas. Muestra qué kits y cuántos de cada uno debe vender Alex para lograr su objetivo. Explica tus elecciones.

KITS DE ADOPCIÓN

Tigre
Kit de $59
Kit de $95
Kit de $199

Búho nevado
Kit de $29
Kit de $55
Kit de $99

PLANEA

Contesta las siguientes preguntas para empezar a pensar en un plan.

A. ¿Qué kit que cuesta cerca de $100 no se usó en la solución de Alex?

B. ¿Qué kit que cuesta cerca de $60 no se usó en la solución de Alex?

RESUELVE

Halla una solución distinta al problema de "Adoptar un animal".
Muestra todo tu trabajo en una hoja de papel aparte.

Tal vez quieras usar las sugerencias de abajo para empezar.

SUGERENCIAS PARA RESOLVER PROBLEMAS

- **Herramientas** Tal vez quieras usar . . .
  - el cálculo mental.
  - papel y lápiz.

- **Banco de palabras**

redondear	total	cerca de
suma	estimar	mayor que

- **Oraciones modelo**

- Redondearé _____

- _____ es mayor que _____

☑ LISTA DE CHEQUEO PARA LA SOLUCIÓN DE PROBLEMAS

Asegúrate de . . .
- ☐ decir lo que se sabe.
- ☐ decir lo que pide el problema.
- ☐ mostrar todo tu trabajo.
- ☐ mostrar que la solución tiene sentido.

REFLEXIONA

Usa las prácticas matemáticas A medida que vayas resolviendo el problema, comenta las siguientes preguntas con un compañero.

- **Sé preciso** ¿Por qué debes hallar totales reales para resolver este problema?

- **Razona matemáticamente** ¿Qué estrategias de suma puedes usar para resolver este problema?

Comenta modelos y estrategias

Lee el problema. Escribe una solución en una hoja de papel aparte. Recuerda que puede haber muchas maneras de resolver un problema.

Mejores granjas

Una manera de ayudar a los animales en peligro es haciendo que las granjas sean mejores. Cuando se despeja un terreno para la agricultura, se les quita a los animales salvajes. Alex quiere ayudar a que las granjas produzcan más alimentos para que no se necesiten nuevas granjas.

La organización Wildlife Protectors recauda dinero para comprar suministros agrícolas.

- Abono: $10 cada bolsa
- Maceta de madera: $5 cada una
- Estación de enjuague: $40
- Canteros elevados de madera: $109

Alex quiere saber qué se puede comprar con el dinero de un kit de adopción de $199. Cuesta $8 hacer el kit. Con el resto del dinero se pueden comprar suministros agrícolas. Muestra a Alex qué se puede comprar con el dinero de un kit de $199.

PLANEA Y RESUELVE

Halla una solución al problema de "Mejores granjas".

- Halla cuánto dinero produce la venta de un kit.

- Halla al menos dos artículos diferentes que se puedan comprar con esta cantidad de dinero.

- Di cuánto dinero queda, si queda algo.

Tal vez quieras usar las sugerencias de abajo para empezar.

SUGERENCIAS PARA RESOLVER PROBLEMAS

● **Preguntas**

- ¿Cómo se halla la cantidad de dinero que queda después de pagar el costo del kit?

- ¿Qué artículos crees que necesitan más las granjas?

● **Oraciones modelo**

- Quedan _____ después de _____

- Con la venta de un kit de $199 se puede comprar _____

☑ **LISTA DE CHEQUEO PARA LA SOLUCIÓN DE PROBLEMAS**

Asegúrate de . . .

☐ decir lo que se sabe.

☐ decir lo que pide el problema.

☐ mostrar todo tu trabajo.

☐ mostrar que la solución tiene sentido.

REFLEXIONA

Usa las prácticas matemáticas A medida que vayas resolviendo el problema, comenta las siguientes preguntas con un compañero.

- **Entiende el problema** ¿Qué harás primero? ¿Por qué?

- **Persevera** ¿De qué otras maneras podrías resolver este problema?

Persevera por tu cuenta

Lee los problemas. Escribe una solución en una hoja de papel aparte.

Venta de boletos

Alex trabaja en el zoológico. El zoológico dona dinero a los Wildlife Protectors por cada boleto que se vende el sábado en la mañana. Donan $1 por cada boleto infantil y $2 por cada boleto de adulto.

Alex miró los registros de los boletos de las últimas 5 semanas.

Venta de boletos de los sábados en la mañana					
	Semana 1	Semana 2	Semana 3	Semana 4	Semana 5
Boletos de adulto vendidos	74	68	76	78	72
Boletos infantiles vendidos	93	96	99	103	106

Estima cuánto dinero donará el zoológico a los Wildlife Protectors en la semana 6.

RESUELVE

Ayuda a Alex a estimar la cantidad de la donación.

• Halla el número de boletos infantiles y boletos de adulto que habitualmente se venden los sábados en la mañana. Usa el redondeo.

• Luego usa los números de boletos para estimar la cantidad de dinero que el zoológico donará.

REFLEXIONA

Usa las prácticas matemáticas Cuando termines, elige una de las siguientes preguntas y coméntala con un compañero.

• **Construye un argumento** ¿Por qué tienen sentido en el problema los números que usaste?

• **Sé preciso** ¿Se puede hallar una respuesta exacta para este problema? ¿Por qué sí o por qué no?

Decoraciones para el zoológico

Alex quiere hacer un nuevo quiosco de boletos para el zoológico. Lo decorará con estrellas plateadas. Alex estima que necesitará cerca de 800 estrellas.

Las estrellas vienen en cajas. Estas son las cajas que puede elegir:

Caja A: 96 estrellas $2

Caja B: 204 estrellas $3

Caja C: 300 estrellas $4

Caja D: 348 estrellas $5

¿Qué cajas debería comprar Alex? ¿Cuánto costarán las cajas?

RESUELVE

Halla una manera de comprar 800 estrellas.

• Di cuáles cajas y cuántas de cada una debería comprar Alex.

• Explica cómo sabes que Alex tendrá cerca de 800 estrellas.

• Halla el costo total.

REFLEXIONA

Usa las prácticas matemáticas Cuando termines, elige una de las siguientes preguntas y coméntala con un compañero.

• **Razona con números** ¿Cómo te podría ayudar la estimación a comenzar a resolver este problema?

• **Usa modelos** ¿Cómo usaste ecuaciones para ayudarte a resolver el problema?

1 ¿Cuánto es 388 redondeado a la centena más cercana?

Ⓐ 300

Ⓑ 380

Ⓒ 390

Ⓓ 400

2 Halla 436 + 542. Anota tu respuesta en la cuadrícula. Luego rellena los círculos.

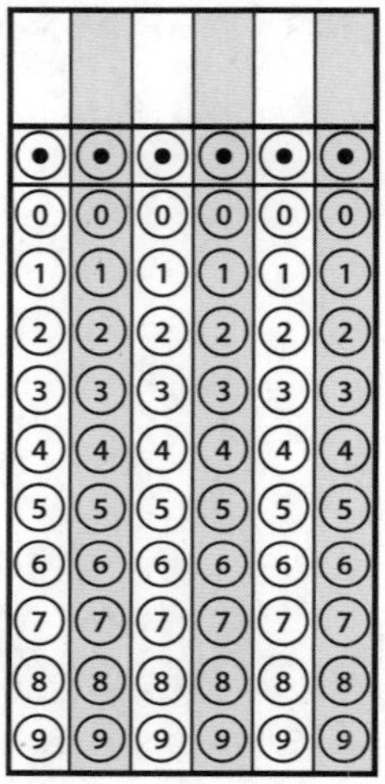

3 ¿Cuál es la diferencia entre 723 y 285? Muestra tu trabajo.

Solución ....

4 Suma hacia delante para restar. Escribe tu respuesta en los espacios en blanco.

326 + 4 + ... + 2 = 392; por lo tanto, 392 − 326 = ...

5 Dakota tomó 426 fotos de plantas. Luego redondeó el número para decirle a la gente cuántas fotos tomó.

Escribe tus respuestas en los espacios en blanco.

Redondeado a la decena más cercana, Dakota tomó .... fotos de plantas.

Redondeado a la centena más cercana, Dakota tomó .... fotos de plantas.

6 ¿Cuáles de estos diagramas o soluciones representan 176 + 139? Elige todas las respuestas correctas.

Ⓐ $\begin{array}{r} 100 + 70 + 6 \\ 100 + 30 + 9 \\ \hline 200 + 100 + 15 \end{array}$

Ⓑ $\begin{array}{r} 176 \\ + 139 \\ \hline 5 \\ 10 \\ 200 \end{array}$

Ⓒ 1 centena + 1 centena = 2 centenas
70 decenas + 30 decenas = 100 decenas
6 unidades + 9 unidades = 15 unidades

Ⓓ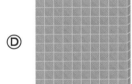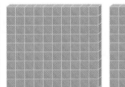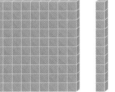

Ⓔ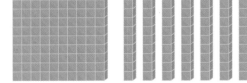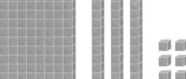

Prueba de rendimiento

Contesta las preguntas y muestra todo tu trabajo en una hoja de papel aparte.

El Sr. Gemelli es el encargado de la cafetería de la escuela. Necesita que lo ayudes a ordenar bandejas de almuerzo biodegradables y bananas para el almuerzo de los estudiantes. Necesita ordenar bandejas y bananas para los almuerzos de la próxima semana. Estas son las instrucciones del Sr. Gemelli:

"Necesito 1 bandeja y 1 banana para cada almuerzo que se sirva. Normalmente redondeo el número de almuerzos de cada día a la decena más cercana cuando ordeno bananas. Creo que esto me dejará algunas bananas adicionales en caso de que algunos estudiantes quieran más de una. Redondeo el número de almuerzos de cada día a la centena más cercana cuando ordeno bandejas porque se venden en paquetes de 100".

La siguiente tabla muestra el número de almuerzos que se servirán cada día de la próxima semana.

	Lunes	Martes	Miércoles	Jueves	Viernes
Número de almuerzos	159	245	113	104	162

Usa las instrucciones del Sr. Gemelli para hallar el número total de bandejas y bananas que debería ordenar para el almuerzo de los estudiantes de la próxima semana. Escribe una carta al Sr. Gemelli diciéndole cuántos de cada artículo debería ordenar y explicando cómo lo sabes.

REFLEXIONA

Usa las prácticas matemáticas Cuando termines, escoge una de estas preguntas y contéstala.

- **Sé preciso** ¿Cómo decidiste cómo redondear los números de la tabla del Sr. Gemelli?

- **Razona matemáticamente** ¿Qué estrategias usaste para sumar los números en este problema?

Lista de chequeo

☐ ¿Organizaste tu información?

☐ ¿Comprobaste tus cálculos?

☐ ¿Escribiste una carta con una explicación completa?

Vocabulario

Dibuja o escribe para dar un ejemplo de cada término. Luego dibuja o escribe para mostrar otras palabras de matemáticas de la unidad.

algoritmo conjunto de pasos que se siguen rutinariamente para resolver problemas.

Mi ejemplo

redondear hallar un número que es cercano en valor al número dado hallando la decena, la centena u otro valor posicional más cercano.

Mi ejemplo

sumas parciales las sumas que se obtienen en cada paso de la estrategia de sumas parciales. Se usa el valor posicional para hallar sumas parciales. Por ejemplo, las sumas parciales para $124 + 234$ son $100 + 200$ o 300, $20 + 30$ o 50, y $4 + 4$ u 8.

Mi ejemplo

Mi palabra: _____

_____

_____

Mi ejemplo

Mi palabra: _____

_____

_____

Mi ejemplo

Mi palabra: _____

_____

_____

Mi ejemplo

Mi palabra: _____

_____

_____

Mi ejemplo

Mi palabra: _____

_____

_____

Mi ejemplo

Mi palabra: _____

_____

_____

Mi ejemplo

Mi palabra: _____

_____

_____

Mi ejemplo

Mi palabra: _____

_____

_____

Mi ejemplo

Mi palabra: _____

_____

_____

Mi ejemplo

☑ COMPRUEBA TU PROGRESO

Antes de comenzar esta unidad, marca las destrezas que ya conoces. Al terminar cada lección, comprueba si puedes marcar otras.

Puedo . . .	Antes	Después
Explicar la multiplicación usando grupos iguales y matrices.	☐	☐
Separar números para hacer que la multiplicación sea más fácil, por ejemplo: 3×8 es igual a $(3 \times 4) + (3 \times 4)$.	☐	☐
Usar el orden y agrupar para que la multiplicación sea más fácil, por ejemplo: $2 \times 6 \times 5$ es igual a $6 \times (2 \times 5)$.	☐	☐
Usar el valor posicional para multiplicar, por ejemplo: 3×40 es igual a $3 \times 4 \times 10$.	☐	☐
Explicar la división usando grupos iguales y matrices.	☐	☐
Comprender la división como un problema de multiplicación, por ejemplo: $10 \div 2 = ?$ puede mostrarse como $2 \times ? = 10$.	☐	☐
Usar datos de multiplicación y división hasta los datos para 10.	☐	☐
Hallar la regla de un patrón y explicarla.	☐	☐

Amplía tu vocabulario

Vocabulario matemático

Juega el "Tres en raya de las matemáticas" con un compañero. Elige un espacio y dile a tu compañero el significado de la palabra, los números o el dibujo antes de colocar una X o una O.

matriz	●●● ●●●●	4 + 6 = 10
número par	2, 4, 6, 8, 10	número impar
suma	1, 3, 5, 7, 9	●●●● ●●●●

Vocabulario académico

Pon una marca junto a las palabras académicas que ya conoces. Luego usa las palabras para completar las oraciones.

☐ preparar   ☐ revisar   ☐ organizar   ☐ proceso

1 El .... de cómo una oruga se convierte en mariposa se llama ciclo de la vida.

2 Es útil volver atrás y .... mi trabajo para asegurarme de que obtuve la respuesta correcta.

3 Cuando hago matrices, ... mis fichas en filas y columnas.

4 Antes de comenzar a cocinar nuestra comida favorita .... todos los ingredientes.

Comprende Significado de la multiplicación

Estimada familia:

Esta semana su niño está explorando el significado de la multiplicación.

La **multiplicación** implica trabajar con grupos iguales de objetos. Por ejemplo:

3 grupos de 5 flores cada uno suman un total de 15 flores.

Multiplique: $3 \times 5 = 15$

El **producto** dice cuántos hay en total.

El primer **factor** dice cuántos grupos hay.

El segundo **factor** dice cuántos hay en cada grupo.

Su niño está usando matrices para representar la multiplicación. Una matriz es un conjunto de objetos ordenados en filas y columnas iguales.

4 filas de 6 manzanas cada una suman 24 manzanas en total. Use la **ecuación de multiplicación** $4 \times 6 = 24$.

Invite a su niño a compartir lo que sabe sobre el significado de la multiplicación haciendo juntos la siguiente actividad.

ACTIVIDAD MULTIPLICAR

Haga la siguiente actividad con su niño para explorar el significado de la multiplicación.

Materiales 30 monedas de 1¢ u otros objetos pequeños, 4 a 6 vasos pequeños

- Pida a su niño que represente 4 × 5 colocando monedas de 1¢ en los vasos.

- Usando las monedas que hay en los vasos, complete esta oración:

  .... grupos de .... monedas es igual a .... monedas en total.

- Luego, pida a su niño que saque las monedas del primer vaso y que las ordene en una fila para comenzar una matriz.

- Pídale que forme la segunda, tercera y cuarta fila de la matriz con las monedas de los otros tres vasos.

- Usando la matriz, pida a su niño que multiplique para hallar el total.

  $$\underset{\text{cuántas filas}}{.......} \quad \times \quad \underset{\text{cuántos en cada fila}}{.......} \quad = \quad \underset{\text{total}}{.......}$$

- Repita esta actividad para grupos iguales de otros tamaños, como 5 × 3, 2 × 4, o 3 × 6.

A medida que su niño se familiarice con el concepto de la multiplicación, señale ejemplos de multiplicación de la vida real; por ejemplo, 3 grupos de 2 calcetines muestra 3 × 2 = 6.

Respuestas:
4 grupos de 5 monedas es igual a 20 monedas en total

Array:

4 × 5 = 20

Explora **El significado de la multiplicación**

¿Qué sucede cuando multiplicas números?

HAZ UN MODELO

Completa los problemas de abajo.

1 Puedes sumar para hallar el número total de objetos que hay en diferentes grupos. Cuando los grupos son iguales, también puedes **multiplicar** para hallar el total.

Haz un dibujo de 3 grupos iguales de 2 globos.

2 Escribe una ecuación de suma para representar el total que muestra tu dibujo.

3 Completa la oración para describir los grupos iguales de tu dibujo. Luego usa los mismos números para completar la ecuación de **multiplicación**.

.... grupos de .... es .... en total.

$$ \ldots\ldots \times \ldots\ldots = \ldots\ldots $$

CONVERSA CON UN COMPAÑERO

• ¿En qué se parece tu ecuación de suma a la ecuación de suma de tu compañero?

• Creo que el × en el problema 3 significa . . .

HAZ UN MODELO
Completa los problemas de abajo.

4 Puedes representar la multiplicación con grupos iguales. Encierra en un círculo las pelotas de tenis para mostrar 3 grupos iguales de 4 pelotas de tenis.

5 Usa el dibujo de grupos iguales de arriba a la derecha para mostrar qué significa la **ecuación de multiplicación**. Completa los espacios en blanco.

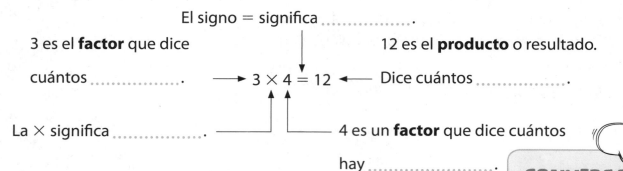

El signo = significa ....

3 es el **factor** que dice

cuántos ....   3 × 4 = 12 ◄─── Dice cuántos ....

12 es el **producto** o resultado.

La × significa ....   4 es un **factor** que dice cuántos

hay ....

Cuando ves 3 × 4 = 12, dices: *Tres por cuatro es igual a 12.*

6 También puedes representar la multiplicación con una matriz. Completa los espacios en blanco.

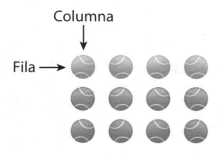

Columna

Fila

.... filas con .... columnas es .... en total.

.... × .... = ...

CONVERSA CON UN COMPAÑERO

• Compara cómo completaste los problemas 5 y 6 con tu compañero. ¿Son iguales sus respuestas?

• Creo que se puede escribir una ecuación de multiplicación para hallar el total cuando . . .

7 REFLEXIONA

Mira la manera en la que están organizadas las sillas en tu salón de clase. ¿Podrían o no podrían representar un problema de multiplicación? Explica.

....

....

Prepárate para la multiplicación

1 Piensa en lo que sabes acerca de la multiplicación. Llena cada recuadro.
Usa palabras, números y dibujos. Muestra tantas ideas como puedas.

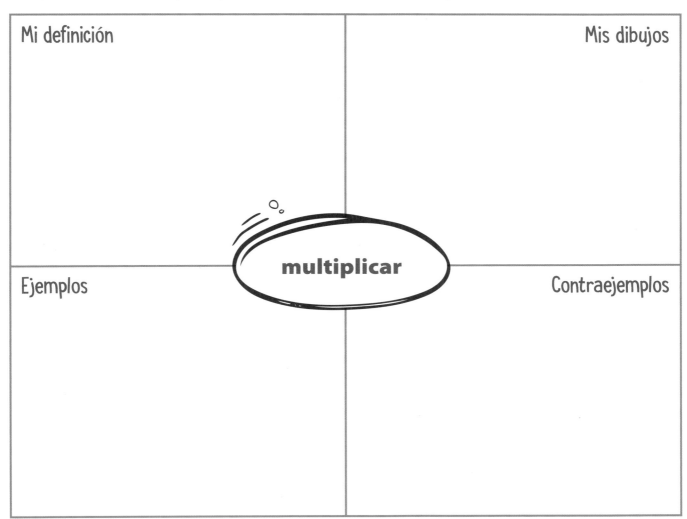

Mi definición	Mis dibujos
Ejemplos	Contraejemplos

multiplicar

2 Explica cómo puedes escribir una ecuación de multiplicación para el dibujo.

Resuelve.

3 Haz un dibujo de 4 grupos iguales de 3 botones.

4 Escribe una ecuación de suma para representar el total que muestra tu dibujo.

5 Completa la oración para describir los grupos iguales de tu dibujo. Luego usa los mismos números para completar la ecuación de multiplicación.

.... grupos de .... es .... en total.

↓ ↓ ↓ ↓ ↓

.... × .... = ...

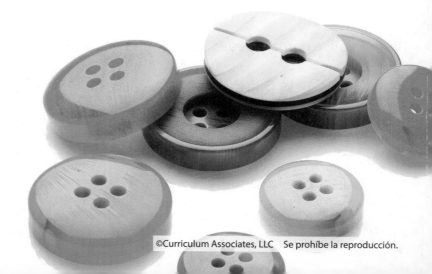

Desarrolla Comprender modelos de la multiplicación

HAZ UN MODELO: GRUPOS IGUALES Y MATRICES

Prueba estos dos problemas.

1 Muestra qué significa la **expresión** 4 × 5 usando grupos iguales.

a. Dibuja grupos iguales.

b. Usa palabras para describir tu dibujo de 4 × 5.

c. Escribe el producto. 4 × 5 = ...

2 Muestra qué significa la expresión 4 × 5 usando una matriz.

a. Haz una matriz.

b. Usa palabras para describir tu dibujo de 4 × 5.

c. Escribe el producto. 4 × 5 = ...

CONVERSA CON UN COMPAÑERO

• ¿Cómo sabían tu compañero y tú cuántos grupos iguales dibujar en el problema 1?

• Creo que tanto los grupos iguales como las matrices representan la multiplicación porque . . .

HAZ UN MODELO: FICHAS CUADRADAS

Usa fichas cuadradas para representar la multiplicación.

3 Puedes unir las fichas en una matriz para formar un rectángulo. Escribe la ecuación de multiplicación que muestra el siguiente rectángulo.

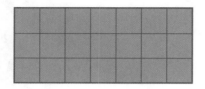

4 Dibuja un rectángulo formado por fichas cuadradas que muestre $5 \times 3 = 15$.

CONVERSA CON UN COMPAÑERO

• ¿Cómo podrías usar palabras en lugar de un dibujo para describir 5×3?

• Creo que los rectángulos con las fichas cuadradas representan la multiplicación porque . . .

CONÉCTALO

Completa los problemas de abajo.

5 ¿Cómo pueden usarse las palabras y los dibujos de grupos iguales, las matrices o las fichas cuadradas para describir el significado de un problema de multiplicación?

6 Usa cualquier modelo para mostrar y hallar 4×7. Escribe una ecuación de multiplicación completa y explica qué indica cada número de la ecuación.

Practica con modelos de multiplicación

Estudia cómo el Ejemplo representa una ecuación de multiplicación con grupos iguales. Luego resuelve los problemas 1 a 9.

EJEMPLO

Haz un dibujo y usa palabras para la ecuación de multiplicación $2 \times 6 = 12$.

Hay 2 grupos de 6 catarinas, o 12 catarinas en total.

Usa el siguiente dibujo para resolver los problemas 1 a 4.

1. ¿Cuántos grupos iguales hay? ....

2. ¿Cuántas catarinas hay en cada grupo? ....

3. ¿Cuántas catarinas hay en total? ....

4. Escribe una ecuación de multiplicación que coincida con el dibujo.

   .... $\times$ .... $=$ ....

Usa el dibujo de la derecha para resolver los problemas 5 a 7.

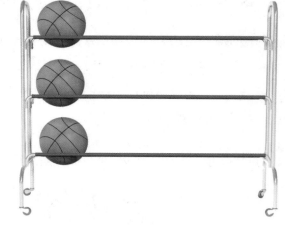

5 El carrito de básquetbol tiene 3 estantes. Ya hay 1 pelota de básquetbol en cada estante. Dibuja el resto de las pelotas de básquetbol para hacer una matriz que represente la expresión 3 × 5.

6 Mira tu dibujo de las pelotas de básquetbol que hay en el carrito. Piensa en las pelotas de básquetbol como una matriz.

¿Cuántas filas hay en la matriz? ....

¿Cuántas pelotas de básquetbol hay en cada fila? ....

¿Cuántas pelotas de básquetbol hay en el carrito? ....

7 Completa los espacios en blanco para representar la matriz de las pelotas de básquetbol con una ecuación de multiplicación.

.... × .... = ...

8 ¿Cuáles de las siguientes muestra 3 × 6?

Ⓐ 3 + 3 + 3 + 3 + 3

Ⓑ 3 grupos de 6

Ⓒ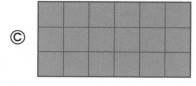

Ⓓ

Ⓔ

9 John dice que su dibujo muestra 4 × 6. ¿Tiene razón John? Explica.

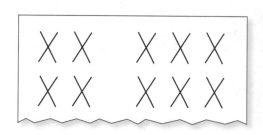

Refina Ideas acerca del significado de la multiplicación

APLÍCALO

Completa estos problemas por tu cuenta.

1 EXPLICA

Travis hizo el siguiente dibujo para mostrar 4×6.

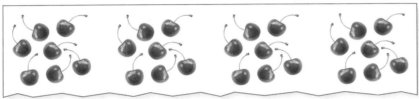

¿Qué error cometió?

2 CREA

Escribe un problema de palabras que podría resolverse usando la ecuación de multiplicación $9 \times 4 = 36$.

3 ANALIZA

Amelia hace la matriz de la derecha para representar $3 \times 2 = 6$.

¿Cómo cambiaría su matriz si Amelia quisiera mostrar $4 \times 2 = 8$?

Si Amelia dibuja un triángulo más en cada fila de la matriz original, ¿qué ecuación de multiplicación mostraría?

EN PAREJA

Comenta tus soluciones a estos tres problemas con un compañero.

Usa lo que aprendiste para resolver el problema 4.

4 Tucker quiere usar monedas de 1¢ para mostrar 5 × 8.
Muestra lo que Tucker puede hacer.

Parte A Haz un modelo para mostrar 5 × 8 monedas de 1¢.
Explica qué significa cada número.

Parte B Escribe un problema de palabras acerca de las monedas de 1¢ de
Tucker que podría resolverse usando el modelo que hiciste en la Parte A.
Di cuántas monedas de 1¢ tiene Tucker en total.

5 DIARIO DE MATEMÁTICAS

Escribe un problema de palabras para 3 × 4 y resuélvelo. Luego escribe la
ecuación de multiplicación completa y explica qué significa cada número.

Multiplica con 0, 1, 2, 5 y 10

Estimada familia:

Esta semana su niño está aprendiendo a resolver datos de multiplicación con 0, 1, 2, 5 y 10.

Se puede usar el conocimiento sobre la multiplicación y contar salteado para desarrollar fluidez en datos de suma con 0, 1, 2, 5 y 10.

Mire los siguientes dos modelos.

Ambos muestran $3 \times 2 = 6$.
También se puede contar salteado de dos en dos en cada modelo.

3 grupos iguales de 2

2   4   6

3 filas de 2

2

4

6

Su niño también explorará qué significa multiplicar con 0 y 1.

Su niño desarrollará la comprensión de datos al pensar en qué significan y no simplemente memorizándolos.

$3 \times 5 = ?$ ⟶

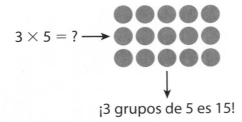

↓

¡3 grupos de 5 es 15!

Invite a su niño a explorar datos de multiplicación y compartir lo que sabe sobre contar salteado haciendo juntos la siguiente actividad.

ACTIVIDAD MULTIPLICAR CON 0, 1, 2, 5 Y 10

Haga la siguiente actividad con su niño para ayudarlo a multiplicar con 0, 1, 2, 5 y 10.

Materiales 20 tarjetas en blanco u hojas de papel pequeñas de 2 colores (10 de cada color), papel, lápiz

Juegue este juego con su niño para practicar datos de multiplicación con 0, 1, 2, 5 y 10. Gana el que haya reunido la mayor cantidad de tarjetas.

- Forme 2 grupos de 10 tarjetas de colores. Escriba los números 1, 2, 3, 4, 5, 6, 7, 8, 9 y 10 en las tarjetas de un color (Pila A) y los números 0, 0, 1, 1, 2, 2, 5, 5, 10 y 10 en las tarjetas del otro color (Pila B).

- Baraje cada pila y colóquelas boca abajo por separado.

- Por turno, cada jugador deberá elegir 1 tarjeta de la Pila A y luego 1 de la Pila B. Luego, debe resolver un dato de multiplicación (A $\times$ B) con los factores elegidos. Por ejemplo, si la tarjeta de la Pila A muestra un 7 y la de la Pila B un 1, el jugador deberá resolver $7 \times 1 = ?$.

- Ayude a su niño a contar salteado o a usar grupos iguales o una matriz para mostrar el dato.

- Si el producto es correcto, el jugador se queda con las tarjetas. Si no lo es, las tarjetas deben volver a su pila, debajo del resto, y será el turno del otro jugador.

- Continúen hasta que se hayan usado todas las tarjetas. Gana el jugador que tenga más tarjetas.

- Mezcle cada grupo de tarjetas y juegue de nuevo.

Busque otras oportunidades para practicar datos de multiplicación con su niño.

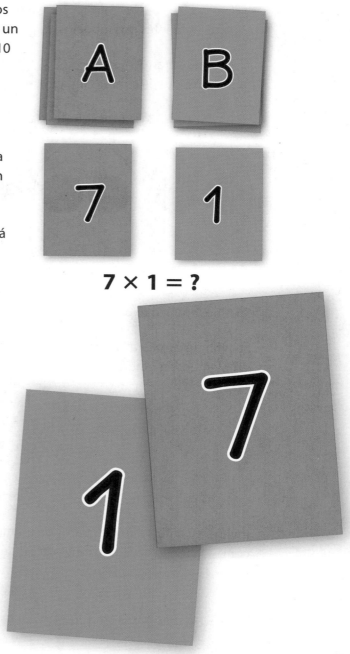

$7 \times 1 = ?$

Explora Multiplicar con 0, 1, 2, 5 y 10

Anteriormente aprendiste acerca del significado de la multiplicación. Esta lección da una mirada más de cerca a algunos datos de multiplicación. Usa lo que sabes para tratar de resolver el siguiente problema.

Objetivos de aprendizaje

- Aplicar las propiedades de las operaciones como estrategias para multiplicar y dividir.
- Multiplicar y dividir hasta 100 con fluidez usando estrategias como la relación entre la multiplicación y la división o las propiedades de las operaciones.

EPM 1, 2, 3, 4, 5, 6, 8

Jenny dibuja 6 caricaturas de insectos. Cada insecto tiene 10 patas. ¿Cuántas patas dibujó?

PRUÉBALO

Herramientas matemáticas

- bloques de base diez
- fichas
- tablas de 100
- modelos de multiplicación

CONVERSA CON UN COMPAÑERO

Pregúntale: ¿Cómo empezaste a resolver el problema?

Dile: Un modelo que usé fue ... Me ayudó a ...

CONÉCTALO

1 REPASA

Explica cómo hallaste el número de patas que Jenny dibujó para las 6 caricaturas de insectos.

2 SIGUE ADELANTE

Puedes mostrar y resolver problemas de multiplicación de diferentes maneras, como usando matrices o grupos iguales.

Una manera de hallar productos cuando se multiplica con 2, 5 o 10 es contar salteado.

Supón que Jenny dibuja 8 caricaturas de insectos con 10 patas cada uno.

a. Muestra cómo podrías contar salteado para hallar el número de patas que Jenny dibujó.

10, 20, ...

b. Escribe un dato de multiplicación para hallar el número de patas.

Número de patas ✕ patas en cada insecto = número total de patas

.... ✕ .... = ...

3 REFLEXIONA

Supón que tienes 8 insectos con 8 patas cada uno. ¿Qué otro método además de contar salteado puedes usar para hallar el número total de patas?

....

....

Prepárate para multiplicar con 0, 1, 2, 5 y 10

1 Piensa en lo que sabes acerca de la multiplicación. Llena cada recuadro. Usa palabras, números y dibujos. Muestra tantas ideas como puedas.

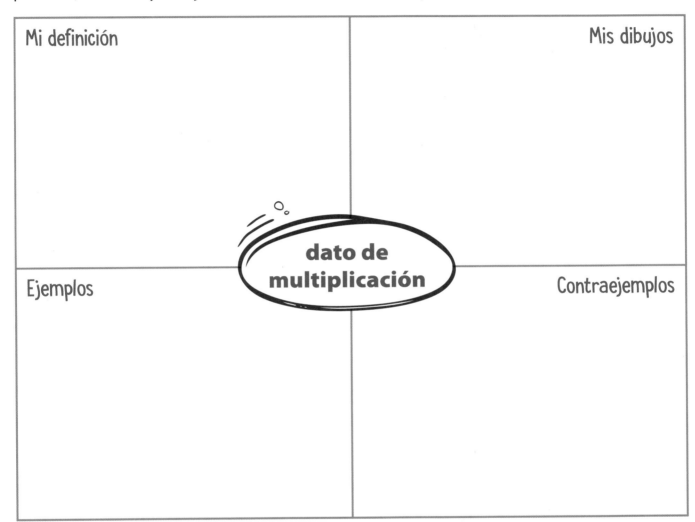

Mi definición

Mis dibujos

dato de multiplicación

Ejemplos

Contraejemplos

2 ¿Qué dato de multiplicación se muestra en el modelo?

3 Resuelve el problema. Muestra tu trabajo.

Julio prepara 7 galletas. Cada galleta tiene 5 trocitos de chocolate. ¿Cuántos trocitos de chocolate usó?

Solución ....

4 Comprueba tu respuesta. Muestra tu trabajo.

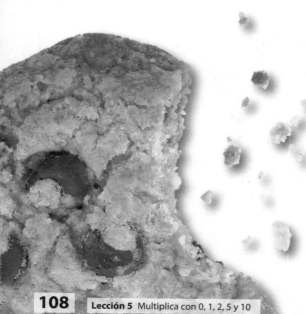

Desarrolla Multiplicar con 2, 5 y 10

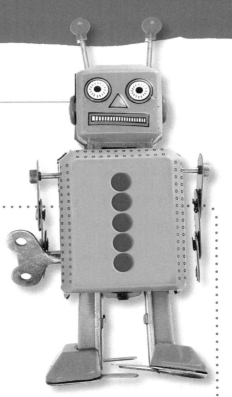

Lee el siguiente problema y trata de resolverlo.

> **Una empresa produce un robot de juguete que tiene 2 antenas y 5 botones. ¿Cuántas antenas y botones se necesitan para 6 robots?**

PRUÉBALO

Herramientas matemáticas

- fichas
- vasos desechables
- papel cuadriculado de 1 centímetro
- modelos de multiplicación ⏷

CONVERSA CON UN COMPAÑERO

Pregúntale: ¿Por qué elegiste esa estrategia?

Dile: Comencé por . . .

Explora diferentes maneras de entender la multiplicación con 2, 5 y 10.

> **Una empresa produce un robot de juguete que tiene 2 antenas y 5 botones. ¿Cuántas antenas y botones se necesitan para 6 robots?**

HAZ UN MODELO

Puedes usar grupos iguales y contar salteado.

Los dibujos muestran las antenas y los botones de **6** robots.

Puedes contar salteado de **dos en dos** para hallar el número de antenas.

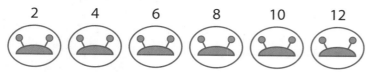

6 grupos de **2** antenas

Puedes contar salteado de **cinco en cinco** para hallar el número de botones.

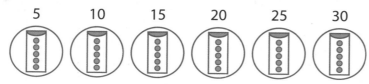

6 grupos de **5** botones

HAZ UN MODELO

Puedes usar matrices y contar salteado.

La matriz izquierda muestra el número de antenas.
Puedes contar salteado de **dos en dos**.
La matriz derecha muestra el número de botones.
Puedes contar salteado de **cinco en cinco**.

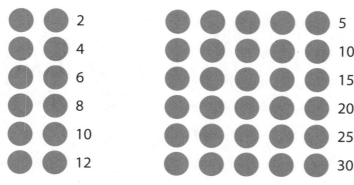

6 filas de **2** antenas   6 filas de **5** botones

CONÉCTALO

Ahora vas a usar el problema de la página anterior para ayudarte a entender cómo multiplicar con 2, 5 y 10.

1 Mira los dos **Haz un modelo.** ¿Qué ecuaciones de multiplicación puedes escribir para el número de antenas y el número de botones?

2 ¿Cómo se usa contar salteado en los dos modelos?

3 Si tomas la matriz de antenas del segundo **Haz un modelo** y la giras, ¿cómo sería la ecuación para cada matriz?

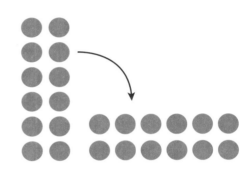

4 ¿El orden de los factores del problema 3 cambió el producto? Explica por qué sí o por qué no.

5 ¿Qué suma de dobles puedes escribir para la matriz que giraste en el problema 3? ¿Por qué puedes usar una suma de dobles cuando multiplicas con 2?

6 **REFLEXIONA**

Repasa **Pruébalo**, las estrategias de tus compañeros y los **Haz un modelo**. ¿Qué modelos o estrategias prefieres para multiplicar con 2 y por 5? Explica.

....

....

....

APLÍCALO

Usa lo que acabas de aprender para resolver estos problemas.

7 ¿Cuánto es 5 grupos de 10? Escribe una ecuación de multiplicación. Muestra tu trabajo.

Solución ....

8 ¿Cuánto es 10 grupos de 5? Escribe una ecuación de multiplicación. Muestra tu trabajo.

Solución ....

9 Cada cabaña del campamento tiene 5 camas. Hay 4 cabañas. ¿Cuántas camas hay en el campamento? Muestra tu trabajo.

Solución ....

Practica multiplicar con 2, 5 y 10

Estudia el Ejemplo, que muestra cómo multiplicar con 5. Luego resuelve los problemas 1 a 5.

EJEMPLO

Wes tiene 3 filas de plantas de tomate. Hay 5 plantas en cada fila. ¿Cuántas plantas de tomate tiene Wes en total?

$3 \times 5 = 15$. Wes tiene 15 plantas de tomate.

1 Encierra en un círculo grupos iguales de 2. Luego completa los espacios en blanco para mostrar el dato de multiplicación.

.... grupos de .... es .... ;

por lo tanto, ... × .... = ...

2 Cada caja de lápices contiene 10 lápices. Escribe un dato de multiplicación para 8, 9 y 10 cajas de lápices.

a. 8 cajas: .... × 10 = ... lápices

b. 9 cajas: .... × .... = ... lápices

c. 10 cajas: .... × .... = ... lápices

3 Cole ordena sus arándanos azules en diferentes matrices antes de comerlos. Escribe un dato de multiplicación para cada matriz.

a.

b.

....

4 Completa los espacios en blanco para completar los datos de multiplicación para 2.

$0 \times 2 =$ .... $6 \times 2 =$ ....

$1 \times 2 =$ .... $7 \times 2 =$ ....

$2 \times 2 =$ .... $8 \times 2 =$ ....

$3 \times 2 =$ .... $9 \times 2 =$ ....

$4 \times 2 =$ .... $10 \times 2 =$ ....

$5 \times 2 =$ ....

5 Completa los espacios en blanco para completar los datos de multiplicación para 5.

$0 \times 5 =$ .... $6 \times 5 =$ ....

$1 \times 5 =$ .... $7 \times 5 =$ ....

$2 \times 5 =$ .... $8 \times 5 =$ ....

$3 \times 5 =$ .... $9 \times 5 =$ ....

$4 \times 5 =$ .... $10 \times 5 =$ ....

$5 \times 5 =$ ....

Desarrolla Multiplicar con 0 y 1

Lee el siguiente problema y trata de resolverlo.

> **Jon dice que 6 × 1 = 6. Jeff dice que 6 × 0 = 6. ¿Quién tiene razón?**
> **Explica cómo lo sabes.**

PRUÉBALO

Herramientas matemáticas

- fichas
- vasos desechables
- rectas numéricas
- papel cuadriculado de 1 centímetro

CONVERSA CON UN COMPAÑERO

Pregúntale: ¿Puedes explicarme eso otra vez?

Dile: No comprendo cómo . . .

Explora diferentes maneras de entender la multiplicación con 0 y 1.

> **Jon dice que 6 × 1 = 6. Jeff dice que 6 × 0 = 6. ¿Quién tiene razón?**
> **Explica cómo lo sabes.**

HAZ UN MODELO

Puedes usar grupos iguales para entender la multiplicación con 1.

6 × 1 significa que hay 6 grupos con 1 en cada grupo.

HAZ UN MODELO

Puedes usar grupos iguales para entender la multiplicación con 0.

6 × 0 significa que hay 6 grupos con 0 en cada grupo. Un grupo de 0 es un grupo vacío.

CONÉCTALO

Ahora vas a usar el problema de la página anterior para ayudarte a entender cómo multiplicar con 1 y 0.

1 Mira el primer **Haz un modelo** para 6×1. Hay .... grupos de ....; por lo tanto, $6 \times 1 =$ .... ¿Tiene razón Jon? ....

2 Dibuja el primer **Haz un modelo** y agrega otro grupo de 1.

Ahora hay .... grupos de 1; por lo tanto, ... $\times 1 =$ ....

3 ¿Qué notas acerca del número de grupos y el producto cuando multiplicas 6×1 y 7×1?

4 Mira el segundo **Haz un modelo** para 6×0. Hay .... grupos de ....; por lo tanto, $6 \times 0 =$ .... ¿Tiene razón Jeff? ....

5 Explica qué pasaría si se agregaran más grupos de 0.

6 ¿Qué piensas que es cierto acerca del producto de cualquier número que se multiplica por 1? ¿Y si se multiplica por 0?

7 REFLEXIONA

Repasa **Pruébalo**, las estrategias de tus compañeros y los **Haz un modelo**. ¿Qué modelos o estrategias prefieres para multiplicar por 1 y 0? Explica.

....

....

....

....

APLÍCALO

Usa lo que acabas de aprender para resolver estos problemas.

8 Completa los números que faltan para completar cada dato.

a. $5 \times 0 =$ ....

b. .... $\times 1 = 5$

c. $3 \times$ .... $= 0$

d. $3 \times 1 =$ ....

9 ¿Cuál de los siguientes datos tiene un producto de 0?

Ⓐ $1 \times 0 = ?$

Ⓑ $0 \times 1 = ?$

Ⓒ $10 \times 1 = ?$

Ⓓ $5 \times 1 = ?$

Ⓔ $5 \times 0 = ?$

10 Haz un modelo para mostrar 4×0. Luego halla el producto.

$4 \times 0 =$ ....

Practica multiplicar con 0 y 1

Estudia el Ejemplo, que muestra cómo multiplicar con 1. Luego resuelve los problemas 1 a 4.

EJEMPLO

Steve usa un modelo para hacer una lista de datos de multiplicación para 1. Comienza con 0 grupos iguales de 1 y luego sigue agregando un grupo de 1 por cada dato, como se muestra. Describe un patrón que puede usar para hallar los datos de 1 para 6, 7, 8, 9 y 10.

$0 \times 1 = 0$	
$1 \times 1 = 1$	★
$2 \times 1 = 2$	★ ★
$3 \times 1 = 3$	★ ★ ★
$4 \times 1 = 4$	★ ★ ★ ★
$5 \times 1 = 5$	★ ★ ★ ★ ★

Steve puede ver que cualquier número multiplicado por 1 es igual a ese número.

$6 \times 1 = 6$
$7 \times 1 = 7$
$8 \times 1 = 8$
$9 \times 1 = 9$
$10 \times 1 = 10$

El número de grupos de 1 es igual que el producto.

1　Haz un modelo de 7×1 y 1×7. ¿En qué son diferentes? ¿Y en qué se parecen?

Solución ....

....

2 Jenna hace una tabla para mostrar los útiles escolares que tiene. Escribe un dato de multiplicación para mostrar cuántos útiles de cada tipo tiene Jenna.

Materiales	Número de cajas	Dato de multiplicación
Caja de 8 crayones	0	
Caja de 10 lápices	1	
Caja de 5 borradores	1	
Caja de 6 marcadores	0	

3 ¿Es correcto cada dato de multiplicación?

	Sí	No
$1 \times 0 = 1$	Ⓐ	Ⓑ
$9 \times 1 = 0$	Ⓒ	Ⓓ
$0 \times 5 = 0$	Ⓔ	Ⓕ
$6 \times 0 = 6$	Ⓖ	Ⓗ

4 Xavier comienza a hacer una lista de datos de multiplicación para 1. Explica qué error comete. ¿Qué hará que sus datos sean correctos?

$1 \times 1 = 2$

$2 \times 1 = 3$

$3 \times 1 = 4$

Refina Multiplicar con 0, 1, 2, 5 y 10

Completa el Ejemplo siguiente. Luego resuelve los problemas 1 a 9.

EJEMPLO

Liam dice que 2 × 5 tiene el mismo producto que 5 × 2. ¿Estás de acuerdo?

Mira cómo podrías mostrar tu trabajo usando una matriz.

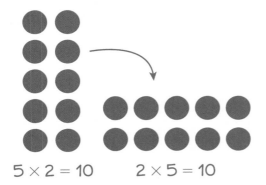

$$5 \times 2 = 10 \qquad 2 \times 5 = 10$$

Solución ....

> Liam formó 5 filas de 2 y 2 filas de 5.

EN PAREJA
¿Cómo puedes hallar el total cuando has creado una matriz?

APLÍCALO

1 Halla 7 × 2. Luego halla 8 × 2 y 9 × 2 usando el mismo modelo. Explica el patrón que ves en los productos. Muestra tu trabajo.

> ¿Cuántos hay en cada grupo?

EN PAREJA
¿En qué te ayudó hallar los tres datos con el mismo modelo a ver el patrón?

Solución ....

....

2 Rami tiene 1 bolsa con 7 manzanas, 8 bolsas con 0 naranjas, y 3 bolsas con 10 duraznos. ¿Cuántas manzanas, naranjas y duraznos tiene Rami? Muestra tu trabajo.

Piensa en lo que sabes acerca de multiplicar con 0 y 1.

Solución ....

EN PAREJA
¿En qué se parecen tus modelos y los modelos de tu compañero? ¿En qué son diferentes?

3 ¿Cuál de los siguientes es igual a 10?

Ⓐ 2 × 5

Ⓑ 5 × 5

Ⓒ 10 × 0

Ⓓ 1 × 9

Halla primero el producto de cada opción.

Rey eligió Ⓒ como la respuesta correcta. ¿Cómo obtuvo él esa respuesta?

EN PAREJA
¿Qué estrategia prefieres para multiplicar?

4 ¿Qué factor completará correctamente los siguientes datos?

$1 \times \underline{\hspace{1cm}} = 1 \qquad 2 \times \underline{\hspace{1cm}} = 2 \qquad 3 \times \underline{\hspace{1cm}} = 3 \qquad 4 \times \underline{\hspace{1cm}} = 4$

Ⓐ 0

Ⓑ 1

Ⓒ 2

Ⓓ 10

5 Completa los espacios en blanco para completar los datos de multiplicación para 10.

$0 \times 10 = \underline{\hspace{2cm}}$ $\qquad$ $6 \times 10 = \underline{\hspace{2cm}}$

$1 \times 10 = \underline{\hspace{2cm}}$ $\qquad$ $7 \times 10 = \underline{\hspace{2cm}}$

$2 \times 10 = \underline{\hspace{2cm}}$ $\qquad$ $8 \times 10 = \underline{\hspace{2cm}}$

$3 \times 10 = \underline{\hspace{2cm}}$ $\qquad$ $9 \times 10 = \underline{\hspace{2cm}}$

$4 \times 10 = \underline{\hspace{2cm}}$ $\qquad$ $10 \times 10 = \underline{\hspace{2cm}}$

$5 \times 10 = \underline{\hspace{2cm}}$

6 ¿Es cada dato de multiplicación *Verdadero* o *Falso*?

	Verdadero	Falso
$7 \times 2 = 14$	Ⓐ	Ⓑ
$10 \times 0 = 10$	Ⓒ	Ⓓ
$1 \times 10 = 10$	Ⓔ	Ⓕ
$5 \times 0 = 5$	Ⓖ	Ⓗ
$2 \times 1 = 2$	Ⓘ	Ⓙ
$3 \times 10 = 30$	Ⓚ	Ⓛ

7 Emile tiene 4 paquetes de camisetas. En cada paquete hay 2 camisetas. También tiene 2 paquetes de pantalones cortos. En cada paquete hay 3 pantalones cortos. ¿Tiene más camisetas o más pantalones cortos? Muestra tu trabajo.

Solución ....

8 La directora Green habla con 5 estudiantes diferentes cada día de clases. ¿Con cuántos estudiantes habla en 10 días de clases?

Noa dice que este es un problema de 10 grupos de 5 y que se puede resolver multiplicando 10 × 5 o contando salteado de cinco en cinco 10 veces. Sara dice que este problema se puede resolver contando salteado de diez en diez 5 veces o hallando 5 × 10. ¿Quién tiene razón? Explica y responde.

9 DIARIO DE MATEMÁTICAS

Explica cómo resolverías el siguiente problema. ¿Qué dato de multiplicación puedes usar?

Lauren hace 8 dibujos. Pinta 2 árboles en cada dibujo. ¿Cuántos árboles pinta Lauren?

 COMPRUEBA TU PROGRESO Vuelve al comienzo de la Unidad 2 y mira qué destrezas puedes marcar.

Multiplica con 3, 4 y 6

Estimada familia:

Esta semana su niño está aprendiendo datos de multiplicación con 3, 4 y 6.

Su niño podrá usar lo que sabe sobre datos de multiplicación con 1, 2 y 5 para aprender datos de multiplicación con 3, 4 y 6. Para resolver una multiplicación difícil, puede descomponer un factor en números más pequeños para que sean dos ecuaciones de multiplicación más fáciles.

Considere el siguiente problema de multiplicación.

Pete plantó 6 filas de zanahorias en su jardín. Cada fila tiene 4 zanahorias. ¿Cuántas zanahorias plantó Pete?

Tal vez no sepa cuánto es 6 × 4, pero sí sabe cuánto es 6 × 2.

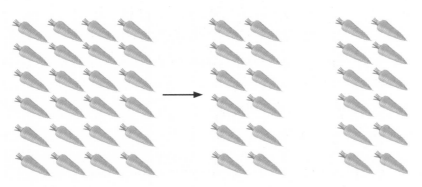

6 filas de 4 zanahorias es lo mismo que 6 filas de 2 zanahorias y 6 filas de 2 zanahorias.

$$6 \times 4 = (6 \times 2) + (6 \times 2) = 12 + 12 = 24$$

Por lo tanto, Pete plantó 24 zanahorias.

Invite a su niño a compartir lo que sabe sobre descomponer números para multiplicar haciendo juntos la siguiente actividad.

ACTIVIDAD DESCOMPONER NÚMEROS

Haga la siguiente actividad con su niño para multiplicar por 3, 4 y 6.

Materiales 36 monedas de 1¢ u otros objetos pequeños, un clip, un lápiz y una rueda giratoria con los números del 2 al 6.

Haga esta actividad con su niño para que practique descomponer números y aprenda a resolver datos de multiplicación.

- Comience por hacer una rueda giratoria. Puede hacerlo al poner la punta de un lápiz dentro de un clip en el centro de un plato de papel dividido en cinco partes iguales rotuladas del 2 al 6, como se muestra a la derecha.

- Pida a su niño que haga girar la rueda dos veces para determinar el número de filas y columnas de la matriz.

- Trabajen juntos para formar la matriz usando las monedas.

- Pídale que escriba la expresión de multiplicación que muestra la matriz. Por ejemplo, si la matriz tiene 6 filas y 4 columnas, su niño debe escribir 6 × 4.

- Pida a su niño que escoja dónde separar dos columnas de la matriz para mostrar la descomposición de un factor.

- Pídale que escriba las dos expresiones de multiplicación que se formaron al descomponer las columnas de la matriz. Por ejemplo: (6 × 2) + (6 × 2).

- Pida a su niño que halle los dos productos y que luego los sume para hallar la respuesta al problema original. Por ejemplo: 12 + 12 = 24.

- Juntos, cuenten los objetos de la matriz para comprobar la respuesta, y luego escriban el dato de multiplicación. Por ejemplo: 6 × 4 = 24.

- Repitan la actividad varias veces.

Explora Multiplicar con 3, 4 y 6

En lecciones anteriores aprendiste datos de multiplicación para varios números. Esta lección te va a mostrar una estrategia para usar los datos que conoces para aprender los datos para 3, 4 y 6. Usa lo que sabes para tratar de resolver el siguiente problema.

> **Ty tiene 6 manojos de zanahorias. Hay 3 zanahorias en cada manojo. ¿Cuántas zanahorias tiene Ty?**

Objetivos de aprendizaje

- Aplicar las propiedades de las operaciones como estrategias para multiplicar y dividir.
- Multiplicar y dividir hasta 100 con fluidez usando estrategias como la relación entre la multiplicación y la división o las propiedades de las operaciones.

EPM 1, 2, 3, 4, 5, 6, 7, 8

PRUÉBALO

Herramientas matemáticas

- fichas y vasos desechables
- papel cuadriculado de 1 centímetro
- modelos de multiplicación
- rectas numéricas

CONVERSA CON UN COMPAÑERO

Pregúntale: ¿Cómo empezaste a resolver el problema?

Pregúntale: Un modelo que usé fue . . . Me ayudó a . . .

CONÉCTALO

① REPASA

Explica cómo hallaste cuántas zanahorias tiene Ty en total.

② SIGUE ADELANTE

La matriz muestra el problema de multiplicación de la página anterior, 6×3.

Para resolver un problema de multiplicación que no conoces, puedes separar el problema en datos más sencillos que podrías conocer.

a. Mira la manera en la que se ha separado la matriz. Escribe el dato de multiplicación de cada matriz más pequeña.

Matriz de la izquierda: ....

Matriz de la derecha: ....

Suma los productos para hallar el total. ....

b. Compara tu respuesta a la Parte a con la respuesta que escribiste en el problema 1. ¿Qué notas?

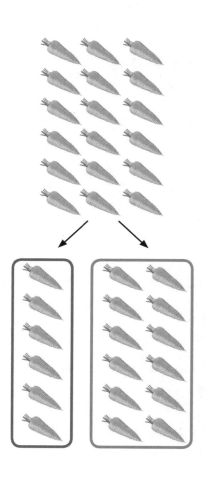

③ REFLEXIONA

¿Por qué el número de objetos en una matriz no cambia cuando se separa en dos matrices más pequeñas?

....

....

Prepárate para multiplicar con 3, 4 y 6

1 Piensa en lo que sabes acerca de la multiplicación. Llena cada recuadro. Usa palabras, números y dibujos. Muestra tantas ideas como puedas.

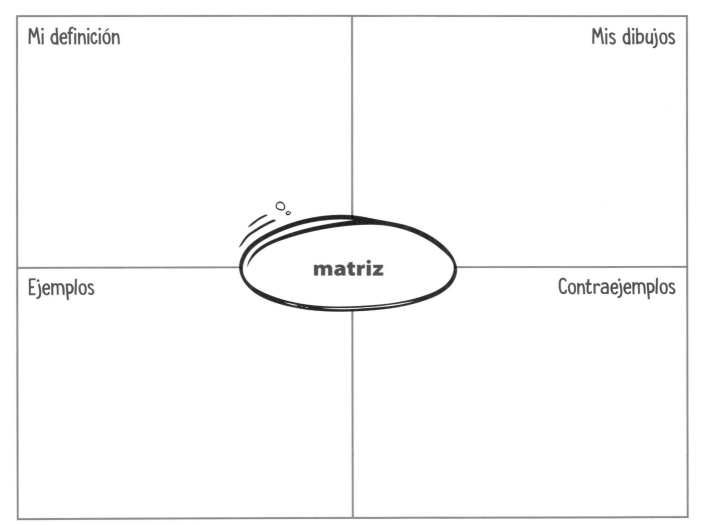

Mi definición	Mis dibujos
matriz	
Ejemplos	Contraejemplos

2 Ramona hace una matriz para hallar 3×4. Decide separar la matriz como se muestra. Explica cómo su diagrama puede ayudarla a hallar 3×4.

3 Resuelve el problema. Muestra tu trabajo.

René tiene 4 paquetes de marcadores. Hay 6 marcadores en cada paquete. ¿Cuántos marcadores tiene René?

Solución ....

4 Comprueba tu respuesta. Muestra tu trabajo.

Lee el siguiente problema y trata de resolverlo.

> **Nadia cuelga sus fotos en la pared.**
> **Forma 4 filas con 3 fotos en cada fila.**
> **¿Cuántas fotos colgó Nadia en la pared?**

PRUÉBALO

Herramientas matemáticas

- fichas
- vasos desechables
- papel cuadriculado de 1 centímetro
- modelos de multiplicación
- rectas numéricas

CONVERSA CON UN COMPAÑERO

Pregúntale: ¿Por qué elegiste esta estrategia?

Dile: Comencé por . . .

Explora diferentes maneras de entender cómo multiplicar con 3.

> **Nadia cuelga sus fotos en la pared. Forma 4 filas con 3 fotos cada fila. ¿Cuántas fotos colgó Nadia en la pared?**

HAZ UN DIBUJO

Puedes usar un dibujo para ayudarte a entender el problema.

HAZ UN MODELO

Puedes usar una matriz para entender el problema.

Separa la matriz en dos matrices más pequeñas para resolver el problema.

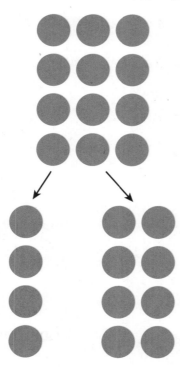

CONÉCTALO

Ahora vas a usar el problema de la página anterior para ayudarte a entender cómo multiplicar con 3.

1 Mira **Haz un dibujo**. ¿Cómo podrías multiplicar para hallar el número de fotos que hay en el diagrama? ¿Cómo podrías hallar el producto?

2 Mira **Haz un modelo**. ¿En qué dos números se descompuso 3 para resolver el problema?

3 ¿Qué dos ecuaciones de multiplicación podrías usar entonces para las dos matrices más pequeñas?

4 ¿Cómo podrías usar las dos matrices más pequeñas para hallar el número de fotos que Nadia colgó?

5 Completa los espacios en blanco para mostrar dos expresiones que representen cada una el número total de fotos.

una matriz grande: $4 \times$ ....

dos matrices pequeñas: $(4 \times$ ....$) + (4 \times$ ....$)$

6 REFLEXIONA

Repasa **Pruébalo**, las estrategias de tus compañeros, **Haz un dibujo** y **Haz un modelo**. ¿Qué modelos o estrategias prefieres para multiplicar con 3? Explica.

....

....

....

APLÍCALO

Usa lo que acabas de aprender para resolver estos problemas.

7 Halla 5×3. Haz un dibujo y muestra una manera de separar el problema para hallar el producto. Muestra tu trabajo.

$5 \times 3 = $ ....

8 Cassie arma 9 mesas con 3 sillas en cada una para una fiesta. ¿Cuántas sillas usó? Muestra tu trabajo.

Solución ....

9 ¿Qué expresiones pueden usarse para hallar 8×3?

Ⓐ $(8 + 2) \times (8 + 1)$

Ⓑ $(8 \times 2) + (8 \times 1)$

Ⓒ $(8 \times 1) + (8 \times 2)$

Ⓓ $(8 \times 1) \times (8 \times 2)$

Ⓔ $3 + 3 + 3 + 3 + 3 + 3 + 3 + 3$

Practica multiplicar con 3

Estudia el Ejemplo, que muestra cómo descomponer el factor 3 para multiplicar. Luego resuelve los problemas 1 a 6.

EJEMPLO

Lacey camina 3 millas todos los días. ¿Cuántas millas camina en 7 días?

$7 \times 3 = ?$

Quizás estés más familiarizado con la multiplicación con 1 y 2. Por lo tanto, puedes separar las 3 columnas en 1 columna y 2 columnas y luego multiplicar.

$7 \times 1 = 7$ y $7 \times 2 = 14$

Luego suma los dos productos.

$7 + 14 = 21$

Por lo tanto, $7 \times 3 = 21$. Lacey camina 21 millas.

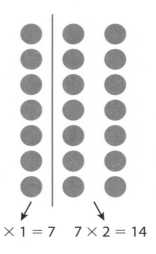

$7 \times 1 = 7$ $7 \times 2 = 14$

Usa la matriz de la derecha para resolver los problemas 1 a 4.

1 ¿Cuántas filas y columnas tiene la matriz?

_____ filas y _____ columnas

2 Encierra en un círculo las columnas para separar la matriz en 2 partes.

3 Escribe datos de multiplicación para mostrar el total para cada parte de la matriz.

_____ $\times$ _____ = _____

_____ $\times$ _____ = _____

4 ¿Cómo puedes usar los datos del problema 3 para hallar 5×3? Explica.

5 Traza una línea hasta el par de ecuaciones de multiplicación que se puedan usar para resolver cada problema de multiplicación. Escribe el producto que falta en cada ecuación.

$7 \times 2 =$ ....

$5 \times 3 =$ ....

$7 \times 1 =$ ....

$5 \times 2 =$ ....

$(6 \times 1) + (6 \times 2) =$ ....

$5 \times 1 =$ ....

$8 \times 2 =$ ....

$7 \times 3 =$ ....

$8 \times 1 =$ ....

$9 \times 1 =$ ....

$(8 \times 2) + (8 \times 1) =$ ....

$9 \times 2 =$ ....

$6 \times 1 =$ ....

$9 \times 3 =$ ....

$6 \times 2 =$ ....

6 Auggie tiene 4 árboles en su patio. Cuelga 3 comederos para aves en cada árbol. ¿Cuántos comederos para aves colgó Auggie en total? Muestra tu trabajo.

Solución ....

Desarrolla Multiplicar con 4

Lee el siguiente problema y trata de resolverlo.

> **Jenna hace una colcha de retazos. Corta cuadrados de tela y decide hacer la colcha con 5 filas de cuadrados. Cada fila tendrá 4 cuadrados. ¿Cuántos cuadrados de tela necesitará para hacer la colcha de retazos?**

PRUÉBALO

Herramientas matemáticas
- fichas
- vasos desechables
- papel cuadriculado de 1 centímetro
- modelos de multiplicación
- rectas numéricas

CONVERSA CON UN COMPAÑERO

Pregúntale: ¿Puedes explicarme eso otra vez?

Dile: No comprendo cómo . . .

Explora diferentes maneras de entender cómo multiplicar con 4.

Jenna hace una colcha de retazos. Corta cuadrados de tela y decide hacer la colcha con 5 filas de cuadrados. Cada fila tendrá 4 cuadrados. ¿Cuántos cuadrados de tela necesitará para hacer la colcha de retazos?

HAZ UN MODELO

Puedes hacer una matriz para entender el problema.

Puedes separar la matriz para mostrar datos más sencillos. La línea roja muestra una manera de separar la matriz.

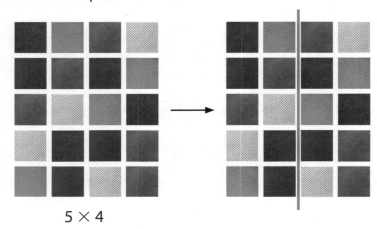

5×4

HAZ UN MODELO

Puedes girar la matriz para mostrar otro dato.

Ya has multiplicado problemas como 1×5, 2×5, 3×5 y 4×5.
Por lo tanto, 4×5 muestra un dato que podrías conocer.

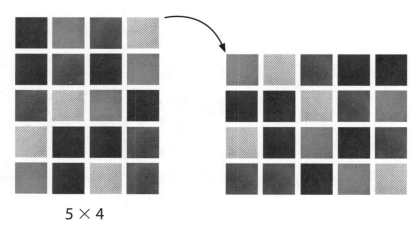

5×4

CONÉCTALO

Ahora vas a usar el problema de la página anterior para ayudarte a entender cómo multiplicar con 4.

1 Mira las dos matrices más pequeñas del primer **Haz un modelo**. ¿Qué dos datos se muestran con estas matrices más pequeñas?

2 Completa los espacios en blanco para mostrar cómo se pueden usar las matrices más pequeñas para hallar 5×4.

$$5 \times 4 = (5 \times \text{_____}) + (5 \times \text{_____})$$

$$= \text{_____} + \text{_____} = \text{_____}$$

3 Mira el segundo **Haz un modelo**. ¿Qué nueva expresión de multiplicación se forma al girar la matriz? ¿En qué se parecen y en qué se diferencian los factores de 5×4?

4 En la lección anterior multiplicaste con 5. ¿Cuál es el producto del dato de multiplicación de la matriz que se giró? ¿Sería igual el producto para 5×4? Explica.

5 ¿Cómo tratan ambos **Haz un modelo** de hacer que el problema 5×4 sea más sencillo?

6 REFLEXIONA

Repasa **Pruébalo**, las estrategias de tus compañeros y los **Haz un modelo**. ¿Qué modelos o estrategias prefieres para multiplicar con 4? Explica.

APLÍCALO

Usa lo que acabas de aprender para resolver estos problemas.

7 Muestra cómo hallar el producto de 3 × 4 separando el problema y también cambiando el orden de los factores. Muestra tu trabajo.

$3 \times 4 =$ ....

8 Separa la matriz para hallar 9 × 4.
Completa los espacios en blanco para mostrar tu trabajo.

$9 \times 4 = (9 \times$ ....$) + (9 \times$ ....$)$

$=$ .... $+$ .... $=$ ....

$9 \times 4 =$ ....

9 ¿Qué expresiones pueden usarse para hallar 8 × 4?

Ⓐ $4 + 4 + 4 + 4 + 4 + 4 + 4 + 4$

Ⓑ $(8 \times 2) + (8 \times 2)$

Ⓒ $(8 + 2) + (8 + 2)$

Ⓓ $(8 \times 1) + (8 \times 3)$

Ⓔ $(8 + 8 + 8 + 8) \times 4$

Practica multiplicar con 4

Estudia el Ejemplo, que muestra cómo descomponer el factor 4 para multiplicar. Luego resuelve los problemas 1 a 6.

EJEMPLO

Dos amigos juegan juntos al tenis. Cada amigo lleva 4 pelotas de tenis. ¿Cuántas pelotas de tenis tienen en total?

$2 \times 4 = ?$

Puedes descomponer 4 en 2 y 2.

Cada parte es $2 \times 2 = 4$.

Duplica el producto: $4 + 4 = 8$.

También podrías cambiar el orden de los factores por un dato que ya conozcas.

$4 \times 2 = 8$

Por lo tanto, $2 \times 4 = 8$. Tienen 8 pelotas de tenis.

Resuelve los problemas 1 y 2 para hallar cuántos hay en 3 grupos de 4.

1 Halla 3×4 separando la matriz o cambiando el orden de los factores.

$3 \times 4 =$ ....

2 Explica por qué separaste la matriz o cambiaste el orden de los factores.

3 Completa estos datos de 4 con la estrategia que elijas.

a. $1 \times 4 =$ ....

b. $7 \times 4 =$ ....

c. $6 \times 4 =$ ....

d. $10 \times 4 =$ ....

e. $8 \times 4 =$ ....

f. $5 \times 4 =$ ....

Usa la matriz de la derecha para resolver los problemas 4 a 6.

4 Bronson hizo la matriz para resolver un problema.
¿Qué problema de multiplicación intenta resolver?

.... $\times$ .... $= ?$

5 Encierra en un círculo las columnas para separar la matriz en dos partes. Luego completa los espacios en blanco para mostrar cómo puedes usar las partes para resolver el problema.

(.................. $\times$ ....) + (.................. $\times$ ....) $= ?$

Por lo tanto, ... $+$ .... $=$ ....

Por lo tanto, ... $\times$ .... $=$ ....

6 Describe otra manera en la que puedas separar la misma matriz para resolver el problema.

Desarrolla Multiplicar con 6

Lee el siguiente problema y trata de resolverlo.

> **Mario tiene 4 floreros. Hay 6 flores en cada florero. ¿Cuántas flores tiene Mario en total?**

PRUÉBALO

Herramientas matemáticas

- fichas
- vasos desechables
- papel cuadriculado de 1 centímetro
- modelos de multiplicación
- rectas numéricas

CONVERSA CON UN COMPAÑERO

Pregúntale: ¿Estás de acuerdo conmigo? ¿Por qué sí o por qué no?

Dile: Al principio, pensé que . . .

Explora diferentes maneras de entender cómo multiplicar con 6.

> **Mario tiene 4 floreros. Hay 6 flores en cada florero. ¿Cuántas flores tiene Mario en total?**

HAZ UN MODELO

Puedes usar una matriz para entender el problema.

Haz una matriz y luego sepárala en dos matrices más pequeñas.

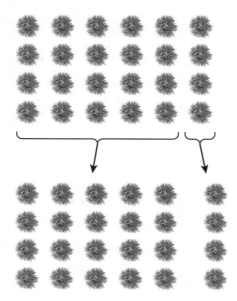

HAZ UN DIBUJO

También puedes usar grupos iguales para entender el problema.

Separa el número de grupos para hallar la respuesta.

CONÉCTALO

Ahora vas a usar el problema de la página anterior para ayudarte a entender cómo multiplicar con 6.

1 ¿Qué ecuación de multiplicación puedes escribir para el problema?

.... × .... = ?

floreros   flores

2 Mira **Haz un modelo**.

a. Completa los espacios en blanco para mostrar cómo se separó la matriz.

$4 \times 6 = (4 \times$ .... $) + (4 \times$ .... $)$

b. Usa la ecuación que escribiste en la Parte a para hallar 4×6. Recuerda que los paréntesis te muestran qué operaciones resolver primero.

....

3 Mira **Haz un dibujo**.

a. Completa los espacios en blanco para mostrar cómo descomponer el número de floreros.

$4 \times 6 = ($ .... $\times 6) + ($ .... $\times 6)$

b. Usa la ecuación que escribiste en la Parte a para hallar 4×6. ....

4 ¿Por qué obtienes la misma respuesta con la ecuación de la matriz y la ecuación de los floreros?

5 REFLEXIONA

Repasa **Pruébalo**, las estrategias de tus compañeros, **Haz un modelo** y **Haz un dibujo**. ¿Qué modelos o estrategias prefieres para multiplicar con 6? Explica.

....
....
....
....

APLÍCALO

Usa lo que acabas de aprender para resolver estos problemas.

6 Muestra dos maneras diferentes de descomponer 3×6. Haz modelos y escribe las ecuaciones para cada modelo. Muestra tu trabajo.

$3 \times 6 =$ ....

7 Halla 5×6 descomponiendo el 6. Muestra cómo se descompone el 6 en la matriz.

$(5 \times$ ....$) + (5 \times$ ....$) =$ .... $+$ ....

$=$ ....

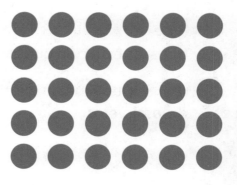

8 ¿Qué expresión NO te ayudaría a hallar 8×6?

Ⓐ $(5 \times 6) + (3 \times 6)$

Ⓑ $(8 + 3) \times (8 + 3)$

Ⓒ $(8 \times 5) + (8 \times 1)$

Ⓓ $(6 + 6 + 6 + 6 + 6) + (6 + 6 + 6)$

Practica multiplicar con 6

Estudia el Ejemplo, que muestra cómo descomponer el factor 6 para multiplicar. Luego resuelve los problemas 1 a 5.

EJEMPLO

Gabriella tiene 2 peceras con peces. En cada pecera hay 6 peces. ¿Cuántos peces tiene Gabriella en total?

Puedes usar una matriz para mostrar 2×6. Puedes separar la matriz.

Multiplica y suma las partes más sencillas:

$(2 \times 3) + (2 \times 3) = ?$

Luego suma los productos:

$6 + 6 = 12$

Por lo tanto, $2 \times 6 = 12$. Gabriella tiene 12 peces.

Resuelve los problemas 1 a 3 para hallar 4×6.

1 Haz una matriz para mostrar 4×6. Traza una línea para separar la matriz en dos matrices más pequeñas.

2 Escribe una ecuación para cada una de tus matrices más pequeñas.

3 Suma los dos productos. ¿Cuánto es 4×6?

4   Traza una línea hasta el par de ecuaciones de multiplicación que se pueda usar para resolver cada problema de multiplicación. Escribe el producto que falta en cada ecuación.

$5 \times 3 =$ ....

$5 \times 6 =$ ....

$5 \times 3 =$ ....

$7 \times 2 =$ ....

$(9 \times 5) + (9 \times 1) =$ ....

$7 \times 4 =$ ....

$9 \times 5 =$ ....

$7 \times 6 =$ ....

$9 \times 1 =$ ....

$4 \times 6 =$ ....

$(6 \times 4) + (6 \times 2) =$ ....

$4 \times 6 =$ ....

$6 \times 4 =$ ....

$8 \times 6 =$ ....

$6 \times 2 =$ ....

5   Tyquan dibuja 3 hormigas. Cada hormiga tiene 6 patas. ¿Cuántas patas de hormiga dibujó Tyquan? Muestra tu trabajo.

Tyquan dibujó .... patas de hormiga.

Refina **Multiplicar con 3, 4 y 6**

Completa el Ejemplo siguiente. Luego resuelve los problemas 1 a 8.

EJEMPLO

Stacy hace 7 pulseras. Cada pulsera tiene 4 cuentas verdes. ¿Cuántas cuentas verdes necesita Stacy? Muestra cómo descomponer 4 para que sea más fácil resolver el problema.

Mira cómo podrías mostrar tu trabajo usando una matriz.

$14 + 14 = ?$

$7 \times 2 = 14$ $7 \times 2 = 14$

Solución ....

El estudiante descompuso el 4 en $2 + 2$ y luego sumó los dos productos.

EN PAREJA

¿De qué otra manera podrías haber descompuesto el 4 para resolver este problema?

APLÍCALO

1 Hay 6 tazones con manzanas. Hay 6 manzanas en cada tazón. Muestra cómo descomponer el número 6 para que sea más fácil resolver el problema.

¿Qué maneras conoces para descomponer el número 6? ¿Qué manera crees que es más fácil?

EN PAREJA

¿Qué otro modelo podrías haber usado para mostrar cómo descomponer el número?

2 La maestra Harris tiene 3 mesas en su clase de arte. Sienta a 6 estudiantes en cada mesa. ¿Cuántos estudiantes tiene la maestra Harris en su clase de arte? Muestra cómo descomponer un factor para que sea más fácil resolver el problema. Muestra tu trabajo.

> ¿Puedes usar datos que conozcas para ayudarte a resolver el problema?

Solución ....

3 Julio halla 8 × 6 al descomponer el 6 en 4 + 2.
¿Qué expresión muestra correctamente el siguiente paso para hallar el producto?

Ⓐ (6 × 4) + (6 × 2)

Ⓑ (8 × 6) + (8 × 2)

Ⓒ (8 + 4) × (8 + 2)

Ⓓ (8 × 4) + (8 × 2)

Don eligió Ⓐ como la respuesta correcta. ¿Cómo obtuvo él esa respuesta?

EN PAREJA
¿Qué factor descompusiste?

Julio descompuso el 6 en 4 + 2. ¿Qué hará después?

EN PAREJA
¿Tiene sentido la respuesta de Don?

4 Rebeccah halla 8 × 4 al descomponerlo como se muestra abajo.

$$(8 \times 2) + (8 \times \text{.......})$$

¿Qué número va en el espacio en blanco?

Ⓐ 1

Ⓑ 2

Ⓒ 3

Ⓓ 4

5 Decide si cada ecuación es verdadera. Elige *Sí* o *No* para cada ecuación.

	Sí	No
8 × 3 = 22	Ⓐ	Ⓑ
4 × 3 = 12	Ⓒ	Ⓓ
2 × 6 = 12	Ⓔ	Ⓕ
6 × 2 = 13	Ⓖ	Ⓗ
4 × 4 = 16	Ⓘ	Ⓙ

6 ¿Qué expresiones pueden usarse para hallar 7 × 4?

Ⓐ (7 × 2) + (7 × 2)

Ⓑ (7 + 2) + (7 + 2)

Ⓒ (7 × 3) × (7 × 1)

Ⓓ (5 × 4) + (2 × 4)

Ⓔ 4 + 4 + 4 + 4 + 4 + 4 + 4

7 Owen está en la playa 5 días. Reúne 6 conchas de mar por día. Muestra dos maneras diferentes de hallar el número de conchas de mar que Owen reúne.

Manera 1

Owen reúne .... conchas de mar.

Manera 2

Owen reúne .... conchas de mar.

8 DIARIO DE MATEMÁTICAS

Describe una manera en la que podrías hallar 9×6 separando el problema en problemas más sencillos.

 COMPRUEBA TU PROGRESO Vuelve al comienzo de la Unidad 2 y mira qué destrezas puedes marcar.

Multiplica con 7, 8 y 9

Estimada familia:

Esta semana su niño está aprendiendo a resolver datos de multiplicación con 7, 8 y 9.

Su niño puede usar datos de multiplicación conocidos con 1, 2, 3, 4, 5, 6 y 10 para aprender datos de multiplicación con 7, 8 y 9. Como ayuda para aprender datos para estos números más grandes, usted puede descomponer el número en dos números más pequeños para que el problema sea más fácil.

Mire el siguiente problema.

En una granja se plantaron 3 filas de árboles. Cada fila tiene 8 árboles. ¿Cuántos árboles se plantaron?

Si usted no sabe cuánto es 3×8, puede descomponer el problema en problemas más fáciles o que sí sepa resolver. Puede hacerlo de varias maneras.

$(3 \times 4) + (3 \times 4)$
   12   +   12 $= 24$
Por lo tanto, $3 \times 8 = 24$.

$(3 \times 5) + (3 \times 3)$
   15   +   9 $= 24$
Por lo tanto, $3 \times 8 = 24$.

Invite a su niño a compartir lo que sabe sobre multiplicar con 7, 8 y 9 haciendo juntos la siguiente actividad.

ACTIVIDAD JUGAR A "CAPTURA LAS CASILLAS"

Haga la siguiente actividad con su niño para ayudarlo a multiplicar con 7, 8 y 9.

Materiales papel cuadriculado, lápices o marcadores de colores, tarjetas en blanco numeradas del 1 al 10 (al menos 2 tarjetas por número), papel para llevar registro de los puntajes

Juegue a este juego con su niño para que practique resolver datos de multiplicación con números del 1 al 10. El objetivo del juego es colorear el mayor número posible de recuadros del papel cuadriculado.

- Cada jugador elige un lápiz o marcador de un color que será el color que lo identifique hasta el final del juego.

- Baraje las tarjetas en blanco y colóquelas en una pila boca abajo. Por turno, cada jugador debe tomar dos tarjetas de la pila. Los números que muestren las tarjetas serán los factores de un problema de multiplicación en el orden en que se tomaron de la pila (por ejemplo, si se saca un 4 y un 9 se forma 4 × 9).

- Pida a su niño que forme el dato de multiplicación para esos números y "capture" o coloree un grupo de recuadros del papel cuadriculado que represente el dato de multiplicación.

- Luego de que un jugador coloree en su rectángulo, se anota el producto del dato de multiplicación como puntos ganados. Sume los puntos que gane cada jugador mientras juegan.

- A medida que pasan los turnos y el papel cuadriculado se comienza a llenar, el rectángulo para un dato de multiplicación no cabrá en la hoja. En ese caso, el jugador debe ceder el turno. El juego termina cuando se terminan las tarjetas. Gana el jugador que haya capturado la mayor cantidad de recuadros, y haya ganado la mayor cantidad de puntos.

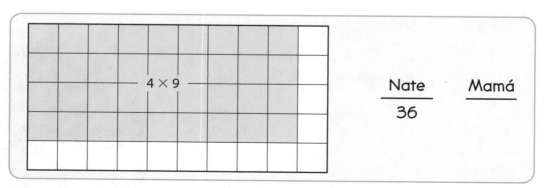

Asegúrese de que su niño identifique el dato de multiplicación completo que representa cada rectángulo. Anímelo a que intente diferentes estrategias para resolver datos de multiplicación que no haya resuelto antes, como contar salteado o descomponer un factor.

Explora Multiplicar con 7, 8 y 9

En lecciones anteriores aprendiste los datos de multiplicación para 0, 1, 2, 3, 4, 5, 6 y 10. Esta lección te ayudará a aprender los datos para 7, 8 y 9. Usa lo que sabes para tratar de resolver el siguiente problema.

Objetivos de aprendizaje

- Aplicar las propiedades de las operaciones como estrategias para multiplicar y dividir.
- Multiplicar y dividir hasta 100 con fluidez usando estrategias como la relación entre la multiplicación y la división o las propiedades de las operaciones.

EPM 1, 2, 3, 4, 5, 6, 7

Katie y Scott hallan 6 × 7. Ambos separan el problema de una manera diferente. Muestra dos maneras de descomponer 6 × 7 y halla el producto.

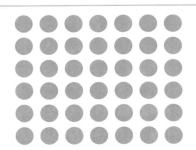

PRUÉBALO

Herramientas matemáticas

- fichas cuadradas
- fichas
- papel cuadriculado de 1 centímetro
- modelos de multiplicación
- rectas numéricas

CONVERSA CON UN COMPAÑERO

Pregúntale: ¿Cómo empezaste a resolver el problema?

Dile: Un modelo que usé fue . . . Me ayudó a . . .

CONÉCTALO

① REPASA

Explica por qué puedes descomponer 6 × 7 en más de una manera para hallar el producto.

② SIGUE ADELANTE

Al igual que con los otros factores con los que has trabajado, puedes descomponer los factores 7, 8 y 9 en más de una manera.

Usa dos maneras de descomponer 7 × 7 y halla su producto.

a. Puedes usar el problema que acabas de resolver. Muestra cómo puedes usar 6 × 7 para hallar 7 × 7.

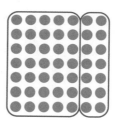

¿Cuánto es 6 × 7? ....

¿Cuánto más es 7 × 7? .... más

Por lo tanto, ¿cuánto es 7 × 7? ....

b. Puedes usar los problemas que resolviste en las lecciones anteriores.

Completa los espacios en blanco para mostrar cómo se separa la matriz aquí.

7 × 7 = (7 × ....) + (7 × ....)

= .... + ...

= ....

③ REFLEXIONA

¿Cuál de los dos modelos de arriba crees que es más fácil? ¿Elegirías otra manera?

....

....

....

Prepárate para multiplicar con 7, 8 y 9

1 Piensa en lo que sabes acerca de la multiplicación. Llena cada recuadro.
Usa palabras, números y dibujos. Muestra tantas ideas como puedas.

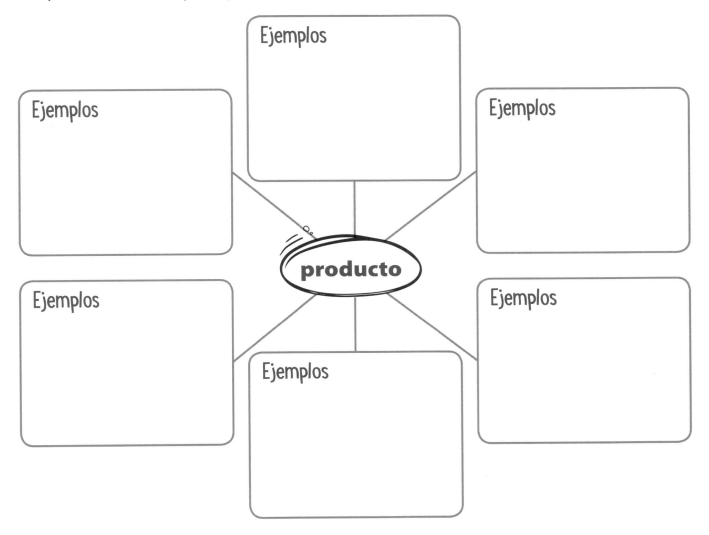

Ejemplos

Ejemplos

Ejemplos

Ejemplos

Ejemplos

Ejemplos

producto

2 Explica cómo puedes usar los datos $8 \times 5 = 40$ y
$8 \times 2 = 16$ para hallar 8×7.

3 Resuelve el problema. Muestra tu trabajo.

Hana y Mario hallan 6 × 9. Ambos separan el problema de una manera diferente. Muestra dos maneras de descomponer 6 × 9 y halla el producto.

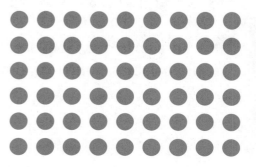

4 Comprueba tu respuesta. Muestra tu trabajo.

Desarrolla Multiplicar con 7

Lee el siguiente problema y trata de resolverlo.

> **Matt da galletas a 8 amigos. Cada amigo recibe 7 galletas. ¿Cuántas galletas compartió Matt?**

PRUÉBALO

Herramientas matemáticas

- fichas
- vasos desechables
- papel cuadriculado de 1 centímetro
- modelos de multiplicación
- rectas numéricas

CONVERSA CON UN COMPAÑERO

Pregúntale: ¿Por qué elegiste esa estrategia?

Dile: Comencé por . . .

Explora diferentes maneras de entender cómo multiplicar con 7.

> **Matt da galletas a 8 amigos. Cada amigo recibe 7 galletas.**
> **¿Cuántas galletas compartió Matt?**

HAZ UN MODELO

Puedes usar una matriz para ayudarte a entender el problema.

Matt separó las columnas (el número de galletas).

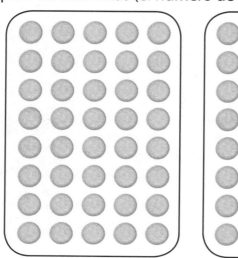

HAZ UN MODELO

También puedes usar palabras y expresiones de multiplicación para ayudarte a entender el problema.

Dar **7 galletas** a cada uno de los **8 amigos** es lo mismo que dar **5 galletas** a cada uno y luego darle a cada uno de ellos **2 galletas más**. Puedes escribir la multiplicación de tres maneras:

8×7 o $8 \times (5 + 2)$ o $(8 \times 5) + (8 \times 2)$

CONÉCTALO

Ahora vas a usar el problema de la página anterior para ayudarte a entender cómo multiplicar con 7.

1 ¿Qué problema de multiplicación intenta resolver Matt?

2 Escribe una expresión de suma para mostrar cómo Matt descompuso el 7.

3 Vuelve a escribir la expresión de multiplicación del problema 1 reemplazando el 7 con la expresión de suma que escribiste en el problema 2.

8 × .... = 8 × (............... + ...)

4 Completa la ecuación para mostrar los productos que se suman para hallar el número total de galletas.

(8 × ....) + (8 × ....) =

.... + ... = ...

5 Explica por qué alguien querría descomponer uno de los factores en un problema de multiplicación.

6 REFLEXIONA

Repasa **Pruébalo**, las estrategias de tus compañeros y los **Haz un modelo**. ¿Qué modelos o estrategias prefieres para multiplicar con 7? Explica.

....

....

....

....

APLÍCALO

Usa lo que acabas de aprender para resolver estos problemas.

7 Usa un modelo y ecuaciones para mostrar cómo saber la respuesta a 2 × 7 puede ayudarte a hallar 4 × 7.

4 × 7 = ...

8 Muestra dos maneras de descomponer un factor para hallar 3 × 7. Escribe una ecuación para cada manera.

   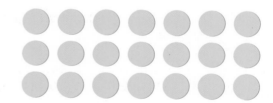

3 × 7 = ...

9 ¿Qué expresiones pueden usarse para hallar 5 × 7?

Ⓐ 7 × 5

Ⓑ 5 × (2 + 5)

Ⓒ (5 × 2) + 5

Ⓓ (2 × 7) + (3 × 7)

Ⓔ (3 × 5) + (2 × 2)

Practica multiplicar con 7

Estudia el Ejemplo, que muestra cómo descomponer el factor 7 para multiplicar. Luego resuelve los problemas 1 a 6.

EJEMPLO

Mel puede llenar 7 tazones con 1 olla de fideos. ¿Cuántos tazones puede llenar con 3 ollas de fideos?

$3 \times 2 = 6$

$3 \times 5 = 15$

$3 \times 7 = ?$

Tal vez sepas cómo multiplicar con 2 y 5; por lo tanto, descompón el 7 en 2 y 5.

Luego suma los dos productos. $6 + 15 = 21$

Por lo tanto, $7 \times 3 = 21$. Mel puede alimentar a 21 personas.

Usa la matriz de la derecha para resolver los problemas 1 a 4.

1. ¿Cuántas filas y columnas tiene la matriz? Completa los espacios en blanco.

   .... filas y .... columnas

2. Encierra en un círculo las columnas para separar la matriz en dos partes.

3. Escribe datos de multiplicación para mostrar el total de cada parte de la matriz.

   .... $\times$ .... = ... $\times$ .... = ...

4. ¿Cómo puedes usar tu respuesta al problema 3 para hallar el producto de 6×7? Explica.

5 Traza una línea hasta el par de ecuaciones de multiplicación que se puedan usar para resolver cada problema de multiplicación. Escribe el producto que falta en cada ecuación.

$4 \times 7 =$ ....

$6 \times 5 =$ ....

$6 \times 2 =$ ....

$5 \times (1 + 6) =$ ....

$4 \times 6 =$ ....

$4 \times 1 =$ ....

$6 \times 7 =$ ....

$7 \times 3 =$ ....

$7 \times 4 =$ ....

$7 \times 7 =$ ....

$8 \times 2 =$ ....

$8 \times 5 =$ ....

$8 \times (2 + 5) =$ ....

$5 \times 1 =$ ....

$5 \times 6 =$ ....

6 La maestra de arte tiene 9 cajas de materiales de arte para la clase. En cada caja hay 7 pinceles. ¿Cuántos pinceles tiene en total? Muestra tu trabajo.

Solución ....

Desarrolla Multiplicar con 8

Lee el siguiente problema y trata de resolverlo.

> **Stella planta 6 filas de calabazas con 8 calabazas en cada fila. ¿Cuántas calabazas planta en total?**

PRUÉBALO

Herramientas matemáticas

- fichas
- vasos desechables
- papel cuadriculado de 1 centímetro
- modelos de multiplicación
- rectas numéricas

CONVERSA CON UN COMPAÑERO

Pregúntale: ¿Puedes explicarme eso otra vez?

Dile: No comprendo cómo . . .

Explora diferentes maneras de entender cómo multiplicar con 8.

> **Stella planta 6 filas de calabazas con 8 calabazas en cada fila. ¿Cuántas calabazas planta en total?**

HAZ UN MODELO

Puedes separar las columnas de la matriz en grupos iguales de datos que conozcas.

Conoces los datos de multiplicación para 4.

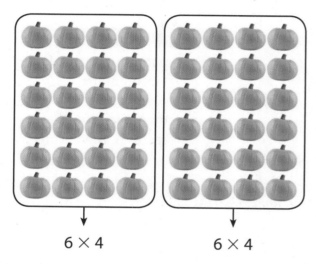

$$6 \times 4 \qquad 6 \times 4$$

HAZ UN MODELO

Puedes seguir separando las columnas de la matriz en grupos iguales de datos que conozcas.

Conoces los datos de multiplicación para 2.

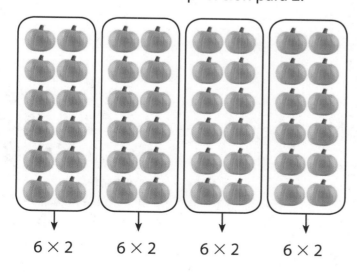

$$6 \times 2 \qquad 6 \times 2 \qquad 6 \times 2 \qquad 6 \times 2$$

CONÉCTALO

Ahora vas a usar el problema de la página anterior para ayudarte a entender cómo multiplicar con 8.

1 Mira el primer **Haz un modelo**. Completa los espacios en blanco para mostrar cómo se descompone el factor 8.

$6 \times ($ .... $+$ .... $)$

2 Completa los espacios en blanco para mostrar cómo puedes usar los dos problemas más fáciles para hallar el producto.

$(6 \times$ .... $) + (6 \times$ .... $) =$

.... $+$ .... $=$ ....

3 Mira el segundo **Haz un modelo**. Completa los espacios en blanco para mostrar cómo se descompone el factor 8.

$6 \times ($ .... $+$ .... $+$ .... $+$ .... $)$

4 Completa los espacios en blanco para mostrar cómo puedes usar los cuatro problemas más fáciles para hallar el producto.

$(6 \times$ .... $) + (6 \times$ .... $) + (6 \times$ .... $) + (6 \times$ .... $) =$

.... $+$ .... $+$ .... $+$ .... $=$ ....

5 Cuando se descompone el factor 8, ¿cuál es el beneficio de descomponerlo en dos 4 o cuatro 2?

6 REFLEXIONA

Repasa **Pruébalo**, las estrategias de tus compañeros y los **Haz un modelo**. ¿Qué modelos o estrategias prefieres para multiplicar con 8? Explica.

....

....

....

APLÍCALO

Usa lo que acabas de aprender para resolver estos problemas.

7 Usa el modelo para 7×8 para mostrar cómo puedes descomponer el 8 para hallar este producto.
Muestra tu trabajo.

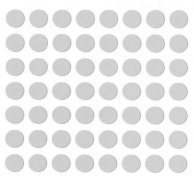

$7 \times 8 =$ ....

8 Usa lo que sabes acerca de 5×2 para hallar 5×8. Muestra tu trabajo.

$5 \times 8 =$ ....

9 Halla 8×8. Muestra tu trabajo.

$8 \times 8 =$ ....

Practica multiplicar con 8

Estudia el Ejemplo, que muestra cómo descomponer el factor 8 para multiplicar. Luego resuelve los problemas 1 a 7.

EJEMPLO

Cuatro amigos hacen un álbum de fotos. Cada uno coloca 8 fotos en el álbum. ¿Cuántas fotos hay en el álbum de fotos?

$4 \times 8 = ?$

$4 \times 4 = 16$

$4 \times 4 = 16$

Podrías descomponer el 8 en 4 y 4.

Suma los productos: $16 + 16 = 32$.

Por lo tanto, $4 \times 8 = 32$. Hay 32 fotos en el álbum.

Tony tiene 6 cajas de carros de juguete. En cada caja hay 8 carros.

1 Escribe una ecuación de multiplicación para este problema.

.... $\times$ .... $= ?$

2 Para ayudarte a hallar 6×8, podrías descomponer el 8 en 5 y 3. Escribe las dos ecuaciones de multiplicación que obtendrías con esto.

$6 \times$ .... $=$ ....

$6 \times$ .... $=$ ....

3 Suma los dos productos del problema 2. ¿Cuántos carros de juguete tiene Tony?

Usa la matriz de la derecha para resolver los problemas 4 a 6.

4 Armando hizo la matriz para resolver un problema.
¿Qué problema de multiplicación intenta resolver?

.... $\times$ .... = ?

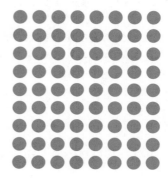

5 Traza una línea en la matriz para descomponer un factor.
Explica cómo puedes usar tus problemas más sencillos
para resolver el problema.

6 Describe otra manera de separar la matriz de Armando para resolver
el problema.

7 ¿Qué opción muestra una manera de descomponer 3 $\times$ 8?

Ⓐ 3 $\times$ 2 y 6 $\times$ 6

Ⓑ 3 $\times$ 6 y 6 $\times$ 2

Ⓒ 3 $\times$ 3 y 4 $\times$ 4

Ⓓ 3 $\times$ 6 y 3 $\times$ 2

Desarrolla Multiplicar con 9

Lee el siguiente problema y trata de resolverlo.

> **La tienda de comestibles tiene 8 cajas de naranjas.**
> **Hay 9 naranjas en cada caja.**
> **¿Cuántas naranjas hay en total?**

PRUÉBALO

Herramientas matemáticas

- fichas
- vasos desechables
- papel cuadriculado de 1 centímetro
- modelos de multiplicación
- rectas numéricas

CONVERSA CON UN COMPAÑERO

Pregúntale: ¿Estás de acuerdo conmigo? ¿Por qué sí o por qué no?

Dile: Al principio, pensé que. . .

Explora diferentes maneras de entender cómo multiplicar con 9.

> **La tienda de comestibles tiene 8 cajas de naranjas. Hay 9 naranjas en cada caja. ¿Cuántas naranjas hay en total?**

HAZ UN MODELO

Puedes hacer una matriz y separar las columnas para hacer problemas más sencillos.

Puedes separar las 9 columnas en 8 × 9.

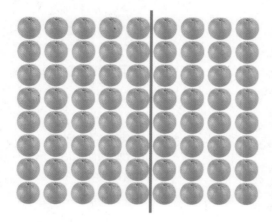

HAZ UN MODELO

Puedes hacer una matriz y separar las filas para hacer problemas más sencillos.

También puedes separar las 8 filas en 8 × 9.

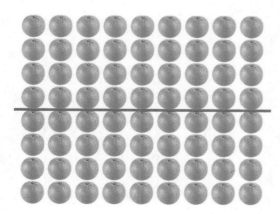

CONÉCTALO

Ahora vas a usar el problema de la página anterior para ayudarte a entender cómo multiplicar con 9.

1 ¿Cómo se descompone el 9 en el primer **Haz un modelo**?

2 Completa los espacios en blanco para mostrar cómo puedes usar los dos problemas más sencillos para hallar el producto.

$(8 \times \underline{\hspace{2cm}}) + (8 \times \underline{\hspace{2cm}}) =$

$\underline{\hspace{2cm}} + \underline{\hspace{2cm}} = \underline{\hspace{2cm}}$

3 ¿Cómo se descompone el 8 en el segundo **Haz un modelo**?

4 Completa los espacios en blanco para mostrar cómo puedes usar los dos problemas más sencillos para hallar el producto.

$(\underline{\hspace{2cm}} \times 9) + (\underline{\hspace{2cm}} \times 9) =$

$\underline{\hspace{2cm}} + \underline{\hspace{2cm}} = \underline{\hspace{2cm}}$

5 ¿Sería más fácil para ti hallar 8×9: descomponiendo el 9 o el 8? ¿O sería más o menos lo mismo? Explica.

6 REFLEXIONA

Repasa **Pruébalo**, las estrategias de tus compañeros y los **Haz un modelo**. ¿Qué modelos o estrategias prefieres para multiplicar con 9? Explica.

....

....

....

....

APLÍCALO

Usa lo que acabas de aprender para resolver estos problemas.

7 Separa cada matriz de una manera diferente para hallar 7 × 9. Escribe las ecuaciones para cada modelo. Muestra tu trabajo.

7 × 9 = ...

8 Halla 9 × 9. Muestra tu trabajo.

9 × 9 = ...

9 Un juego deportivo tiene 4 descansos planeados. Sammy llena 9 bolsas de rosetas de maíz para venderlas durante el descanso. Elige la expresión que muestra cuántas bolsas de rosetas de maíz llena Sammy.

Ⓐ (4 × 5) + (4 × 4)

Ⓑ (2 × 6) + (2 × 3)

Ⓒ (3 × 6) + (1 × 3)

Ⓓ (4 × 9) + (9 × 4)

Practica multiplicar con 9

Estudia el Ejemplo, que muestra cómo descomponer el factor 9 para multiplicar. Luego resuelve los problemas 1 a 5.

EJEMPLO

Eloise compra una hoja de calcomanías. Ella cuenta 5 filas de 9 calcomanías. ¿Cuántas calcomanías hay en la hoja?

$5 \times 9 = ?$

Puedes descomponer el 9 en $4 + 5$.

Multiplica 5×4 y 5×5.

Luego suma los productos: $20 + 25 = 45$.

Por lo tanto, $5 \times 9 = 45$. Hay 45 calcomanías en la hoja.

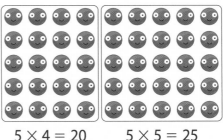

$5 \times 4 = 20$ $5 \times 5 = 25$

Resuelve los problemas 1 a 3 para hallar cuántos hay en 6 grupos de 9.

1 Usa lo que sabes acerca de 5×9 de arriba para separar esta matriz de 6×9 en dos grupos. Haz un dibujo para mostrar los dos grupos.

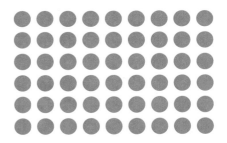

2 Escribe la ecuación de multiplicación que puedes usar para cada grupo del problema 1.

3 Suma los productos del problema 2 para hallar 6×9.

4 Traza una línea hasta el par de ecuaciones de multiplicación que se puedan usar para resolver cada problema de multiplicación. Escribe el producto que falta en cada ecuación.

$2 \times 9 =$ .... $4 \times 5 =$ ....

$4 \times 4 =$ ....

$3 \times 9 =$ .... $7 \times 3 =$ ....

$7 \times 6 =$ ....

$4 \times (5 + 4) =$ .... $2 \times 2 =$ ....

$2 \times 7 =$ ....

$7 \times (3 + 6) =$ .... $3 \times 4 =$ ....

$3 \times 5 =$ ....

$8 \times 9 =$ .... $8 \times 8 =$ ....

$8 \times 1 =$ ....

5 Separa la matriz. Luego escribe ecuaciones para mostrar cómo puedes usar las partes para hallar 9×9.

Refina Multiplicar con 7, 8 y 9

Completa el Ejemplo siguiente. Luego resuelve los problemas 1 a 8.

EJEMPLO

Rumi prepara una vidriera de modelos de carros en la juguetería. Puede usar 7 estantes. Coloca 8 carros en cada estante. ¿Cuántos modelos de carros muestra Rumi?

Mira cómo podrías mostrar tu trabajo usando una matriz.

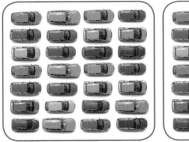 

$7 \times 4 = 28$ $7 \times 4 = 28$ $28 + 28 = ?$

Solución ....

El estudiante descompuso el 8 y sumó los productos.

EN PAREJA
¿Podrías descomponer el 7 para resolver este problema?

APLÍCALO

1 Joe tiene 8 estantes con 9 libros en cada uno. ¿Cuántos libros tiene Joe en total? Muestra cómo descomponer uno de los números para que sea más fácil resolver el problema.

Puedes descomponer el número 9 de distintas maneras.

EN PAREJA
¿Cómo decidieron tu compañero y tú descomponer uno de los números?

Solución ....

2 Miles no está seguro de cómo hallar 5 × 8. Dice que conoce los datos de multiplicación para 5, por lo tanto, conoce 8 × 5. Muestra cómo puede Miles usar 8 × 5 para hallar 5 × 8. Muestra tu trabajo.

> ¿Debes descomponer el factor 8 para usar datos de multiplicación para 5?

Solución ....

> **EN PAREJA**
> ¿Como podrías haber descompuesto el 8?

3 Athena halla 9 × 7 descomponiendo el 7 en 3 y 4. ¿Cuál de las siguientes expresiones puede usar Athena?

Ⓐ (9 × 5) + (9 × 2)

Ⓑ (4 × 7) + (5 × 7)

Ⓒ (9 × 3) + (9 × 4)

Ⓓ (7 × 3) + (7 × 4)

Brayden eligió Ⓓ como la respuesta correcta. ¿Cómo obtuvo él esa respuesta?

> Athena descompuso el 7. ¿Qué hará con el 9?

> **EN PAREJA**
> ¿Obtendrán la misma respuesta Brayden y Athena?

4 Tucker halla 5 × 7 descomponiéndolo como se muestra abajo.

$$(3 \times 7) + (\underline{\hspace{1cm}} \times 7)$$

¿Qué número va en el espacio en blanco?

Ⓐ 1

Ⓑ 2

Ⓒ 4

Ⓓ 8

5 Cole tiene 5 paquetes de lápices. Hay 8 lápices en cada paquete. Quiere saber cuántos lápices tiene en total. El siguiente modelo muestra cómo descompone un número en el problema.

 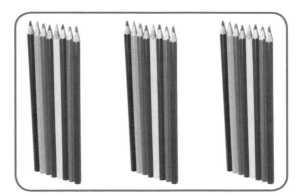

¿Qué expresión muestra cómo resolvió Cole el problema?

Ⓐ (2 × 8) + (3 × 8)

Ⓑ (5 × 3) + (5 × 5)

Ⓒ (2 × 5) + (3 × 5)

Ⓓ (2 × 8) + (2 × 8)

6 Usa la matriz que se muestra para hallar 8 × 8. Primero dibuja círculos para separar la matriz en dos grupos. Luego completa los espacios en blanco para mostrar cómo separaste la matriz.

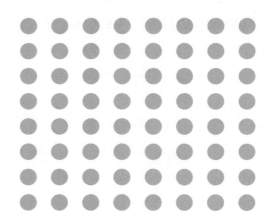

$$8 \times 8 = 8 \times (\text{\_\_\_\_\_} + \text{\_\_\_\_\_})$$

$$= (8 \times \text{\_\_\_\_\_}) + (8 \times \text{\_\_\_\_\_})$$

$$= \text{\_\_\_\_\_} + \text{\_\_\_\_\_}$$

$$= \text{\_\_\_\_\_}$$

7 ¿Es cada expresión equivalente al producto de 6 y 9?

	Sí	No
(6 × 3) + (6 × 3)	Ⓐ	Ⓑ
(6 × 4) + (6 × 5)	Ⓒ	Ⓓ
6 × (6 + 3)	Ⓔ	Ⓕ
9 × (2 + 4)	Ⓖ	Ⓗ
(3 × 9) + (3 × 9)	Ⓘ	Ⓙ

8 DIARIO DE MATEMÁTICAS

Hay 9 filas en el jardín de flores de la Sra. Mitchell. Cada fila tiene 9 flores plantadas. ¿Cuántas flores hay plantadas en el jardín? Usa una ecuación para mostrar una manera de descomponer uno de los factores y resolver el problema. Explica tu razonamiento.

☑ COMPRUEBA TU PROGRESO Vuelve al comienzo de la Unidad 2 y mira qué destrezas puedes marcar.

Ordena y agrupa para multiplicar

Estimada familia:

Esta semana su niño está aprendiendo a usar el orden y la agrupación para multiplicar.

Su niño podría resolver un problema como el siguiente.

Samuel tiene 5 cajas de lápices. Cada caja tiene 3 paquetes de lápices. Cada paquete tiene 2 lápices. ¿Cuántos lápices tiene Samuel?

- Una manera de resolver ese problema es hacer primero la multiplicación para hallar el número de paquetes. Hay 5 cajas que tienen 3 paquetes cada una: $5 \times 3 = 15$. Hay 15 paquetes. Luego se multiplica para hallar el número de lápices. Hay 2 en cada paquete: $15 \times 2 = 30$. Hay 30 lápices. Los paréntesis del siguiente problema muestran qué números de multiplican primero.

$$(5 \times 3) \times 2 \longrightarrow 15 \times 2 = 30$$

¿Pero qué sucede si no sabe cómo hallar 15×2? Puede cambiar el orden en que multiplica los números.

- Otra manera de resolver el problema es multiplicar primero para hallar el número de lápices que hay en una caja. Hay 3 paquetes que tienen 2 lápices cada uno: $3 \times 2 = 6$. Hay 6 lápices en cada caja. Luego se multiplica para hallar el número total de lápices. Hay 5 cajas: $5 \times 6 = 30$. Hay 30 lápices.

$$5 \times (3 \times 2) \longrightarrow 5 \times 6 = 30$$

Invite a su niño a compartir lo que sabe sobre usar el orden y la agrupación para multiplicar haciendo juntos la siguiente actividad.

ACTIVIDAD CAMBIAR EL ORDEN DE LOS FACTORES

Haga la siguiente actividad con su niño para multiplicar cambiando el orden de los factores.

Materiales 24 monedas de 1¢ u otros objetos pequeños

Haga esta actividad con su niño para demostrar por qué el cambio en el orden de los factores en una multiplicación no cambia el producto.

- Resuelva los siguientes dos problemas con su niño.

  1. Cuente 12 monedas de 1¢. Trabajen juntos para ordenarlas en una matriz con 3 filas de 4 monedas cada una. Pida a su niño que escriba la ecuación que representa esta matriz.

  2. Luego ordene las otras 12 monedas en una matriz con 4 filas de 3 monedas cada una. Pida a su niño que escriba la ecuación para esta matriz.

- Haga a su niño las siguientes preguntas:
  - *¿Cambiar el orden de los factores cambia el número de monedas?*
  - *¿Crees que esto siempre será cierto?*
  - *¿Cambiar el orden de los factores hace que sea más fácil alguno de los datos de multiplicación?*

- Repita la actividad con 2 filas de 6 y luego 6 filas de 2.

Respuestas: **1.** $3 \times 4 = 12$; **2.** $4 \times 3 = 12$

Explora Ordenar y agrupar para multiplicar

Antes aprendiste acerca del significado de la multiplicación junto con otros datos básicos. Esta lección te ayudará a resolver problemas de multiplicación usando lo que ya sabes. Usa lo que sabes para tratar de resolver el siguiente problema.

Objetivo de aprendizaje

- Aplicar las propiedades de las operaciones como estrategias para multiplicar y dividir.

EPM 1, 2, 3, 4, 5, 6, 7, 8

> **La mamá de Ava compra 2 paquetes de 3 camisetas. Su papá compra 3 paquetes de 2 camisetas. ¿Cuántas camisetas compró cada uno de los padres de Ava?**

PRUÉBALO

Herramientas matemáticas

- fichas
- botones
- vasos desechables
- papel cuadriculado de 1 pulgada
- modelos de multiplicación
- rectas numéricas

CONVERSA CON UN COMPAÑERO

Pregúntale: ¿Cómo empezaste a resolver el problema?

Dile: Comencé por . . .

CONÉCTALO

1 REPASA

Escribe dos ecuaciones de multiplicación para mostrar cuántas camisetas compraron la mamá y el papá de Ava. ¿En qué se parecen y en qué se diferencian las ecuaciones?

2 SIGUE ADELANTE

Ya has visto cómo el orden de los factores en un problema de multiplicación influye en el producto pero, ¿qué hay de la manera en la que agrupas los factores? Mira este problema.

Jayden compra 4 cajas de salchichas. En cada caja hay 2 paquetes. Cada paquete tiene 5 salchichas. ¿Cuántas salchichas compró?

a. Una manera de pensar en esto es hallar primero cuántos paquetes hay. Luego se multiplica el número en cada paquete, 5, por el número de paquetes.

4 × 2 paquetes son .... paquetes. **(4 × 2) × 5 =** .... **× 5 =** ....

b. Otra manera de pensar en esto es hallar primero cuántas salchichas hay en cada caja. Luego se multiplica por el número de cajas, 4.

2 × 5 son .... salchichas en una caja. **4 × (2 × 5) = 4 ×** .... **=** ....

c. ¿En qué se parecen y se diferencian (4 × 2) × 5 y 4 × (2 × 5)?

3 REFLEXIONA

¿Qué te resulta más fácil: hallar (4 × 2) × 5 o 4 × (2 × 5)? Explica.

....

....

Prepárate para ordenar y agrupar para multiplicar

1 Piensa en lo que sabes acerca de la multiplicación. Llena cada recuadro. Usa palabras, números y dibujos. Muestra tantas ideas como puedas.

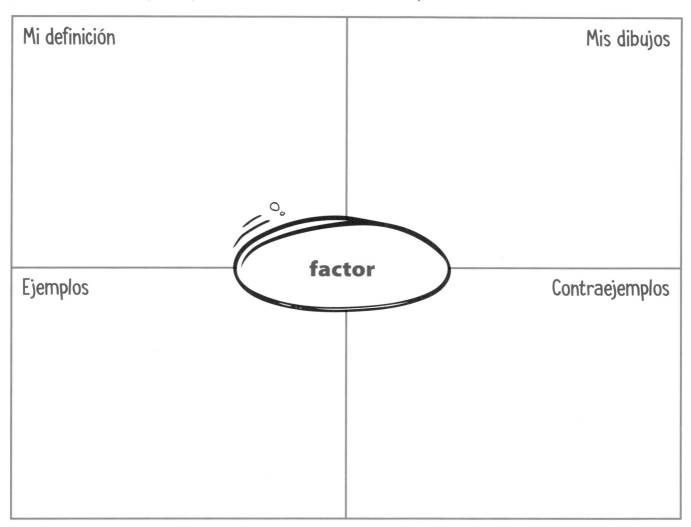

Mi definición	Mis dibujos
Ejemplos	**Contraejemplos**

factor

2 Gil dice que (3 × 2) × 4 y 3 × (2 × 4) tienen el mismo producto. ¿Estás de acuerdo? Explica.

3 Resuelve el problema. Muestra tu trabajo.

La mamá de Nadia compra 4 paquetes de 2 bolígrafos. Su papá compra 2 paquetes de 4 bolígrafos. ¿Cuántos bolígrafos compró cada uno de los padres de Nadia?

Solución ....

4 Comprueba tu respuesta. Muestra tu trabajo.

Desarrolla Ordenar para multiplicar

Lee el siguiente problema y trata de resolverlo.

> **Chad lee libros en la biblioteca cada semana durante 6 semanas. Lee 3 libros cada semana. Mia lee libros en la biblioteca cada semana durante 3 semanas. Lee 6 libros cada semana. ¿Quién lee más libros en la biblioteca, Chad o Mia?**

PRUÉBALO

Herramientas matemáticas

- fichas
- botones
- vasos desechables
- papel cuadriculado de 1 pulgada
- modelos de multiplicación
- rectas numéricas

CONVERSA CON UN COMPAÑERO

Pregúntale: ¿Por qué elegiste esa estrategia?

Dile: Estoy de acuerdo contigo en que . . . porque . . .

Explora diferentes maneras de entender factores de multiplicación en cualquier orden.

Chad lee libros en la biblioteca cada semana durante 6 semanas. Lee 3 libros cada semana. Mia lee libros en la biblioteca cada semana durante 3 semanas. Lee 6 libros cada semana. ¿Quién lee más libros en la biblioteca, Chad o Mia?

HAZ UN DIBUJO

Puedes usar grupos iguales para ayudarte a entender el problema.

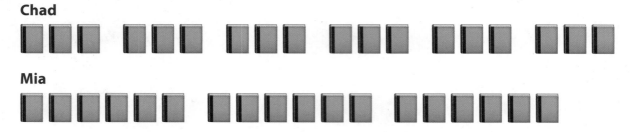

HAZ UN MODELO

También puedes usar matrices para ayudarte a entender el problema.

Cada fila en las matrices muestra el número de libros que leyeron Chad y Mia cada semana.

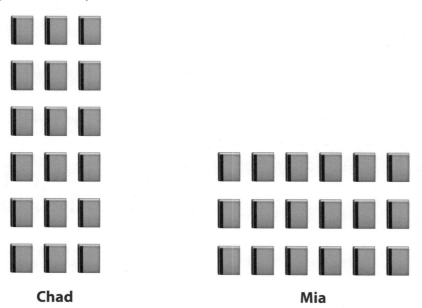

CONÉCTALO

Ahora vas a usar el problema de la página anterior para ayudarte a entender cómo multiplicar factores en cualquier orden.

1 ¿Qué ecuación de multiplicación podrías escribir para hallar el número de libros que lee Chad?

2 ¿Qué ecuación de multiplicación podrías escribir para hallar el número de libros que lee Mia?

3 ¿Quién lee más libros?

4 Explica cómo podrías saber que Chad y Mia leyeron el mismo número de libros sin hallar el producto en cada ecuación de multiplicación.

5 Tu maestro te dice que $8 \times 9 = 72$. Explica cómo sabes a qué número es igual 9×8.

6 REFLEXIONA

Repasa **Pruébalo**, las estrategias de tus compañeros, **Haz un dibujo** y **Haz un modelo**. ¿Qué modelos o estrategias prefieres para mostrar que puedes cambiar el orden de los factores en un problema de multiplicación y aún obtener el mismo producto? Explica.

APLÍCALO

Usa lo que acabas de aprender para resolver estos problemas.

7 Josie tiene 5 vasos con 4 fichas en cada uno. Ian tiene 4 vasos con 5 fichas en cada uno. Haz un modelo para mostrar que Josie e Ian tienen el mismo número de fichas. Muestra tu trabajo.

8 Tanto Ashish como Gita tienen una colección de rocas con el mismo número de rocas. Ashish tiene 6 estantes en su dormitorio para exhibir todas sus rocas. Él coloca 8 rocas en cada estante. Gita tiene 8 estantes para exhibir todas sus rocas. Ella coloca el mismo número de rocas en cada estante. ¿Cuántas rocas coloca Gita en cada estante? Muestra tu trabajo.

Solución ....

9 Sara sabe que $5 \times 8 = 40$. ¿Qué otro dato de matemáticas ayuda a Sara a saber esto?

Ⓐ $5 + 8 = 13$

Ⓑ $40 - 8 = 32$

Ⓒ $8 \times 5 = 40$

Ⓓ $4 \times 10 = 40$

Practica ordenar para multiplicar

Estudia el Ejemplo, que muestra que el orden de los factores no es importante en la multiplicación. Luego resuelve los problemas 1 a 6.

EJEMPLO

Paul tiene 3 grupos de 2 monedas. Jill tiene 2 grupos de 3 monedas. ¿Quién tiene más monedas?

$3 \times 2 = 6$ $2 \times 3 = 6$

Paul y Jill tienen el mismo número de monedas.

---

1 Para cada matriz, escribe cuántas filas hay y cuántos puntos hay en cada fila. Luego escribe una ecuación de multiplicación.

.... filas

.... puntos en cada fila

.... × .... = ...

.... filas

.... puntos en cada fila

.... × .... = ...

> ## Vocabulario
>
> **factor** número que se multiplica.
>
> **producto** el resultado de la multiplicación.
>
> $2 \times 5 = 10$
> 2 y 5 son *factores*.
> 10 es el *producto*.

2 Sabes que $3 \times 9 = 27$. Explica cómo sabes a qué número es igual 9×3 .

3 Daniel colorea una cuadrícula para mostrar 4 × 6 = 24. Colorea la otra cuadrícula para mostrar 6 × 4 = 24.

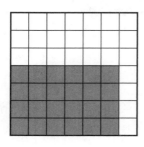   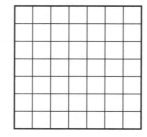

4 × 6 = 24   6 × 4 = 24

4 Explica cómo sabes que ambas cuadrículas del problema 3 tienen el mismo número de cuadrados coloreados.

5 Esta matriz muestra 4 × 3 = 12. Haz una matriz que muestre 3 × 4 = 12.

6 Avery tiene 3 canastas con 9 flores en cada una. Ralph tiene 9 canastas de flores. Si tiene el mismo número total de flores que Avery, ¿cuántas flores tiene Ralph en cada canasta?

 flores

Desarrolla Agrupar para multiplicar

Lee el siguiente problema y trata de resolverlo.

> **Nykole decora un par de guantes con joyas de plástico. Pega 3 joyas en cada dedo, incluido el pulgar. ¿Cuántas joyas usa?**

PRUÉBALO

Herramientas matemáticas

- fichas
- botones
- tarjetas en blanco
- notas adhesivas
- modelos de multiplicación
- rectas numéricas

CONVERSA CON UN COMPAÑERO

Pregúntale: ¿Estás de acuerdo conmigo? ¿Por qué sí o por qué no?

Dile: No sé bien cómo hallar la respuesta porque . . .

Explora diferentes maneras de entender cómo agrupar factores de diferentes maneras.

> **Nykole decora un par de guantes con joyas de plástico. Pega 3 joyas en cada dedo, incluido el pulgar. ¿Cuántas joyas usa?**

HAZ UN DIBUJO

Puedes usar un dibujo para ayudarte a entender el problema.

Hay 5 dedos con 3 joyas en cada uno: $5 \times 3 = 15$.
Tiene 15 joyas en cada guante. Hay 2 guantes.
15 joyas $\times$ 2 dice cuántas joyas hay en ambos guantes en total.

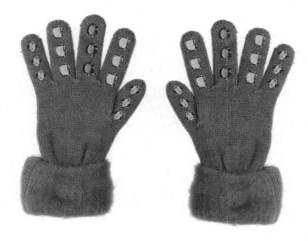

También podrías multiplicar de otra manera. Hay 2 guantes con 5 dedos cada uno: $2 \times 5 = 10$. Hay 10 dedos. Hay 3 joyas en cada dedo: 10×3 también dice cuántas joyas usa.

HAZ UN MODELO

Puedes escribir un problema de multiplicación: 2 × 5 × 3.

Puedes usar paréntesis para mostrar qué dos números multiplicarías primero.

$$(2 \times 5) \times 3 \longrightarrow 10 \times 3 = 30$$

También puedes elegir multiplicar diferentes números primero.

$$2 \times (5 \times 3) \longrightarrow 2 \times 15 = 30$$

CONÉCTALO

Ahora vas a usar el problema de la página anterior para ayudarte a entender cómo agrupar factores de maneras diferentes.

1 Usa paréntesis para mostrar una manera de agrupar $2 \times 5 \times 3$.

2 Usa paréntesis para mostrar una manera diferente de agrupar $2 \times 5 \times 3$.

3 ¿Qué manera elegirías para hallar el producto? Explica por qué.

4 Explica cómo puedes agrupar para hacer más fácil la multiplicación de tres factores.

5 REFLEXIONA

Repasa **Pruébalo**, las estrategias de tus compañeros, **Haz un dibujo** y **Haz un modelo**. ¿Qué modelos o estrategias prefieres para mostrar que puedes cambiar la agrupación de los factores en un problema de multiplicación y aún obtener el mismo producto? Explica.

APLÍCALO

Usa lo que acabas de aprender para resolver estos problemas.

6 Usa paréntesis para mostrar dos maneras de agrupar $7 \times 2 \times 4$. Luego elige una de las maneras y muestra los pasos para hallar el producto. Muestra tu trabajo.

Solución ....

7 Usa paréntesis para mostrar dos maneras de agrupar $2 \times 4 \times 3$. Luego elige una de las maneras y muestra los pasos para hallar el producto. Muestra tu trabajo.

Solución ....

8 ¿Qué expresiones muestran el siguiente paso posible para hallar $3 \times 2 \times 9$?

Ⓐ 6×9

Ⓑ 6×18

Ⓒ 5×9

Ⓓ 3×11

Ⓔ 3×18

Practica agrupar para multiplicar

**Estudia el Ejemplo, que muestra cómo agrupar para multiplicar.
Luego resuelve los problemas 1 a 9.**

EJEMPLO

Leo hace pulseras. Cada pulsera tiene 5 cuentas. Él coloca las pulseras en bolsas.
Cada bolsa tiene 2 pulseras. Usó 3 bolsas. ¿Cuántas cuentas usó?

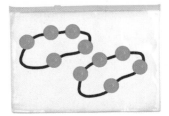 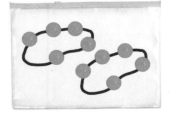 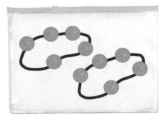

Leo escribió $(5 \times 2) \times 3$. Usó paréntesis para mostrar
qué números multiplicó primero.

Leo usó 30 cuentas.

$$(5 \times 2) \times 3$$
$$10 \times 3$$
$$30$$

Kelly hizo las pulseras que se muestran a la derecha.

1 ¿Cuántas cuentas colocó Kelly en cada pulsera? ....

2 ¿Cuántas pulseras colocó Kelly en cada bolsa? ....

3 ¿Cuántas bolsas usó Kelly? ....

4 ¿Cuántas cuentas usó Kelly? ....

5 Escribe una ecuación de multiplicación. Usa paréntesis
para mostrar qué números multiplicarás primero.

.... $\times$ .... $\times$ .... = ...

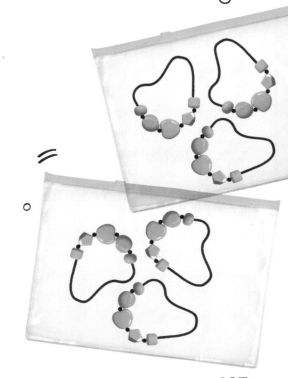

6   ¿Cómo agruparías los números para hallar $7 \times 2 \times 4$? ¿Por qué?

7   Addison y Claire eligieron diferentes maneras de multiplicar $4 \times 5 \times 3$. Addison agrupó los números de esta manera: $4 \times (5 \times 3)$. Halló $5 \times 3 = 15$. Luego multiplicó 4×15 sumando $15 + 15 + 15 + 15$ para obtener 60.

Explica cómo podría haber agrupado Claire los números para multiplicar. Muestra los pasos que siguió para hallar su respuesta.

8   Muestra dos maneras de agrupar $8 \times 2 \times 3$. Luego halla el producto.

Solución ....

9   Mira tu trabajo en el problema 8. ¿Qué manera de agrupar es más fácil para ti? ¿Por qué?

Desarrolla Ordenar y agrupar para multiplicar

Lee el siguiente problema y trata de resolverlo.

> **Joelle compró 2 cajas de bananas para su heladería. Hay 8 racimos en cada caja y hay 5 bananas en cada racimo. ¿Cuántas bananas compró Joelle?**

PRUÉBALO

Herramientas matemáticas

- fichas
- botones
- vasos desechables
- tarjetas en blanco
- modelos de multiplicación
- rectas numéricas

CONVERSA CON UN COMPAÑERO

Pregúntale: ¿Puedes explicarme eso otra vez?

Dile: Al principio, pensé que . . .

Explora diferentes maneras de entender cómo ordenar y agrupar factores de diferentes maneras.

> **Joelle compró 2 cajas de bananas para su heladería.**
> **Hay 8 racimos en cada caja y hay 5 bananas en cada racimo.**
> **¿Cuántas bananas compró Joelle?**

HAZ UN MODELO

Piensa en el problema de multiplicación que puedes escribir: $2 \times 8 \times 5$.

Puedes usar lo que aprendiste acerca de la multiplicación en cualquier orden y la agrupación para ayudarte a hacer el problema más fácil.

Comienza con $2 \times 8 \times 5$.

Primero cambia el orden de los números. Cambia el 2 y el 8.

Ahora tienes $8 \times 2 \times 5$.

Luego agrupa de esta manera: $8 \times (2 \times 5)$.

Multiplica los números que están entre paréntesis: $2 \times 5 = $ **10**.

Después haz la última multiplicación: $8 \times $ **10** $ = 80$.

HAZ UN MODELO

Puedes usar diagramas para ayudarte a entender el problema.

Los primeros dos diagramas muestran dos maneras de resolver el problema usando solo la agrupación. El tercer diagrama muestra cómo se puede resolver el problema cambiando el orden de los números antes de agrupar.

$2 \times 8 \times 5$
16×5
80

$2 \times 8 \times 5$
2×40
80

$8 \times 2 \times 5$
8×10
80

CONÉCTALO

Ahora vas a usar el problema de la página anterior para ayudarte a entender cómo ordenar y agrupar factores de diferentes maneras.

1 Se pueden ordenar y agrupar los factores en la expresión de multiplicación $2 \times 8 \times 5$ de diferentes maneras. Mira las siguientes maneras. Completa los números que faltan.

$(8 \times 2) \times \text{......} = 80$ $\qquad (5 \times 2) \times \text{......} = 80$ $\qquad \text{......} \times (8 \times 5) = 80$

2 Multiplica primero los números que están entre paréntesis. Mira las ecuaciones de multiplicación del problema 1. Multiplica los números que están entre paréntesis y luego completa los números que faltan abajo.

$(\text{......}) \times \text{......} = 80$ $\qquad (\text{......}) \times \text{......} = 80$ $\qquad \text{......} \times (\text{......}) = 80$

3 ¿Cuál de los tres productos del problema 1 crees que es el más fácil de hallar? Explica por qué crees que es así.

4 Explica cómo puedes usar la agrupación y la multiplicación en cualquier orden para hacer más fácil la multiplicación de tres números.

5 REFLEXIONA

Repasa **Pruébalo**, las estrategias de tus compañeros y los **Haz un modelo**. ¿Qué modelos o estrategias prefieres para mostrar que se puede cambiar el orden y la agrupación de los factores en un problema de multiplicación y aún así obtener el mismo producto? Explica.

APLÍCALO

Usa lo que acabas de aprender para resolver estos problemas.

6 Cambia el orden de los factores y usa paréntesis para mostrar una manera de hallar $3 \times 7 \times 3$. Luego muestra los pasos para hallar el producto. Muestra tu trabajo.

Solución

7 Cambia el orden de los factores y usa paréntesis para mostrar una manera de hallar $4 \times 9 \times 2$. Luego muestra los pasos para hallar el producto. Muestra tu trabajo.

Solución

8 ¿Cuál de las siguientes no tiene el mismo producto que $8 \times (2 \times 4)$?

Ⓐ $8 \times (4 \times 2)$

Ⓑ 16×4

Ⓒ 8×6

Ⓓ $(4 \times 8) \times 2$

Practica ordenar y agrupar para multiplicar

Estudia el Ejemplo, que muestra cómo ordenar y agrupar para multiplicar. Luego resuelve los problemas 1 a 10.

EJEMPLO

Rama cambia el orden y la agrupación de los números para que la multiplicación sea más fácil. ¿Cuáles son dos maneras en las que Rama podría multiplicar los números 4, 6 y 2?

$(2 \times 4) \times 6$

8×6

48

$4 \times (6 \times 2)$

4×12

48

Usa los números en los cubos numéricos, 4, 2 y 3, para resolver los problemas 1 a 4.

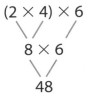 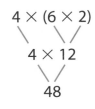

1. Ordena y agrupa los números. Luego multiplica para hallar el producto.

   .... × .... × .... = ...

2. Ordena y agrupa los números de diferente manera. Luego multiplica para hallar el producto.

   .... × .... × .... = ...

3. Ordena los factores de la misma manera que lo hiciste en el problema 2. Ahora cambia la agrupación con paréntesis. Halla el producto.

   .... × .... × .... = ...

4. ¿Cuál de los tres productos crees que es más fácil de hallar? Explica por qué crees que es así.

5 Usa los números 3, 5 y 2 como factores. Mira algunas de las maneras en que los factores están ordenados y agrupados. Completa los números que faltan.

$(3 \times 5) \times$ .... $= 30$ $\qquad$ $(5 \times 2) \times$ .... $= 30$ $\qquad$ .... $\times (3 \times 2) = 30$

6 Mira el problema 5. Multiplica primero los números que están entre paréntesis y luego completa los siguientes números.

$($.......$) \times$ .... $= 30$ $\qquad$ $($.......$) \times$ .... $= 30$ $\qquad$ .... $\times ($.......$) = 30$

7 ¿Cuál de los tres productos del problema 5 te resulta más fácil de hallar? ¿Por qué crees que es así?

8 Multiplica los factores 9, 2 y 2. Elige un orden y usa paréntesis para mostrar una manera de hallar el producto.

Solución

9 Explica por qué elegiste ordenar y agrupar los factores de la manera en la que lo hiciste en el problema 8.

10 Multiplica los factores 4, 2 y 5. Elige un orden y usa paréntesis para mostrar una manera de hallar el producto. Luego muestra los pasos para hallar el producto.

Solución

Refina Ordenar y agrupar para multiplicar

Completa el Ejemplo siguiente. Luego resuelve los problemas 1 a 8.

EJEMPLO

Hay 5 filas de mesas en la cafetería. En cada fila hay 8 mesas. Maria sabe que 8 × 5 es 40. ¿Cómo puede usar esto para calcular cuántas mesas hay?

Mira cómo podrías mostrar tu trabajo usando matrices.

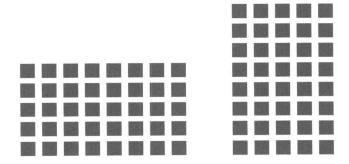

Solución ....

....

La primera matriz muestra 5 × 8. La segunda matriz es la misma matriz de costado. Muestra 8 × 5.

EN PAREJA
Si dos matrices tienen el mismo total, ¿de qué manera muestran dos datos diferentes de multiplicación?

APLÍCALO

1 Hay 2 clases de tercer grado. En cada clase, hay 3 filas de pupitres, con 7 pupitres en cada fila. Escribe una expresión de multiplicación para hallar el número de pupitres que hay en ambas clases juntas. Muestra cómo agrupar los factores para hallar el producto. Luego escribe la respuesta. Muestra tu trabajo.

¿Qué dos números tienen un producto que sería más fácil de multiplicar mentalmente?

EN PAREJA
¿Cómo cambiaría la resolución del problema si agruparas los factores de otra manera?

Solución ....

2 AJ necesita hallar $3 \times 8 \times 2$. Muestra una manera de hallar el producto. Usa paréntesis para mostrar cómo agrupaste los números. Muestra tu trabajo.

Creo que sería más fácil si se cambiara el orden de los factores antes de agruparlos.

Solución ....

EN PAREJA

¿Cómo decidieron qué dos números multiplicar primero?

3 Matt sabe que $4 \times 6 = 24$. ¿Qué otro dato de matemáticas ayuda a Matt a recordar esto?

Ⓐ $6 + 4 = 10$

Ⓑ $8 \times 3 = 24$

Ⓒ $24 - 6 = 18$

Ⓓ $6 \times 4 = 24$

Sadie eligió Ⓐ como la respuesta correcta. ¿Cómo obtuvo ella esa respuesta?

¿Qué has aprendido acerca del orden de los factores en la multiplicación?

EN PAREJA

¿Tiene sentido la respuesta de Sadie?

4 Jackson sabe que $9 \times 7 = 63$. Debe resolver la ecuación _____ $\times 9 = 63$.
¿Qué número va en el espacio en blanco?

Ⓐ 5

Ⓑ 6

Ⓒ 7

Ⓓ 8

5 ¿Cuál de las siguientes NO es verdadera?

Ⓐ $3 \times 6 \times 3 = 6 \times 3 \times 3$

Ⓑ $3 \times 6 \times 3 = 9 \times 3$

Ⓒ $3 \times 6 \times 3 = 6 \times 9$

Ⓓ $3 \times 6 \times 3 = 3 \times 18$

6 Dan tiene 2 álbumes de fotos. Cada álbum tiene
8 páginas. Dan puede colocar 4 fotos en cada página.
¿Cuántas fotos puede colocar Dan en los álbumes?

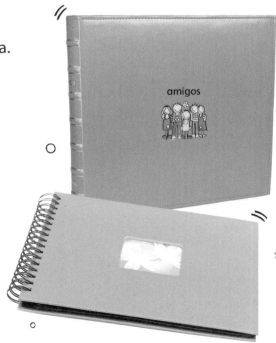

7 La mamá de Lyn coloca fotos en el refrigerador en filas. Hay 3 filas de fotos. Hay 7 fotos en cada fila. ¿Qué expresiones o matrices se podrían usar para hallar el número total de fotos?

Ⓐ 3×7

Ⓑ 7×3

Ⓒ $7 \times 7 \times 7$

Ⓓ

Ⓔ

8 DIARIO DE MATEMÁTICAS

¿Cómo saber que $(3 \times 2) \times 9 = 54$ te ayuda a saber a qué es igual $3 \times (9 \times 2)$?

☑ **COMPRUEBA TU PROGRESO** Vuelve al comienzo de la Unidad 2 y mira qué destrezas puedes marcar.

Usa el valor posicional para multiplicar

Estimada familia:

Esta semana su niño está aprendiendo a usar el valor posicional para multiplicar.

El valor posicional puede ser útil para comprender cómo multiplicar un múltiplo de 10 de dos dígitos, como 40, por un número de un dígito, como 3.

Puede usar cubos en base diez para comprender este problema. Los cubos de base diez representan 3 grupos de 40.

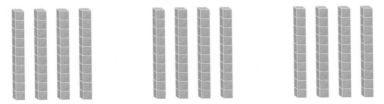

3 grupos de 4 decenas es 3 × 4 decenas, o 12 decenas.
12 decenas es igual a 120.

Otra manera de pensar este problema, sin los bloques, es volver a escribir el problema. Piense en 40 como 4 × 10. Entonces:

$$3 \times 40 = 3 \times (4 \times 10)$$

Cuando multiplique, puede cambiar la agrupación sin cambiar la respuesta:

3 × (4 × 10) es igual a (3 × 4) × 10.
3 × 4 es 12, y 12 × 10 es 120.
Por lo tanto, nuevamente, 3 × 40 = 120.

Invite a su niño a compartir lo que sabe sobre usar el valor posicional para multiplicar haciendo juntos la siguiente actividad.

ACTIVIDAD USAR EL VALOR POSICIONAL PARA MULTIPLICAR

Haga la siguiente actividad con su niño para ayudarlo a usar el valor posicional para multiplicar.

Materiales 2 cubos numéricos

Juegue con su niño un juego para practicar cómo multiplicar por un múltiplo de 10. El ganador de cada ronda es el jugador que obtenga el mayor producto.

• Cada jugador lanza un cubo numérico. El primer número obtenido da a cada uno el primer factor.

• Por ejemplo, si obtiene un 5, el primer factor es 5.

• Lancen el cubo nuevamente y multipliquen el número que salga por 10. Este es su segundo factor.

• Por ejemplo, si obtiene un 3, el segundo factor es 30.

• Hallen el producto de sus dos factores.

   Por ejemplo, para hallar 5 × 30:
   5 × (3 × 10)
   (5 × 3) × 10
   15 × 10 es 15 decenas, que es igual a 150.

• El jugador que obtenga el mayor producto gana la ronda.

• Jueguen cinco rondas para ver quién es el mejor de cinco.

Explora Usar el valor posicional para multiplicar

En lecciones anteriores aprendiste datos de multiplicación. En esta lección vas a aprender a usar estos datos para ayudarte a multiplicar números de un dígito y múltiplos de 10. Usa lo que sabes para tratar de resolver el siguiente problema.

Objetivo de aprendizaje

- Multiplicar números enteros de un dígito por múltiplos de 10 en el rango del 10 al 90 usando estrategias basadas en el valor posicional y las propiedades de las operaciones.

EPM 1, 2, 3, 4, 5, 6, 7, 8

Hay 4 pilas de libros sobre una mesa. En cada pila hay 20 libros. ¿Cuántos libros hay en total?

PRUÉBALO

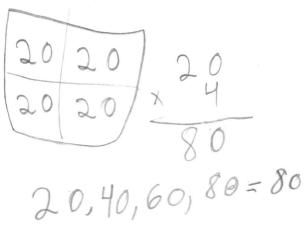

$$\begin{array}{r} 20 \\ \times \ 4 \\ \hline 80 \end{array}$$

$20, 40, 60, 80 = 80$

Herramientas matemáticas

- bloques de base diez
- tablas de 100
- rectas numéricas
- modelos de multiplicación

CONVERSA CON UN COMPAÑERO

Pregúntale: ¿Por qué elegiste esa estrategia?

Dile: Yo ya sabía que . . . así que . . . .

CONÉCTALO

1 REPASA

Explica cómo hallaste cuántos libros hay en total.

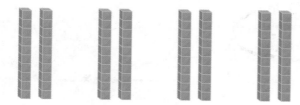

use un modelo

2 SIGUE ADELANTE

La multiplicación se puede usar para hallar el total cuando hay dos o más grupos con el mismo número en cada grupo. Ya has aprendido algunos datos de multiplicación. Estos datos pueden ayudarte a multiplicar con decenas.

Piensa en 4×20, que muestran los siguientes bloques de base diez. Mira distintas maneras de hallar este total.

a. Puedes contar salteado de diez en diez 8 veces para hallar el producto:

10, 20, 30, 40, 50, 60, 70, 80, ..., ...

b. Puedes contar salteado de veinte en veinte ....4.... veces:

20, 40, 60, 80

c. Puedes contar hacia delante en grupos de decenas:

2 decenas, 4 decenas, 6 decenas, 8 decenas. 8 decenas es ....80....

3 REFLEXIONA

¿Crees que contar salteado y contar hacia delante funcionaría con números más grandes, como 8×80? Explica.

80, 160, 240, 320, 400, 480

Prepárate para usar el valor posicional para multiplicar

1 Piensa en lo que sabes acerca de la multiplicación. Llena cada recuadro. Usa palabras, números y dibujos. Muestra tantas ideas como puedas.

¿Qué es?

es contar el mismo numero

Lo que sé sobre esto

el mismo numero se repite

contar salteado

Ejemplos

20, 40, 60, 80 =

Ejemplos

10, 20, 30, 40,

Ejemplos

40 x 2 = 80

2 ¿Cómo contarías salteado para hallar 6 × 50? Explica.

50, 100, 150, 200, 250, 300

3 Resuelve el problema. Muestra tu trabajo.

Travis llena 6 bolsas de regalo con sorpresas. En cada bolsa caben 30 sorpresas. ¿Cuántas sorpresas usa Travis?

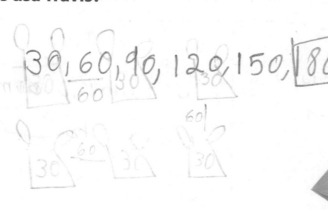

Solución 180

4 Comprueba tu respuesta. Muestra tu trabajo.

$$\begin{array}{r} 30 \\ \times\ 6 \\ \hline 180 \end{array}$$

Desarrolla Multiplicar con decenas

Lee el siguiente problema y trata de resolverlo.

> Una tienda de artículos deportivos ordena 4 cajas de gorras de beisbol. En cada caja hay 40 gorras. ¿Cuántas gorras de beisbol ordena la tienda?

PRUÉBALO

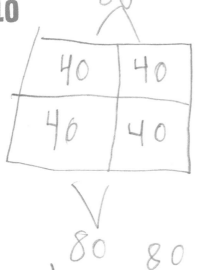

80

| 40 | 40 |
| 40 | 40 |

$$80 + 80 = 160$$

$$\begin{array}{r} 80 \\ \times\ 2 \\ \hline 160 \end{array}$$

Herramientas matemáticas

- bloques de base diez
- rectas numéricas
- papel cuadriculado de 1 centímetro
- modelos de multiplicación

CONVERSA CON UN COMPAÑERO

Pregúntale: ¿Estás de acuerdo conmigo? ¿Por qué sí o por qué no?

Dile: Comencé por . . .

Explora diferentes maneras de entender la multiplicación con decenas.

> **Una tienda de deportes ordena 4 cajas de gorras de beisbol. En cada caja hay 40 gorras. ¿Cuántas gorras de beisbol ordena la tienda?**

HAZ UN DIBUJO

Puedes usar bloques de base diez para ayudarte a entender el problema.

4 cajas de gorras de beisbol

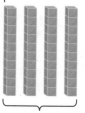

40 gorras en cada caja

4 grupos de **4 decenas** es **4 × 4 decenas**, o 16 decenas.

16 decenas es 160.

HAZ UN MODELO

También puedes usar factores y la agrupación para multiplicar con decenas.

Comienza con los factores del problema: $\qquad$ 4 × 40

Puedes escribir 40 como 4 × 10: $\qquad$ 4 × (4 × 10)

Puedes cambiar la agrupación cuando multiplicas: $\qquad$ (4 × 4) × 10

Multiplica 4 × 4: $\qquad$ 16 × 10

16 decenas es 160.

CONÉCTALO

Ahora vas a usar el problema de la página anterior para ayudarte a entender cómo multiplicar con decenas.

Abajo hay tres expresiones de multiplicación iguales de la página anterior.

$$4 \times 40 \qquad 4 \times 4 \times 10 \qquad 16 \times 10$$

1 Puedes descomponer 16 en 10 más otro número. Escribe el número en el espacio en blanco: $\quad 16 \times 10 = (10 + \underline{\quad}) \times 10$

2 Puedes multiplicar 10 por los dos números que están entre paréntesis en el problema 1. Escribe estos números en los espacios en blanco: $= (\underline{\quad} \times 10) + (\underline{\quad} \times 10)$

3 Escribe los productos en los espacios en blanco: $= \underline{\quad} + \underline{\quad}$

4 Suma los productos y escribe el total en el espacio en blanco: $= \underline{\quad}$

5 ¿Cómo se puede hallar el producto de 40×4?

6 Explica cómo hallar el producto de un número dado y un múltiplo de 10.

7 REFLEXIONA

Repasa **Pruébalo**, las estrategias de tus compañeros, **Haz un dibujo** y **Haz un modelo**. ¿Qué modelos o estrategias prefieres para multiplicar con decenas? Explica.

APLÍCALO

Usa lo que acabas de aprender para resolver estos problemas.

8 Multiplica 60 × 8. Muestra tu trabajo.

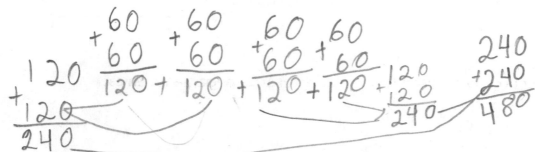

$$120 + 120 = 240$$

$$60 + 60 = 120 \quad 60 + 60 = 120 \quad 60 + 60 = 120 \quad 60 + 60 = 120$$

$$120 + 120 = 240 \quad 120 + 120 = 240$$

$$240 + 240 = 480$$

Solución __480__

9 Hay 40 monedas de 5¢ en un rollo de monedas de 5¢. Tao tiene 7 rollos de monedas de 5¢. ¿Cuántas monedas de 5¢ tiene en total? Muestra tu trabajo.

$$\begin{array}{r} 30 \\ + \ 5 \\ \hline 35 \end{array}$$

Solución __35__

10 Multiplica 7 × 30. Muestra tu trabajo.

$$7, 21, 30$$

$$7 \times 3 = 30$$

Solución __7 × 3 = 30__

Practica multiplicar con decenas

Estudia el Ejemplo, que muestra cómo puedes usar el valor posicional para ayudarte a multiplicar con decenas. Luego resuelve los problemas 1 a 8.

EJEMPLO

La tienda de pasatiempos tiene 4 estantes con pegamento. En cada estante hay 30 botellas de pegamento. ¿Cuántas botellas de pegamento hay en los estantes?

Puedes usar el valor posicional y la agrupación.

4×30
$4 \times (3 \times 10)$
$(4 \times 3) \times 10$
$12 \times 10 = 120$

Hay 120 botellas de pegamento en los estantes.

30 botellas de pegamento en cada

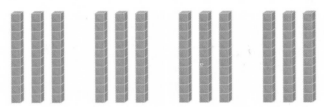

4 grupos de 3 decenas o 12 decenas
12 decenas es 120.

La tienda de pasatiempos tiene 3 cajas de ruedas. Hay 50 ruedas en cada caja. ¿Cuántas ruedas tiene la tienda de pasatiempos?

1 Puedes escribir 50 como ......5...... $\times$ 10.

2 $3 \times (5 \times 10)$ es una manera de agrupar los factores. Usa paréntesis para mostrar otra manera de agrupar los factores.

$3 \times 5 \times 10$

3 $3 \times 5 \times 10 = ...150... \times 10$

4 La tienda de pasatiempos tiene ......150...... ruedas.

5 Traza una línea para emparejar cada problema con otra manera de escribirlo.

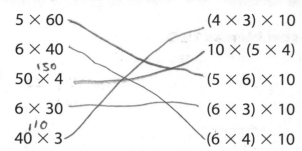

5 × 60   (4 × 3) × 10

6 × 40   10 × (5 × 4)

150
50 × 4   (5 × 6) × 10

6 × 30   (6 × 3) × 10

110
40 × 3   (6 × 4) × 10

6 Escribe la ecuación de multiplicación que el modelo de base diez muestra.

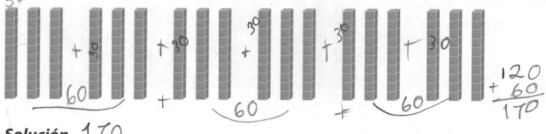

Solución .1.7.0...................................

7 Completa los espacios en blanco para mostrar cómo hallar 4 × 70.

4 × 70 = 4 × (.....7..... × 10)

= (4 × .....7.....) × 10

= 28 × 10 = .2.8.0.....

4 × 70 = .2.8.0.....

8 Completa la siguiente ecuación.
Muestra tu trabajo.

6 × 20 = .1.2.0.......

Refina Usar el valor posicional para multiplicar

Completa el Ejemplo siguiente. Luego resuelve los problemas 1 a 9.

EJEMPLO

Robin planta 9 filas de flores. En cada fila hay 30 flores. ¿Cuántas flores planta Robin en total?

Mira cómo podrías mostrar tu trabajo cambiando la agrupación al multiplicar.

$$9 \times 30 = 9 \times (3 \times 10)$$
$$= (9 \times 3) \times 10$$
$$= 27 \times 10$$

Solución ....

9×30 es 9 grupos de 3 decenas, o 27 decenas.

EN PAREJA

¿Cómo podrías usar contar salteado para resolver este problema? ¿Qué manera de resolverlo tiene más sentido?

APLÍCALO

1 Manu conduce 50 millas por día. ¿Cuántas millas recorrerá en 5 días? Muestra tu trabajo.

¿Cuántos grupos de 5 decenas hay? 5

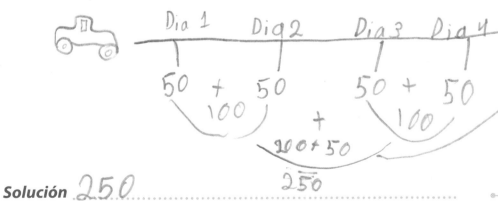

Día 1   Día2   Día3   Día4   Día5

50 + 50   50 + 50   50
100   100
+
200 + 50
250

Solución 250

EN PAREJA

¿Cómo eligieron tu compañero y tú la manera de resolver este problema?

2 Multiplica 6 × 90. Muestra tu trabajo.

$$\begin{array}{r} \times 90 \\ 6 \\ \hline 540 \end{array}$$

90, 180, 270,

¿Cómo puedes volver a escribir 90 para que puedas multiplicar por 10?

Solución _540_

EN PAREJA
¿Cómo puedes comprobar que tu respuesta es correcta?

3 Raymond puede tipear 40 palabras por minuto. ¿Cuántas palabras puede tipear en 8 minutos?

Ⓐ 32 palabras

Ⓑ 48 palabras

Ⓒ 320 palabras

Ⓓ 360 palabras

¿Qué dato de multiplicación puedes usar para resolver el problema?

Gina eligió Ⓑ como la respuesta correcta. ¿Cómo obtuvo ella esa respuesta?

$$\begin{array}{r} 8 \\ \times 6 \\ \hline 48 \end{array}$$

EN PAREJA
¿Cómo puede ayudarte el dígito de la posición de las unidades a decidir si una respuesta tiene sentido?

4 ¿Cuál es el producto de 6 × 30?

$$\begin{array}{r} 30 \\ \times\ 6 \\ \hline 180 \end{array}$$

5 Hay 60 palillos de dientes en un frasco. Hay 3 frascos en 1 caja. ¿Cuántos palillos de dientes hay en 2 cajas?

Ⓐ 120

Ⓑ 180

Ⓒ 360

Ⓓ 480

6 ¿Qué expresiones de multiplicación son maneras de mostrar 240?

Ⓐ 40 × 6

Ⓑ 4 × 60

Ⓒ 30 × 8

Ⓓ 80 × 3

Ⓔ 2 × 40

7 Un cuaderno tiene 80 hojas. ¿Cuántas hojas hay en 7 cuadernos? Muestra tu trabajo.

$$\begin{array}{r} 80 \\ \times\ 7 \\ \hline 560 \end{array}$$

...5.6.0.... hojas

8 En una tienda de mascotas hay 20 peces en cada pecera. ¿Cuántos peces hay en 8 peceras? Muestra tu trabajo.

$$\begin{array}{r} 20 \\ \times\ 8 \\ \hline 160 \end{array}$$

Hay ...160.... peces en 8 peceras.

9 DIARIO DE MATEMÁTICAS

Explica cómo puedes usar lo que sabes acerca de los datos de multiplicación y el valor posicional para multiplicar 8×80.

$$\begin{array}{r} 80 \\ \times\ 8 \\ \hline 640 \end{array}$$

☑ **COMPRUEBA TU PROGRESO** Vuelve al comienzo de la Unidad 2 y mira qué destrezas puedes marcar.

Comprende Significado de la división

Estimada familia:

Esta semana su niño está explorando el significado de la división.

Cuando se **divide,** se separa un grupo de objetos en grupos iguales más pequeños.

Puede usar la **división** para hallar el número en cada grupo. Considere el siguiente problema.

Betiana tiene 6 calcomanías. Coloca el mismo número de calcomanías en 3 páginas diferentes. ¿Cuántas calcomanías hay en cada página?

El dibujo muestra que 6 calcomanías agrupadas del mismo modo en 3 páginas equivale a 2 calcomanías en cada página.

Por lo tanto, $6 \div 3 = 2$.

Otras veces sabe cuántos objetos quiere en cada grupo y usa la división para hallar cuántos grupos puede formar. Considere el siguiente problema.

Betiana tiene 15 flores que quiere agrupar en ramos de 5. ¿Cuántos ramos de flores puede formar?

Si coloca 15 flores en ramos de 5, forma 3 ramos.

Por lo tanto, use la **ecuación de división** $15 \div 5 = 3$.

Invite a su niño a compartir lo que sabe sobre el significado de la división haciendo juntos la siguiente actividad.

ACTIVIDAD EXPLORAR EL SIGNIFICADO DE LA DIVISIÓN

Haga la siguiente actividad con su niño para ayudarlo a comprender el significado de la división.

Materiales 12 objetos de un solo tipo, como calcetines, cucharas o monedas

Ayude a su niño a comprender el significado de la división con esta actividad.

- Reúna 12 objetos de un tipo, como calcetines.

- Pida a su niño que muestre 12 ÷ 3 dividiendo los 12 objetos en 3 grupos iguales. Una forma de hacer esto es "repartir" los calcetines en 3 pilas, de uno en uno, hasta que no quede ninguno.

  1. Pida a su niño que diga lo que hizo.

  2. Luego pida a su niño que escriba o diga la ecuación de división.

  3. Reúna todos los objetos. Luego pida a su niño que divida los 12 objetos en grupos de 4. Pídale que diga cuántos grupos se formaron y que escriba o diga la ecuación de división.

- Repita el ejercicio dividiendo los 12 objetos en 6 grupos iguales y luego dividiéndolos en grupos de 2 objetos cada uno. Cada vez, pida a su niño que describa lo que hizo y que escriba o diga la ecuación de división.

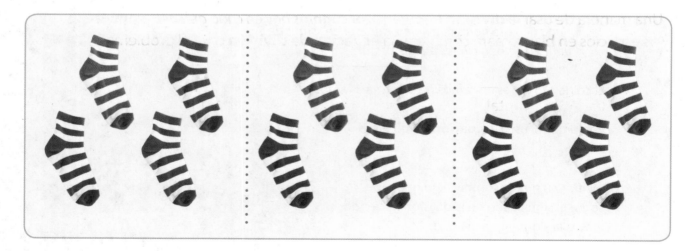

Respuestas:
1. Su niño podría responder: *Coloqué 12 calcetines en 3 grupos iguales. Cada grupo tiene 4 calcetines.*
2. 12 ÷ 3 = 4
3. 3 grupos; 12 ÷ 4 = 3

Explora **El significado de la división**

¿Qué sucede cuando divides números?

Objetivo de aprendizaje

• Interpretar cocientes enteros de números enteros, por ejemplo, interpretar 56 ÷ 8 como la cantidad de objetos en cada parte cuando se dividen 56 objetos en 8 partes iguales, o como una cantidad de partes cuando se dividen 56 objetos en grupos iguales de 8 objetos cada uno.

EPM 1, 2, 3, 4, 5, 6

HAZ UN MODELO

Completa los siguientes modelos.

1 Supón que Jake tiene 8 galletas. Dibuja galletas en los platos de abajo para mostrar cómo **dividir** las galletas en 2 grupos iguales.

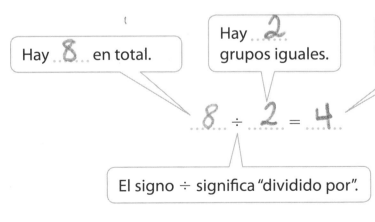

2 Jake dividió 8 por 2. ¿Cuánto es 8 dividido por 2?

$$8 \div 2 = 4$$

3 Una manera de usar la **división** es para *hallar cuántos hay en cada grupo*. Completa los espacios en blanco para completar la **ecuación de división** para el problema.

Hay 8 en total.

Hay 2 grupos iguales.

Hay 4 en cada grupo.

$$8 \div 2 = 4$$

El signo ÷ significa "dividido por".

CONVERSA CON UN COMPAÑERO

• ¿Cómo supiste que el número de galletas que hay en cada plato era igual?

• Creo que hallar grupos iguales muestra la división porque . . .

HAZ UN MODELO

Completa los siguientes modelos.

4 Ahora supón que Rosi tiene 10 galletas. Quiere colocar 2 galletas en cada plato. Dibuja 10 galletas en grupos de 2 en platos.

5 Rosi dividió 10 por 2. ¿Cuánto es 10 dividido por 2?

$$10 \div 2 = 5$$

6 Otra manera de usar la **división** es para *hallar el número de grupos.* Completa los espacios en blanco para completar la **ecuación de división** para el problema.

Hay _10_ en total.

Hay _2_ en cada grupo.

Hay _5_ grupos iguales.

$$10 \div 2 = 5$$

7 REFLEXIONA

¿En qué se parece hallar el número de grupos en un problema de división a hallar el número que hay en cada grupo? ¿En qué es diferente?

....

....

....

....

Prepárate para explorar el significado de la división

1 Piensa en lo que sabes acerca de la división. Llena cada recuadro. Usa palabras, números y dibujos. Muestra tantas ideas como puedas.

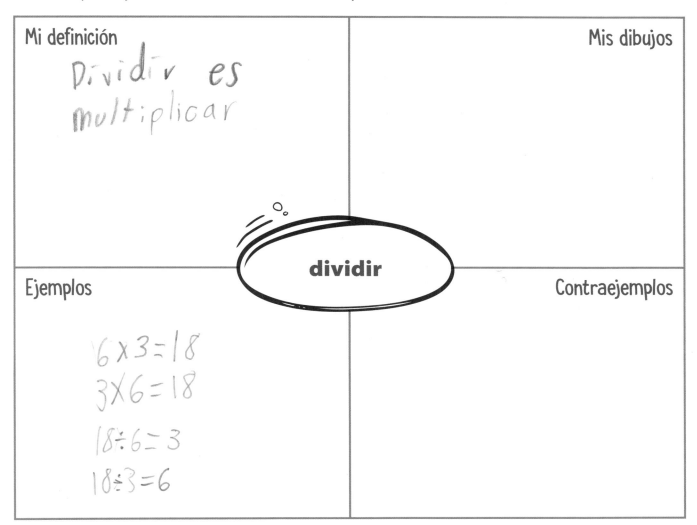

Mi definición

Dividir es multiplicar

Mis dibujos

dividir

Ejemplos

6 × 3 = 18
3 × 6 = 18
18 ÷ 6 = 3
18 ÷ 3 = 6

Contraejemplos

2 Oscar hace un diagrama para ayudarse a hallar 12 ÷ 3. Explica cómo su diagrama lo ayuda a resolver el problema de división.

Resuelve.

3 Rance tiene 12 galletas saladas. Quiere colocar 4 galletas en cada plato. Dibuja 12 galletas saladas en grupos de 4 en platos.

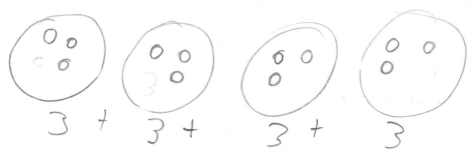

$$3 + 3 + 3 + 3$$

4 ¿Cuántos platos necesitará Rance? ¿Cómo lo sabes?

$$4 + 4 + 4 \qquad 4 \times 3 = 12$$

5 Completa los espacios en blanco para completar la ecuación de división para el problema.

Hay **12** en total.   Hay **4** en cada grupo.   Hay **3** grupos iguales.

$$12 \div 4 = 3$$

Desarrolla Comprender modelos de división

HAZ UN MODELO: GRUPOS IGUALES

Resuelve estos dos problemas.

1 Marc tiene 24 naranjas para colocar en bolsas. Decide colocar 6 naranjas en cada una.

a. Haz un modelo para mostrar cuántas bolsas necesita.

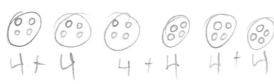

4 + 4   4 + H   4 + 4

b. Escribe la ecuación de división para tu modelo.

$6 \times H = 24$

c. Usa palabras para describir el número total de naranjas, el número que hay en cada grupo y el número de grupos.

6 en cada plato   24 naranjas   4 platos

2 Marc cambia de opinión. Decide colocar las 24 naranjas en 6 bolsas. Coloca el mismo número de naranjas en cada bolsa.

a. Haz un modelo para mostrar cuántas naranjas coloca en cada bolsa.

b. Escribe la ecuación de división para tu modelo.

c. Usa palabras para describir el número total de naranjas, el número de grupos y el número que hay en cada grupo.

$4 \times 6 = 24$

CONVERSA CON UN COMPAÑERO

- ¿Qué muestra el 6 en tu modelo para el problema 1? ¿Qué muestra el 6 en tu modelo para el problema 2?

- Creo que la misma ecuación de división se puede mostrar con dos modelos diferentes de grupos iguales porque . . .

HAZ UN MODELO: MATRICES

Usa matrices para representar la división.

3 Haz una matriz para mostrar $20 \div 5 = 4$. Usa palabras para describir tu matriz.

4 Haz una matriz diferente para mostrar $20 \div 5 = 4$. Usa palabras para describir tu matriz.

CONVERSA CON UN COMPAÑERO

• ¿Cómo decidiste el número de filas o cuántos en cada fila en tus dos matrices?

• Creo que la misma ecuación de división se puede mostrar con dos matrices diferentes porque . . .

CONÉCTALO

Completa los siguientes problemas.

5 ¿Cómo pueden usarse los dibujos de grupos iguales, las matrices, las ecuaciones y las palabras para describir lo que significa un problema de división?

6 Usa cualquier modelo para mostrar y hallar $42 \div 7$. Escribe una ecuación de división y explica qué te indica cada número de la ecuación.

Practica con modelos de división

Estudia cómo el Ejemplo representa una ecuación de división con grupos iguales. Luego resuelve los problemas 1 a 7.

EJEMPLO

Haz un dibujo y usa palabras para representar la ecuación de división **15 ÷ 3 = 5**.

Hay **15** manzanas en **3** canastas. En cada canasta hay **5** manzanas.

Usa el dibujo de las ranas en los troncos para resolver los problemas 1 a 4.

1 ¿Cuántas ranas hay en total? ....

2 ¿Cuántos troncos hay? ....

3 ¿Cuántas ranas hay en cada tronco? ....

4 Escribe una ecuación de división acerca de las 8 ranas en 4 grupos iguales.

.... ÷ .... = ...

5 Una clase tiene 20 estudiantes. El maestro los divide en grupos de 4 para jugar al tenis. ¿Cuántos grupos hay?
Haz un dibujo.

Solución

6 Parker dice que esta matriz de 18 rectángulos muestra el problema de división 6 ÷ 3. ¿Cuál es su error?

7 Escribe un problema de palabras que podría resolverse usando la ecuación de división 30 ÷ 5 = 6.

APLÍCALO

Completa estos problemas por tu cuenta.

1 EXPLICA

Maddy hace esta matriz de estrellas para mostrar $8 \div 4$. ¿Qué error cometió?

2 CREA

Escribe un problema de palabras que pueda resolverse usando la ecuación de división $16 \div 2 = 8$.

3 COMPARA

David y Mitch compran cada uno una caja de peras en la tienda de comestibles. Mira cómo cada caja divide las peras en grupos iguales.

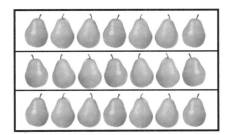 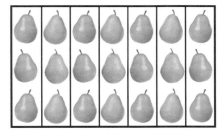

¿En qué se parecen las dos cajas de peras?

¿En qué se diferencia la manera en la que las cajas dividen las peras en grupos?

EN PAREJA

Comenta tus soluciones a estos tres problemas con un compañero.

Usa lo que aprendiste para resolver el problema 4.

4 Cory tiene 20 crayones. Quiere dar el mismo número de crayones a cada uno de sus amigos.

Parte A Escribe un problema acerca de los crayones de Cory que pueda resolverse usando la división.

Parte B Halla la solución a tu problema usando dibujos o una matriz. Luego escribe la ecuación de división que muestra la solución a tu problema.

5 DIARIO DE MATEMÁTICAS

Halla 45 ÷ 9 describiendo dos maneras en las que puedas representarlo usando grupos iguales. Luego di cómo 9 significa algo diferente en cada modelo.

Estimada familia:

Esta semana su niño está explorando cómo se relacionan la multiplicación y la división.

Tanto la multiplicación como la división pueden describir problemas en los que hay grupos iguales. Cualquiera de las dos puede usarse para resolver un problema como este:

Lola compra 16 manzanas. Coloca el mismo número de manzanas en 4 bolsas. ¿Cuántas manzanas coloca en cada bolsa?

Usted conoce el total (16 manzanas) y el número de grupos (4 bolsas). Necesita hallar el número que hay en cada grupo.

Una ecuación de multiplicación para el problema es:

$$4 \times ? = 16$$

$$4 \times 4 = 16$$

Una ecuación de división para el problema es:

$$16 \div 4 = ?$$

$$16 \div 4 = 4$$

Lola coloca 4 manzanas en cada bolsa.

Invite a su niño a compartir lo que sabe sobre cómo se relacionan la multiplicación y la división haciendo juntos la siguiente actividad.

ACTIVIDAD MULTIPLICACIÓN Y DIVISIÓN

Haga la siguiente actividad con su niño para explorar cómo se relacionan la multiplicación y la división.

Materiales 12 a 20 objetos pequeños, como monedas de 1¢, palillos o ladrillos de juguete

Haga esta actividad con su niño para demostrar cómo se relacionan la multiplicación y la división.

- Reúna un conjunto de objetos pequeños, como palillos. Represente problemas como el siguiente.

- Cuente 10 palillos. Pregunte a su niño: *¿Cuántos palillos habrá en cada pila si coloco estos 10 palillos en 2 pilas iguales?*

1. Pídale que escriba una ecuación de multiplicación y una de división para el problema.

2. Pídale que agrupe los palillos en 2 grupos iguales para hallar cuántos hay en cada uno y que luego reemplace ? en las ecuaciones que escribió.

- Repita, pero invite a su niño a que invente un problema para usted. Escriba una ecuación de multiplicación y una de división, y pida a su niño que compruebe su trabajo.

- Después de tres o cuatro ejemplos, vea si su niño puede comentarle en qué se parecen la multiplicación y la división. Confirme que comprende que ambas operaciones representan grupos iguales.

Respuestas: **1.** $2 \times ? = 10$ y $10 \div 2 = ?$; **2.** $2 \times 5 = 10$ y $10 \div 2 = 5$

Explora Conexión entre la multiplicación y la división

¿Cómo se relacionan la multiplicación y la división?

Objetivo de aprendizaje

• Entender la división como un problema de factor desconocido.

EPM 1, 2, 3, 4, 5, 6, 7

HAZ UN MODELO

Resuelve los siguientes problemas.

1
a. Haz una matriz de 4 filas de 3 monedas de 1¢ a la derecha.

b. Escribe una ecuación de multiplicación para tu matriz.

$$③ \times 4 = 12$$

c. Ahora separa tu matriz en 4 grupos iguales. Escribe una ecuación de división para esta matriz.

$$12 \div 4 = ③$$

d. ¿Qué tres números tienen ambas ecuaciones? Di qué representa cada número.

12 el perducto

4 y 3 son factores

2 El resultado de la división se llama **cociente**. Encierra en un círculo el cociente en tu ecuación de división en el problema 1c. Encierra en un círculo el mismo número en tu ecuación de multiplicación en el problema 1b. ¿Qué encerraste en un círculo en tu ecuación de multiplicación, un factor o el producto?

CONVERSA CON UN COMPAÑERO

• ¿En qué creen tu compañero y tú que se parecen y se diferencian las ecuaciones de multiplicación y división?

• Creo que la multiplicación y la división están relacionadas porque . . .

HAZ UN MODELO

Completa los siguientes problemas.

3 Nick compra 20 calcomanías. Él coloca el mismo número de calcomanías en cada una de 5 páginas de su álbum de recortes. Dibuja las calcomanías que Nick coloca en las páginas. Escribe una ecuación de división y una ecuación de multiplicación para este problema.

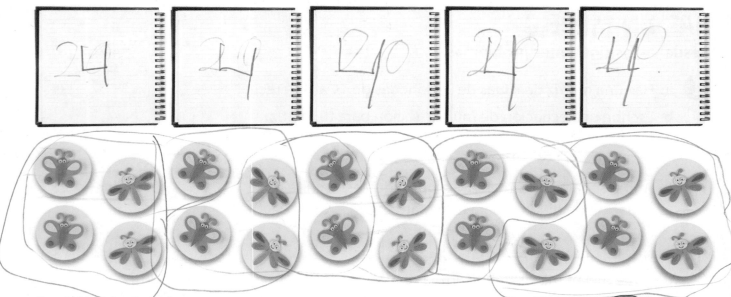

Ecuación de división:

$$20 \div 5 = 4$$

Ecuación de multiplicación:

$$5 \times 4 = 20$$

4 Explica cómo podrías usar una ecuación de multiplicación para hallar $20 \div 5$.

$$20 \div 5 = 4$$

5 REFLEXIONA

¿Por qué es la división la inversa de la multiplicación?

multiplicasion es con ×
Division es con ÷

Prepárate para explorar la conexión entre la multiplicación y la división

1 Piensa en lo que sabes acerca de la división. Llena cada recuadro. Usa palabras, números y dibujos. Muestra tantas ideas como puedas.

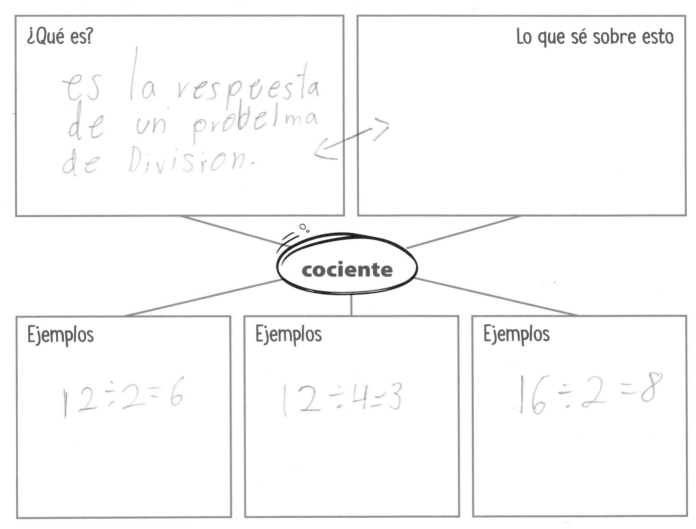

¿Qué es?

es la respuesta de un probelma de Division.

Lo que sé sobre esto

cociente

Ejemplos

$12 \div 2 = 6$

Ejemplos

$12 \div 4 = 3$

Ejemplos

$16 \div 2 = 8$

2 Escribe una ecuación de multiplicación y una ecuación de multiplicación para la matriz.

$3 \times 6 = 18$

$18 \div 6 = 3$

Resuelve.

3 Yuki tiene 21 flores. Ella coloca el mismo número de flores en cada una de 7 páginas de su álbum de recortes para que se sequen. Dibuja las flores que Yuki coloca en las páginas. Escribe una ecuación de división y una ecuación de multiplicación para este problema.

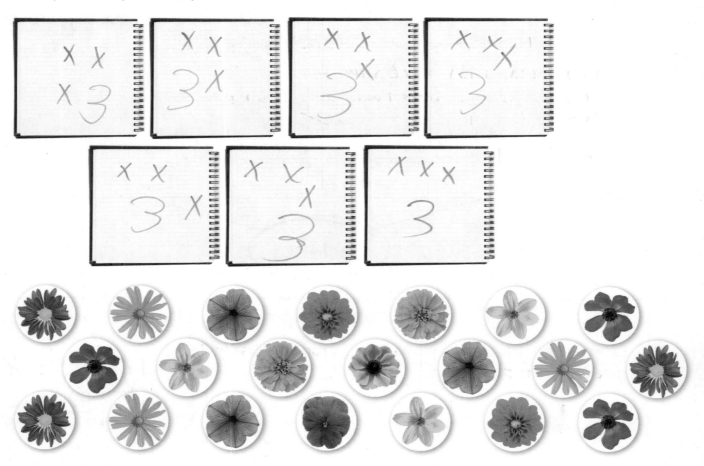

Ecuación de división:

21 ÷ 7 = 3

Ecuación de multiplicación:

7 × 3 = 21

4 Explica cómo podrías usar una ecuación de multiplicación para hallar 21 ÷ 7.

21 ÷ 7 = 3

5 ¿Por qué es la multiplicación la inversa de la división?

Desarrolla Comprender la conexión entre la multiplicación y la división

HAZ UN MODELO: SITUACIONES DE MULTIPLICACIÓN Y DIVISIÓN

Lee el siguiente problema. Luego resuelve los problemas 1 a 3.

Una tienda de mascotas tiene 18 hámsters. El dueño de la tienda quiere colocar 3 hámsters en cada jaula. ¿Cuántas jaulas necesita el dueño de la tienda para todos los hámsters?

1 Haz un modelo usando grupos iguales o una matriz para mostrar el problema.

6

2 **a.** Escribe una ecuación de división para el problema. Usa un ? para el número desconocido.

$$18 \div 6 = 3$$

b. Escribe una ecuación de multiplicación para el problema. Usa un ? para el número desconocido.

$$3 \times 6 = 18$$

3 El dueño de la tienda necesita ......6...... jaulas.

CONVERSA CON UN COMPAÑERO

• ¿Escribieron tu compañero y tú las mismas ecuaciones para el problema 2? ¿Cómo supieron qué ecuaciones escribir?

• Creo que los problemas verbales que pueden resolverse usando la división también pueden resolverse usando la multiplicación porque . . .

HAZ UN MODELO: DATOS DE MULTIPLICACIÓN Y DIVISIÓN

Halla el valor de ? para completar cada dato.

4 $24 \div 3 = ?$

$3 \times ? = 24$

$? = \underline{24}$ 8

3×8

5 $? \times 9 = 54$

6

$54 \div ? = 9$

$? = \underline{6\,54}$

9×6

CONVERSA CON UN COMPAÑERO

• ¿Cómo hallaron el número que falta en cada dato?

• Creo que se puede pensar en un dato de división como un problema de multiplicación porque . . .

CONÉCTALO

Completa los siguientes problemas.

6 ¿Cómo puedes usar los tres números en una ecuación de división para escribir las ecuaciones de multiplicación relacionadas?

$(1 \times 2) \times 3$

$2 \times 3 = 6$

7 Usa los números 7, 8 y 56 para escribir dos ecuaciones de multiplicación y dos ecuaciones de división.

$7 \times 8 = 56 \qquad 56 \div 8 = 7$

$8 \times 7 = 56 \qquad 56 \div 7 = 8$

Practica la conexión entre la multiplicación y la división

Estudia cómo el Ejemplo muestra una manera de relacionar la multiplicación y la división. Luego resuelve los problemas 1 a 12.

EJEMPLO

Marta hornea **15** pastelitos. Ella coloca un número igual de pastelitos en **3** canastas.

Marta piensa, ¿**3** multiplicado por qué número es igual a **15**?

$3 \times ? = 15$

$3 \times 5 = 15$

Por lo tanto, Marta coloca **5** pastelitos en cada canasta.

1 Haz una matriz de 15 pastelitos en 3 filas.

2 ¿Cuántos pastelitos colocaste en cada fila? _____5_____

3 Completa los espacios en blanco para escribir una ecuación de división para la matriz que hiciste.

$15 \div 3 = 5$

Usa la matriz para completar las ecuaciones.

4 $2 \times \underline{6} = 12$ y $12 \div 2 = \underline{6}$

5 $6 \times \underline{6} = 12$ y $12 \div 6 = \underline{2}$

Vocabulario

dividir separar en grupos iguales y hallar cuántos hay en cada grupo o el número de grupos.

matriz conjunto de objetos agrupados en filas y columnas iguales.

Usa los números 3, 6 y 18 para escribir las ecuaciones para los problemas 6 a 8.

6 Hay 18 peces. En cada pecera hay 6 peces.

Escribe una ecuación que muestre el número de peceras.

$$18 \div 3 = 6$$

7 Hay 18 peces. Las 3 peceras tienen el mismo número de peces.

Escribe una ecuación que muestre el número de peces que hay en cada pecera.

$$18 \div 6 = 3$$

8 Hay 3 peceras. Hay 6 peces en cada pecera.

Escribe dos ecuaciones diferentes que muestren el número total de peces.

$$6 \times 3 = 18$$
$$3 \times 6 = 18$$

Esta matriz muestra que 6 × 7 = 42. Usa este dato para completar las ecuaciones de los problemas 9 a 12.

9 $6 \times 7 = 42$ $7 \times 6 = 42$

10 $6 \times 7 = 42$ $42 = 7 \times 6$

11 $42 \div 6 = 7$ $42 \div 7 = 6$

12 $6 = 42 \div 7$ $7 = 42 \div 6$

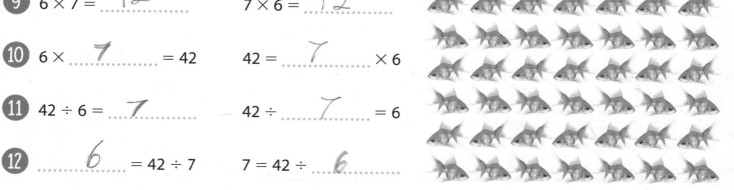

Refina Ideas acerca de la conexión entre la multiplicación y la división

APLÍCALO

Completa estos problemas por tu cuenta.

1 IDENTIFICA

Ed planta el mismo número de flores en cada maceta de la derecha. Escribe dos ecuaciones de multiplicación y dos ecuaciones de división que este dibujo muestra.

$$12 \div 4 = 3 \qquad 3 \times 4 = 12$$
$$12 \div 3 = 4 \qquad 4 \times 3 = 12$$

2 EXPLICA

Yasmin ve $63 \div ? = 7$ y piensa: "Hay 63 cosas en total que están divididas en grupos. Hay 7 en cada grupo". Explica cómo puede Yasmin usar la multiplicación para ayudarse a hallar el número de grupos.

$$7 \times 9 = 63 \qquad 9 \times 7 = 63$$
$$63 \div 9 = 7 \qquad 63 \div 7 = 9$$

3 ANALIZA

Marissa tiene 4 cajas de marcadores con 6 marcadores en cada una. Escribió las siguientes ecuaciones:

$$\boxed{4} \times \underline{6} = \widehat{24} \qquad \underline{6} \times \boxed{4} = \widehat{24} \qquad \widehat{24} \div \boxed{4} = \underline{6} \qquad \widehat{24} \div \underline{6} = \boxed{4}$$

Encierra en un círculo el número en cada ecuación que muestra el número total de marcadores. Encierra en un recuadro el número en cada ecuación que muestra el número de grupos. Subraya el número en cada ecuación que muestra el número que hay en cada grupo.

EN PAREJA
Comenta tus soluciones a estos tres problemas con un compañero.

Usa lo que aprendiste para resolver el problema 4.

 4 Mira la ecuación de división $15 \div 5 = ?$.

$$15 \div 5 = 3$$

Parte A Escribe una ecuación de multiplicación que puedas usar para resolver este problema de división. Usa un ? para el número desconocido.

$$5 \times 3 = 15 \qquad 3 \times 5 = 15$$

Parte B Haz un modelo que podría ayudarte a resolver el problema de división. Luego resuelve el problema.

$$15 \div 5 = \underline{3}$$

5 DIARIO DE MATEMÁTICAS

Escribe un problema de palabras que se pueda representar con la ecuación $35 \div 7 = ?$. Explica cómo puedes usar la multiplicación para resolver este problema. Luego resuelve el problema.

$$7 \times 5 = 35$$
$$35 \div 7 = 5$$
$$35 \div 5 = 7$$

Datos de multiplicación y división

Estimada familia:

Esta semana su niño está aprendiendo sobre familias de datos de multiplicación y división.

Las **familias de datos** de multiplicación y división son grupos de ecuaciones relacionadas que tienen los mismos números. Este es un ejemplo:

$$3 \times 7 = 21 \qquad 7 \times 3 = 21 \qquad 21 \div 3 = 7 \qquad 21 \div 7 = 3$$

Saber sobre familias de datos puede ayudarlo a veces cuando está intentando resolver un problema. Si conoce la respuesta a cualquiera de estas operaciones, conoce la respuesta a todas.

$$30 \div 5 = \boxed{6} \qquad 30 \div \boxed{6} = 5 \qquad 5 \times \boxed{6} = 30 \qquad \boxed{6} \times 5 = 30$$

Puede que recuerde que $5 \times 6 = 30$. Entonces también sabe que $30 \div 5 = 6$, $30 \div 6 = 5$, y $6 \times 5 = 30$.

Su niño puede usar una **tabla de multiplicación** como ayuda para aprender datos de multiplicación.

Esta tabla de multiplicación muestra todos los datos hasta 10×10. Los números encerrados en un círculo muestran que **$5 \times 6 = 30$**.

Invite a su niño a compartir lo que sabe sobre familias de datos de multiplicación y división haciendo juntos la siguiente actividad.

×	1	2	3	4	5	6	7	8	9	10
1	1	2	3	4	5	6	7	8	9	10
2	2	4	6	8	10	12	14	16	18	20
3	3	6	9	12	15	18	21	24	27	30
4	4	8	12	16	20	24	28	32	36	40
5	5	10	15	20	25	30	35	40	45	50
6	6	12	18	24	30	36	42	48	54	60
7	7	14	21	28	35	42	49	56	63	70
8	8	16	24	32	40	48	56	64	72	80
9	9	18	27	36	45	54	63	72	81	90
10	10	20	30	40	50	60	70	80	90	100

ACTIVIDAD FAMILIA DE DATOS

Haga la siguiente actividad con su niño para ayudarlo a explorar datos de multiplicación y división.

Materiales tijeras, tarjetas en blanco (opcional) y lápiz (opcional)

Juegue este juego con su niño para practicar cómo reconocer datos que pertenecen a la misma familia.

Cree tarjetas de familia de datos recortando los datos de abajo o escribiéndolos en tarjetas en blanco.

- Cada jugador elige una de las tarjetas de un solo número (42 o 56) y la coloca boca arriba delante de él. Mezcle las tarjetas de datos. Colóquelas boca abajo en dos filas de cuatro tarjetas cada una.

- Los jugadores deben turnarse para dar vuelta dos tarjetas.

  - Si *ambas* tarjetas pertenecen a la misma familia de datos que la tarjeta numérica, el jugador se queda con las tarjetas.

  - Si alguna de las tarjetas no pertenece a la misma familia de datos que la tarjeta numérica, entonces el jugador da vuelta a las tarjetas.

- Gana el primer jugador que halle las cuatro tarjetas que forman una familia de datos con su tarjeta numérica.

- Haga un juego nuevo. Elija dos números del 1 al 10 y use la tabla de multiplicación para escribir dos familias de datos nuevas en tarjetas en blanco o tiras de papel.

$8 \times 7 = 56$	$7 \times 8 = 56$	$56 \div 8 = 7$
$56 \div 7 = 8$	$7 \times 6 = 42$	$6 \times 7 = 42$
$42 \div 7 = 6$	$42 \div 6 = 7$	56 42

Explora Datos de multiplicación y división

Aprendiste que la multiplicación y la división están relacionadas. En esta lección verás cómo la multiplicación puede ayudarte con los datos de división. Usa lo que sabes para tratar de resolver el siguiente problema.

> **Kenny tiene 24 canicas. Él coloca el mismo número de canicas en cada una de 3 bolsas. ¿Cuántas canicas hay en cada bolsa?**

Objetivos de aprendizaje

- Determinar el número entero desconocido en una ecuación de multiplicación o división con tres números enteros.
- Multiplicar y dividir hasta 100 con fluidez usando estrategias como la relación entre la multiplicación y la división o las propiedades de las operaciones.

EPM 1, 2, 3, 4, 5, 6, 7, 8

PRUÉBALO

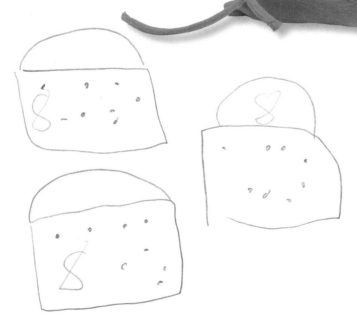

Herramientas matemáticas

- cubos conectables
- fichas
- botones
- vasos desechables
- modelos de multiplicación
- rectas numéricas

CONVERSA CON UN COMPAÑERO

Pregúntale: ¿Cómo empezaste a resolver el problema?

Dile: Yo ya sabía que . . . así que . . .

CONÉCTALO

1 REPASA

¿Cuántas canicas hay en cada bolsa? Explica cómo puedes comprobar que tienes razón.

$8 \times 3 = 24$

2 SIGUE ADELANTE

Las **familias de datos** para la multiplicación y la división son grupos de ecuaciones relacionadas. Todas las ecuaciones, o datos, tienen los mismos números.

Si conoces un dato en una familia, puedes hallar todos la demás.

a. Supón que debes resolver ☐ ÷ 9 = 6. Puedes escribir los datos de esta familia para encontrar uno que conozcas. Usa la matriz para ayudarte a completar esta familia de datos.

$6 \times 9 = \underline{54}$

$9 \times 6 = \underline{54}$

$\underline{54} \div 6 = 9$

$\underline{54} \div 9 = 6$

b. Vuelve a mirar el problema de la página anterior. Escribe la familia de datos completa usando los tres números para este problema.

$\underline{54}$ $\underline{54}$

$\underline{54}$ $\underline{54}$

3 REFLEXIONA

¿En qué se parecen los datos de multiplicación de las familias de datos de arriba? ¿En qué son diferentes? ¿En qué se parecen y en qué se diferencian los datos de división?

....

....

....

Prepárate para datos de multiplicación y división

1 Piensa en lo que sabes acerca de la multiplicación y la división. Llena cada recuadro.
Usa palabras, números y dibujos. Muestra tantas ideas como puedas.

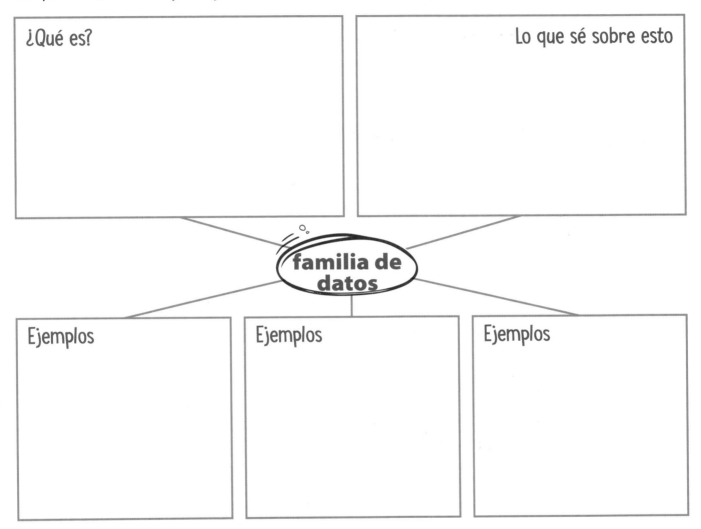

¿Qué es?

Lo que sé sobre esto

familia de datos

Ejemplos

Ejemplos

Ejemplos

2 ¿Cómo puedes usar familias de datos para ayudarte a hallar 40 ÷ 8? Explica.

3 Resuelve el problema. Muestra tu trabajo.

Jada tiene 28 pastelitos. Ella coloca el mismo número de pastelitos en cada una de 4 cajas. ¿Cuántos pastelitos hay en cada caja?

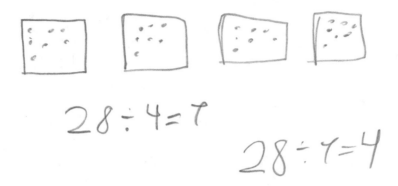

$$28 \div 4 = 7$$

$$28 \div 7 = 4$$

Solución 7

4 Comprueba tu respuesta. Muestra tu trabajo.

$$4 \times 7 = 28$$
$$7 \times 4 = 28$$
$$28 \div 4 = 7$$
$$28 \div 7 = 4$$

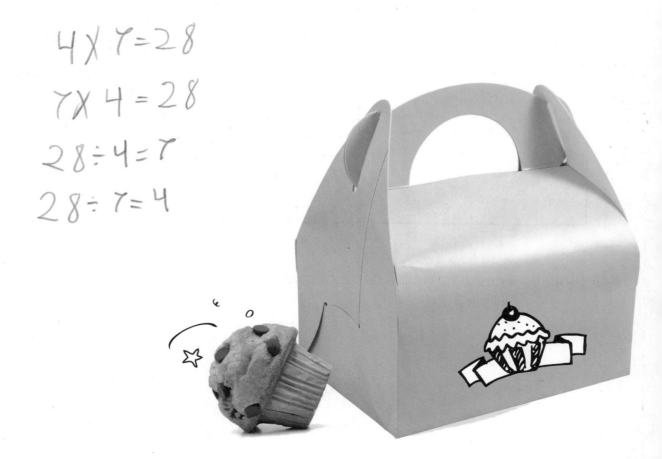

Desarrolla Trabajar con datos de división

Lee el siguiente problema y trata de resolverlo.

> Jo necesita 40 centavos. Quiere hallar cuántas moneda de 5¢ necesita. Jo escribe:
>
> $40 \div 5 = \boxed{8}$
>
> ¿Cuántas monedas de 5¢ necesita Jo?

PRUÉBALO

$40 \div 5 = 8$

$40 \div 8 = 5$

$5 \times 8 = 40$

$8 \times 5 = 40$

Herramientas matemáticas

- fichas
- botones
- vasos desechables
- papel cuadriculado de 1 centímetro
- modelos de multiplicación
- rectas numéricas

CONVERSA CON UN COMPAÑERO

Pregúntale: ¿Por qué elegiste esa estrategia?

Dile: Comencé por . . .

Explora diferentes maneras de hallar el número desconocido en un dato de división.

> **Jo necesita 40 centavos. Quiere hallar cuántas moneda de 5¢ necesita. Jo escribe:**
>
> $40 \div 5 = \boxed{}$

¿Cuántas monedas de 5¢ necesita Jo?

HAZ UN MODELO

Puedes usar una recta numérica para ayudarte a entender el problema.

Cuenta salteado de **cinco en cinco** para hallar la respuesta. Comienza en 0 y salta de cinco en cinco hasta llegar a 40.

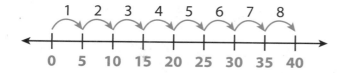

HAZ UN MODELO

Puedes usar familias de datos y datos de multiplicación que conozcas.

Estos son los datos de esta familia:

$5 \times \boxed{8} = 40 \qquad \boxed{8} \times 5 = 40 \qquad 40 \div \boxed{8} = 5 \qquad 40 \div 5 = \boxed{8}$

Escribe los datos de multiplicación para 5:

$1 \times 5 = 5$	$2 \times 5 = 10$	$3 \times 5 = 15$	$4 \times 5 = 20$	$5 \times 5 = 25$
$6 \times 5 = 30$	$7 \times 5 = 35$	$8 \times 5 = 40$	$9 \times 5 = 45$	$10 \times 5 = 50$

Busca el dato que tenga los números que conoces de la familia de datos, 5 y 40. Usa ese dato para completar los números desconocidos arriba.

$5 \times 8 = 40 \qquad 40 \div 5 = 8$

CONÉCTALO

Ahora vas a usar el problema de la página anterior para ayudarte a entender cómo usar familias de datos para hallar un número desconocido en un dato de división.

1 Mo quiere saber cuántas monedas de 5¢ necesita para tener 45 centavos. Él escribe $45 \div \square = 5$. ¿Qué otro dato de división puede escribir para representar este problema?

$$45 \div 9 = 5$$

2 Escribe los dos datos de multiplicación que estén en la misma familia de datos. Usa $\square$ para el número desconocido.

$$45 \div 5 = 9$$

3 Mira la lista de datos de multiplicación para 5 en la página anterior. ¿Qué dato ayudará a Mo a resolver su problema de división? ¿Cuántas monedas de 5¢ necesita Mo?

4 Explica cómo sabes qué dato de multiplicación usar para ayudarte a hallar el número desconocido en un dato de división.

5 REFLEXIONA

Repasa **Pruébalo**, las estrategias de tus compañeros y los **Haz un modelo**. ¿Qué modelos o estrategias prefieres para hallar números desconocidos en datos de multiplicación y división? Explica.

APLÍCALO

Usa lo que acabas de aprender para resolver estos problemas.

6 Usa la recta numérica para resolver $24 \div 4 = \square$.
Muestra tu trabajo.

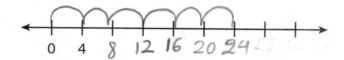

Solución 6

7 Escribe el producto desconocido. Luego completa esta familia de datos.

$2 \times 3 =$ 6

$3 \times 2 = 6$

$6 \div 3 = 2$

$6 \div 2 = 3$

8 Escribe dos datos de multiplicación que Brice puede usar para resolver $\square \div 3 = 7$.

$21 \div 3 = 7$
$21 \div 7 = 3$

Practica trabajar con datos de división

Estudia el Ejemplo, que muestra cómo un dibujo puede ayudarte a entender datos de división. Luego resuelve los problemas 1 a 9.

EJEMPLO

Esta es una matriz de 15 peces.

Hay 3 filas con 5 peces en cada una.

La familia de datos describe la matriz de diferentes maneras.

$3 \times 5 = 15$ $\qquad$ $15 \div 5 = 3$

$5 \times 3 = 15$ $\qquad$ $15 \div 3 = 5$

Escribe uno de los datos de la lista de arriba que puedan ayudarte a resolver los problemas 1 a 3.

1 ¿Cuántos peces hay en total?

15

2 15 peces nadan en 3 filas iguales. ¿Cuántos peces hay en cada fila?

5

3 15 peces nadan en filas de 5 peces. ¿Cuántas filas de peces hay?

3

4 Sabes que $4 \times 9 = 36$. Escribe toda la familia de datos.
Usa los números 4, 9 y 36.

4 $\times$ 9 $=$ 36

9 $\times$ 4 $=$ 36

36 $\div$ 4 $=$ 9

36 $\div$ 9 $=$ 4

5 Sienna dibuja 18 cuadrados en dos grupos iguales de 9. ¿Qué ecuación de división muestra su dibujo?

Ⓐ $9 \div 3 = 3$

Ⓑ $18 \div 6 = 3$ ✓

Ⓒ $18 \div 2 = 9$ ✓

Ⓓ $6 \div 2 = 3$

6 Escribe dos ecuaciones de división diferentes acerca de la matriz.

_18_ ÷ _3_ = _6_

_18_ ÷ _6_ = _3_

Chee tiene 24 cromos. Regala todos sus cromos a sus amigos. Da 8 cromos a cada amigo.

7 Usa la recta numérica para mostrar cómo puedes hallar a cuántos amigos da cromos Chee.

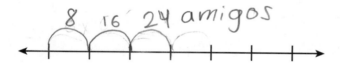

8   16   24 amigos

Solución _3_

8 Escribe dos datos de división diferentes para el problema.

....   y   ....

9 Escribe los datos de multiplicación que pertenezcan a la misma familia de datos.

....   y   ....

Desarrolla Usar una tabla de multiplicación

Lee el siguiente problema y trata de resolverlo.

Completa los datos.

$2 \times \boxed{5} = 10$ $24 \div 6 = \boxed{4}$ $\boxed{8} \times 6 = 48$ $\boxed{8} \div 1 = 8$

PRUÉBALO

$2 \times 5 = 10$
$5 \times 2 = 10$
$10 \div 2 = 5$
$10 \div 5 = 2$

$8 \times 6 = 48$
$6 \times 8 = 48$
$48 \div 6 = 8$
$48 \div 8 = 6$

$6 \times 4 = 24$ 4
$4 \times 6 = 24$
$24 \div 6 = 4$
$24 \div 4 = 6$

$8 \times 1 = 8$
$1 \times 8 = 8$
$8 \div 1 = 8$
$8 \div 8 = 1$

Herramientas matemáticas

- cubos conectables
- fichas
- tablas de multiplicación
- papel cuadriculado de 1 centímetro
- modelos de multiplicación
- rectas numéricas

CONVERSA CON UN COMPAÑERO

Pregúntale: ¿Estás de acuerdo conmigo? ¿Por qué sí o por qué no?

Dile: La estrategia que usé para hallar la respuesta es . . .

Explora diferentes maneras de usar una tabla de multiplicación para completar datos de multiplicación y división.

Completa los datos.

$2 \times \boxed{5} = 10$ $24 \div 6 = \boxed{4}$ $\boxed{8} \times 6 = 48$ $\boxed{8} \div 1 = 8$

HAZ UN DIBUJO

Puedes usar una tabla de multiplicación para hallar los números en familias de datos de multiplicación y división.

Una **tabla de multiplicación** muestra familias de datos de multiplicación y división.

×	1	2	3	4	5	6	7	8	9	10
1	1	2	3	4	5	6	7	8	9	10
2	2	4	6	8	10	12	14	16	18	20
3	3	6	9	12	15	18	21	24	27	30
4	4	8	12	16	20	24	28	32	36	40
5	5	10	15	20	25	30	35	40	45	50
6	6	12	18	24	30	36	42	48	54	60
7	7	14	21	28	35	42	49	56	63	70
8	8	16	24	32	40	48	56	64	72	80
9	9	18	27	36	45	54	63	72	81	90
10	10	20	30	40	50	60	70	80	90	100

HAZ UN MODELO

Usa la tabla de arriba para completar la familia de datos.

La tabla de multiplicación muestra los tres números que pertenecen a la familia de datos para $2 \times \square = 10$. Mira la fila para 2. Halla 10 en la fila. Luego mira hacia arriba hasta la parte superior de la columna para hallar el tercer número de la familia de datos. Completa los siguientes espacios en blanco.

$2 \times \underline{\ \ 5\ \ } = 10$ $10 \div 2 = \underline{\ \ 5\ \ }$

$\underline{\ \ 5\ \ } \times 2 = 10$ $10 \div \underline{\ \ 5\ \ } = 2$

CONÉCTALO

Ahora vas a usar el problema de la página anterior para ayudarte a entender cómo usar una tabla de multiplicación para completar un dato de multiplicación o división.

1 Mira la tabla de multiplicación. ¿Cuáles son los tres números de la familia de datos para $24 \div 6 = \boxed{4}$?

$6 \times 4 = 24$

Ahora completa el espacio en blanco: $24 \div 6 = \underline{4}$

2 ¿Cuáles son los tres números de la familia de datos para $\boxed{4} \times 6 = 48$?

Ahora completa el espacio en blanco: $\underline{4} \times 6 = 48$

3 ¿Cuáles son los tres números de la familia de datos para $\boxed{8} \div 1 = 8$?

Completa el espacio en blanco: $\underline{8} \div 1 = 8$

4 Explica cómo puedes usar una tabla de multiplicación para hallar los tres números de cualquier familia de datos.

$8 \times 1 = 8$
$1 \times 8 = 8$
$8 \div 1 = 8$
$8 \div 8 = 1$

5 REFLEXIONA

Repasa **Pruébalo**, las estrategias de tus compañeros, **Haz un dibujo** y **Haz un modelo**. ¿Qué modelos o estrategias prefieres para completar datos de multiplicación y división? Explica.

....

....

....

....

....

APLÍCALO

Usa lo que acabas de aprender para resolver estos problemas.

6 Usa la tabla de multiplicación para escribir las ecuaciones en la familia de datos que incluye 42 y 6. Muestra tu trabajo.

×	1	2	3	4	5	6	7	8	9	10
1	1	2	3	4	5	6	7	8	9	10
2	2	4	6	8	10	12	14	16	18	20
3	3	6	9	12	15	18	21	24	27	30
4	4	8	12	16	20	24	28	32	36	40
5	5	10	15	20	25	30	35	40	45	50
6	6	12	18	24	30	36	42	48	54	60
7	7	14	21	28	35	42	49	56	63	70
8	8	16	24	32	40	48	56	64	72	80
9	9	18	27	36	45	54	63	72	81	90
10	10	20	30	40	50	60	70	80	90	100

$$6 \times 7 = 42$$
$$7 \times 6 = 42$$

$$42 \div 7 = 6$$
$$42 \div 6 = 7$$

Solución .... 7 ....

7 Completa el espacio en blanco.

$56 \div$ ...... 7 .... $= 8$

8 Jan y Jon cosechan 18 manzanas. Las comparten en partes iguales. ¿Qué datos podrían usarse para hallar el número de manzanas que recibe cada uno?

Ⓐ $6 \times 3 = 18$

Ⓑ $2 \times 9 = 18$ ✓

Ⓒ $18 \div 2 = 9$

Ⓓ $18 \div 3 = 6$ ✓

Ⓔ $18 \div 9 = 2$ ✓

Practica usar una tabla de multiplicación

Estudia el Ejemplo, que muestra cómo una tabla de multiplicación puede ayudarte a resolver problemas de multiplicación y división. Luego resuelve los problemas 1 a 6.

EJEMPLO

Puedes usar la tabla de multiplicación para multiplicar o dividir.

Mira la fila verde de productos para 4.
Mira la columna verde de productos para 6.

Puedes ver cómo se relaciona $4 \times 6 = 24$ con $24 \div 4 = 6$ y con $24 \div 6 = 4$.

×	1	2	3	4	5	6	7	8	9	10
1	1	2	3	4	5	6	7	8	9	10
2	2	4	6	8	10	12	14	16	18	20
3	3	6	9	12	15	18	21	24	27	30
4	4	8	12	16	20	24	28	32	36	40
5	5	10	15	20	25	30	35	40	45	50
6	6	12	18	24	30	36	42	48	54	60
7	7	14	21	28	35	42	49	56	63	70
8	8	16	24	32	40	48	56	64	72	80
9	9	18	27	36	45	54	63	72	81	90
10	10	20	30	40	50	60	70	80	90	100

1 Escribe la familia de datos para los tres números: 6, 4 y 24.

$\underline{4} \times \underline{6} = \underline{24}$ $\underline{24} \div \underline{4} = \underline{6}$

$\underline{6} \times \underline{4} = \underline{24}$ $\underline{24} \div \underline{6} = \underline{4}$

2 Usa la tabla o tu familia de datos del problema 1 para completar los números desconocidos.

$4 \times \underline{6} = 24$ $24 \div 6 = \underline{4}$

$\underline{6} \times 4 = 24$ $\underline{24} \div 4 = 6$

3 Halla 21 en la tabla de arriba. Usa la tabla para completar los números desconocidos en esta familia de datos.

$7 \times \underline{3} = 21$ $21 \div 3 = \underline{7}$

$\underline{3} \times 7 = 21$ $21 \div \underline{7} = 3$

Usa la tabla de multiplicación para resolver los problemas 4 a 6.

×	1	2	3	4	5	6	7	8	9	10
1	1	2	3	4	5	6	7	8	9	10
2	2	4	6	8	10	12	14	16	18	20
3	3	6	9	12	15	18	21	24	27	30
4	4	8	12	16	20	24	28	32	36	40
5	5	10	15	20	25	30	35	40	45	50
6	6	12	18	24	30	36	42	48	54	60
7	7	14	21	28	35	42	49	56	63	70
8	8	16	24	32	40	48	56	64	72	80
9	9	18	27	36	45	54	63	72	81	90
10	10	20	30	40	50	60	70	80	90	100

4 ¿Cuáles son los tres números de la familia de datos para $28 \div 4 = \boxed{6}$? ....

Escribe la familia de datos.

$4 \times 6 = 28$ .... $28 \div 6 = 4$

$6 \times 4 = 28$ .... $28 \div 4 = 6$

5 ¿Cuáles son los tres números de la familia de datos para $6 \times \square = 42$? ... 7 ....

Escribe la familia de datos.

$6 \times 7 = 42$ .... $42 \div 7 = 6$

$7 \times 6 = 42$ .... $42 \div 6 = 7$

6 ¿Cuáles son los tres números de la familia de datos para $\square \div 6 = 8$? ... 48 ....

Escribe la familia de datos.

$8 \times 6 = 48$ .... $48 \div 6 = 8$

$6 \times 8 = 48$ .... $48 \div 8 = 6$

Refina Trabajar con datos de multiplicación y división

Completa el Ejemplo siguiente. Luego resuelve los problemas 1 a 9.

EJEMPLO

Hoy algunos estudiantes darán un informe oral. El maestro planifica terminar con los informes en 15 minutos. Cada estudiante tendrá 3 minutos. ¿Cuántos estudiantes darán informes? Resuelve $3 \times \boxed{5} = 15$.

Mira cómo podrías mostrar tu trabajo usando una recta numérica.

5 saltos de 3

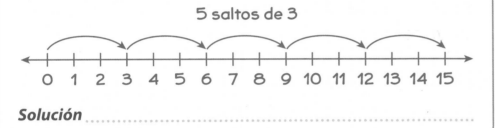

0 1 2 3 4 5 6 7 8 9 10 11 12 13 14 15

Solución ....

Cada salto en la recta numérica muestra la cantidad de tiempo que tiene cada estudiante.

EN PAREJA

¿Qué otras ecuaciones pueden usarse para resolver este problema?

APLÍCALO

1 Resuelve $35 \div \boxed{7} = 5$. Muestra tu trabajo.

¿Cómo se puede hallar el tercer número de esta familia de datos?

EN PAREJA

¿Cuáles son otros datos que pertenecen a esta familia de datos?

Solución

2 Resuelve $4 \times 9 = \boxed{36}$. Muestra tu trabajo.

¿Qué buscas: un factor o un producto?

$$36 \div 4 = 9$$
$$36 \div 9 = 4$$
$$9 \times 4 = 36$$
$$4 \times 9 = 36$$

Solución 36

EN PAREJA
Explica cómo resolviste este problema.

3 La maestra Tobin necesita 30 envases de jugo para su clase. Los envases de jugo vienen en paquetes de 6. ¿Cuántos paquetes necesita? Resuelve $30 \div 6 = \boxed{}$.

Ⓐ 4

Ⓑ 5 ✓

Ⓒ 6

Ⓓ 36

¿Conoces un dato de multiplicación que pueda ayudarte a resolver este problema?

Pia eligió Ⓓ como la respuesta correcta. ¿Cómo obtuvo ella esa respuesta?

$$30 \div 5 = 6$$

EN PAREJA
¿Tiene sentido la respuesta de Pia?

4 ¿Qué ecuación NO pertenece a la misma familia de datos que $12 \div \square = 4$?

Ⓐ $\square \times 4 = 12$

Ⓑ $\square \times 2 = 12$

Ⓒ $4 \times \square = 12$

Ⓓ $12 \div 4 = \square$ ✓

5 ¿Qué dato puedes usar para resolver $\square \div 5 = 4$?

Ⓐ $5 \times 5 = 25$

Ⓑ $4 \times 5 = 20$ ✓

Ⓒ $5 + 4 = 9$

Ⓓ $6 \times 4 = 24$

6 ¿Colocar el número 8 en el recuadro hace que cada ecuación sea verdadera?

	Sí	**No**
$9 \times \square = 64$	Ⓐ	Ⓑ
$6 \times \square = 48$	Ⓒ	Ⓓ
$56 \div \square = 8$	Ⓔ	Ⓕ
$32 \div \square = 4$	Ⓖ	Ⓗ

7 Algunas familias de datos tienen solo una ecuación de multiplicación y una ecuación de división. Completa los espacios en blanco para mostrar un ejemplo.

$$5 \times 6 = 30$$
$$30 \div 5 = 6$$

8 Sasha tiene 32 calcomanías para usar en su álbum de recortes. El álbum tiene 8 páginas, y quiere colocar el mismo número de calcomanías en cada página. Escribe dos datos de multiplicación que Sasha puede usar para hallar cuántas calcomanías colocar en cada página. ¿Cuántas calcomanías puede colocar Sasha en cada página?

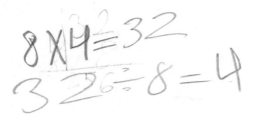

$$8 \times 4 = 32$$
$$32 \div 8 = 4$$

Solución ___4___

9 DIARIO DE MATEMÁTICAS

Haz un dibujo para mostrar una familia de datos. Luego escribe la familia de datos.

$$8 \times 4 = 32$$
$$4 \times 8 = 32$$
$$32 \div 4 = 8$$
$$32 \div 8 = 4$$

☑ COMPRUEBA TU PROGRESO Vuelve al comienzo de la Unidad 2 y mira qué destrezas puedes marcar.

Comprende Patrones

Estimada familia:

Esta semana su niño está explorando patrones.

Un **patrón** es una serie de números o figuras que siguen una regla para repetir o cambiar.

En esta tabla de suma, hay un patrón diagonal conformado únicamente por el número 6.

+	0	1	2	3	4	5	6
0	0	1	2	3	4	5	6
1	1	2	3	4	5	6	7
2	2	3	4	5	6	7	8
3	3	4	5	6	7	8	9
4	4	5	6	7	8	9	10
5	5	6	7	8	9	10	11
6	6	7	8	9	10	11	12

La tabla de la derecha muestra los sumandos usados para hacer estas sumas de 6.

La regla para este patrón tiene dos partes:

- Los sumandos de la primera columna aumentan de a uno. Estos sumandos están en el lado izquierdo de la tabla de suma.

- Los sumandos de la segunda columna disminuyen de a uno. Estos sumandos están en la parte superior de la tabla de suma.

Sumando	Sumando	Suma
0	6	6
1	5	6
2	4	6
3	3	6
4	2	6
5	1	6
6	0	6

Invite a su niño a compartir lo que sabe sobre explorar patrones haciendo juntos la siguiente actividad.

ACTIVIDAD EXPLORAR PATRONES

Haga la siguiente actividad con su niño para ayudarlo a comprender patrones.

Materiales crayón o marcador rojo

Explore patrones con su niño en la tabla de 100.

- Pida a su niño que coloree ligeramente de rojo los siguientes números: 5, 10, 15, 20 y 25.

1	2	3	4	5	6	7	8	9	10
11	12	13	14	15	16	17	18	19	20
21	22	23	24	25	26	27	28	29	30
31	32	33	34	35	36	37	38	39	40
41	42	43	44	45	46	47	48	49	50
51	52	53	54	55	56	57	58	59	60
61	62	63	64	65	66	67	68	69	70
71	72	73	74	75	76	77	78	79	80
81	82	83	84	85	86	87	88	89	90
91	92	93	94	95	96	97	98	99	100

1. Juntos, busquen y describan patrones que vean en los números coloreados.

2. Pregunte a su niño cuál es la regla para colorear el siguiente número de rojo.

3. Pida a su niño que use su regla para decir cuál será el siguiente número en el patrón. Pídale que coloree de rojo todos los números en este patrón.

- Intenten hallar otras maneras de describir el mismo patrón. ¡Generalmente hay varias maneras de describir un patrón!

Respuestas:

1. Posibles respuestas: Los números coloreados forman líneas verticales en la tabla de 100; además, alternan entre impares y pares.

2. Posibles respuestas: Colorear cada quinto número; contar de cinco en cinco; dejar cuatro números en blanco y colorear el siguiente.

3. 30

¿Qué es un patrón?

HAZ UN MODELO

Completa los siguientes problemas.

1 Un **patrón** es algo que se repite. Mira el siguiente patrón de figuras. Continúa el patrón dibujando la figura que crees que va a continuación. Explica por qué dibujaste esa figura.

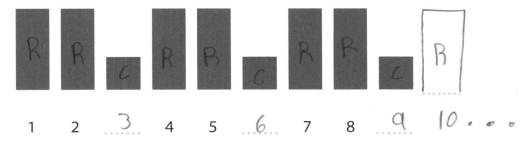

R	R	C	R	R	C	R	R	C	R
1	2	3	4	5	6	7	8	9	10...

2 Mira los números que están debajo de las figuras en el problema 1.

a. Escribe los números que faltan en los espacios en blanco debajo de los cuadrados. Escribe abajo el patrón de números que comenzaste para los cuadrados.

3+

3, 6, 9, 12

b. ¿Qué **regla** podrías usar para hallar el número siguiente en este patrón?

3, 6, 9, 12, 15 --

CONVERSA CON UN COMPAÑERO

- ¿Crearon tu compañero y tú la misma regla en el problema 2b?
- Creo que se puede usar un patrón de números para mostrar un patrón de figuras porque . . .

HAZ UN MODELO

Completa los siguientes problemas.

3 Una tabla numérica puede ayudarte a ver patrones. En la siguiente tabla de 100, sombrea todos los números que estarían en el patrón del problema 2a de la página anterior.

1	2	3	4	5	6	7	8	9	10
11	12	13	14	15	16	17	18	19	20
21	22	23	24	25	26	27	28	29	30
31	32	33	34	35	36	37	38	39	40

4 Encierra en un círculo los números 9, 18 y 27 en la tabla de arriba.

a. Describe cualquier patrón y regla que veas. Escribe y encierra en un círculo en el recuadro correcto de la tabla el número que sigue en tu patrón.

los numeros estan en escalera
mas 9+

b. ¿Se sombrearán también los números de este patrón? ¿Por qué sí o por qué no?

estan en diagonal

5 REFLEXIONA

¿Cómo puedes mostrar que algo es un patrón?

10, 20, 30, 40, 50 . . .

Prepárate para explorar patrones

1 Piensa en lo que sabes sobre los patrones. Llena cada recuadro. Usa palabras, números y dibujos. Muestra tantas ideas como puedas.

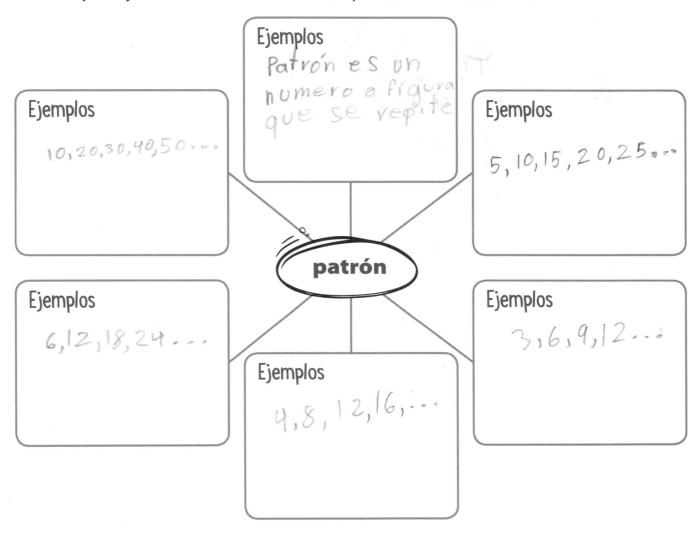

Ejemplos

Patrón es un numero o figura que se repite

Ejemplos

10, 20, 30, 40, 50...

Ejemplos

5, 10, 15, 20, 25...

Ejemplos

6, 12, 18, 24...

Ejemplos

3, 6, 9, 12...

patrón

Ejemplos

4, 8, 12, 16, ...

Ejemplos

2 Mira el siguiente patrón de figuras. Continúa el patrón dibujando la figura que crees que va a continuación. Explica por qué dibujaste esa figura.

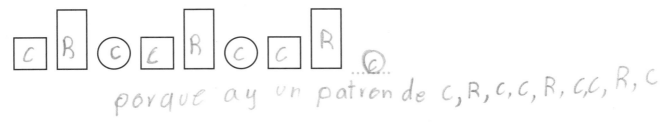

C B C C R C C R ...C...

porque ay un patron de C, R, C, C, R, CC, R, C

Resuelve.

3 En la tabla de abajo, sombrea todos los números que estarían en el patrón
2, 4, 6, 8, 10, …

1	2	3	4	5	6	7	8	9	10
11	12	13	14	15	16	17	18	19	20
21	22	23	24	25	26	27	28	29	30
31	32	33	34	35	36	37	38	39	40

+2

4 ¿Qué regla podrías usar para hallar el número que sigue en este patrón?

podrías sumar 2 y hallar el numer siguiente.
36, 33

5 Encierra en un círculo los números 8, 16 y 24 en la tabla de arriba. Describe
cualquier patrón y regla que veas en los números encerrados en un círculo.
Escribe y encierra en un círculo en el recuadro correcto de la tabla el número
que sigue en este patrón.

los numeros 8 16 y 24
va en diagonal.

+8

6 ¿Se sombrearán también los números del patrón del problema 5? ¿Por qué sí
o por qué no?

no porque el numero   es
inpar

Desarrolla Comprender los patrones

HAZ UN MODELO: PATRONES DE SUMA

Usa la tabla de suma para completar estos dos problemas.

1 **a.** Sombrea todos los totales impares en la tabla.

b. Describe cualquier patrón que veas.

van en diagonal

c. Mira los sumandos de cada problema que tiene un total impar. ¿Son pares o impares?

Son pares y inpares

d. ¿Por qué crees que ocurre este patrón?

van en linia

+	1	2	3	4	5	6
1	2	3	4	5	6	7
2	3	4	5	6	7	8
3	4	5	6	7	8	9
4	5	6	7	8	9	10
5	6	7	8	9	10	11
6	7	8	9	10	11	12

2 **a.** Sombrea todos los totales pares en la tabla.

b. Mira los sumandos de cada problema con un total par. ¿Son pares o impares?

los dos

c. ¿Por qué crees que ocurre este patrón?

van en linia

+	1	2	3	4	5	6
1	2	3	4	5	6	7
2	3	4	5	6	7	8
3	4	5	6	7	8	9
4	5	6	7	8	9	10
5	6	7	8	9	10	11
6	7	8	9	10	11	12

CONVERSA CON UN COMPAÑERO

• ¿Explicaron ambos los patrones de la misma manera?

• Puedo encontrar muchos patrones en una tabla de suma porque . . .

HAZ UN MODELO: PATRONES DE MULTIPLICACIÓN

Usa la tabla de multiplicación para completar el problema.

3 **a.** Sombrea todos los productos pares en la tabla.

b. Describe los patrones que veas.

×	1	2	3	4	5	6
1	1	2	3	4	5	6
2	2	4	6	8	10	12
3	3	6	9	12	15	18
4	4	8	12	16	20	24
5	5	10	15	20	25	30
6	6	12	18	24	30	36

c. Mira los factores de cada problema que tiene un producto par. ¿Son pares o impares?

d. ¿Por qué crees que ocurre este patrón?

CONÉCTALO

Completa los siguientes problemas.

4 ¿En qué se parecen los patrones de multiplicación y los patrones de suma? ¿En qué son diferentes?

CONVERSA CON UN COMPAÑERO

- ¿Explicaron tu compañero y tú el patrón del problema 3 de la misma manera?

- Creo que puedo encontrar muchos otros patrones en una tabla de multiplicación porque . . .

5 Halla los dos totales de 11 en la tabla de suma de la página anterior. ¿Qué patrón ves en los sumandos? ¿Ocurre este mismo patrón con otros totales que aparecen más de una vez en la tabla? Explica.

Practica hallar patrones

Estudia cómo el Ejemplo muestra el uso de una tabla de suma para hallar patrones. Luego resuelve los problemas 1 a 5.

EJEMPLO

Suma los totales en las esquinas opuestas de cada cuadrado resaltado en la tabla de suma. ¿Qué patrón notas? ¿Por qué crees que ocurre esto?

+	1	2	3	4	5	6
1	2	3	4	5	6	7
2	3	4	5	6	7	8
3	4	5	6	7	8	9
4	5	6	7	8	9	10
5	6	7	8	9	10	11
6	7	8	9	10	11	12

$3 + 5 = 8$ $5 + 7 = 12$ $7 + 9 = 16$
$4 + 4 = 8$ $6 + 6 = 12$ $8 + 8 = 16$

Los totales de las esquinas de un cuadrado son iguales. Un par de esquinas opuestas siempre tiene números iguales, y el otro par tiene siempre un número 1 mayor y un número 1 menor que los números iguales; por lo tanto, los totales son iguales.

1 Mira las dos diagonales de totales sombreados en la tabla de suma. Describe al menos dos patrones que veas. Explica por qué ocurre uno de los patrones.

+	1	2	3	4	5	6	7
1	2	3	4	5	6	7	8
2	3	4	5	6	7	8	9
3	4	5	6	7	8	9	10
4	5	6	7	8	9	10	11
5	6	7	8	9	10	11	12

2 Sin sumar, di si la suma de 583 y 278 será impar o par. ¿Cómo lo sabes?

3 Mira los grupos de tres números sombreados en diferentes filas de la tabla de multiplicación.

   a. En cada grupo, ¿cómo se compara el número del medio con la suma de los dos números de los extremos?

×	0	1	2	3	4	5	6
0	0	0	0	0	0	0	0
1	0	1	2	3	4		6
2	0		4	6	8	10	12
3	0	3		9	12		18
4	0	4		12	16	20	24
5	0	5	10	15	20	25	30
6	0	6	12		24		36

   b. Usa el patrón del problema 3a para completar los números que faltan en la tabla.

4 Mira las filas y las columnas para 0 y 1 en la tabla de multiplicación.

   a. Mira la fila y la columna para 0. Describe un patrón en los productos. Explica por qué ocurre este patrón.

×	0	1	2	3	4	5	6	7	8
0	0	0	0	0	0	0	0	0	0
1	0	1	2	3	4	5	6	7	8
2	0	2	4	6	8	10	12	14	16
3	0	3	6	9	12	15	18	21	24
4	0	4	8	12	16	20	24	28	32
5	0	5	10	15	20	25	30	35	40
6	0	6	12	18	24	30	36	42	48
7	0	7	14	21	28	35	42	49	56
8	0	8	16	24	32	40	48	56	64

   b. Mira la fila y la columna para 1. Describe un patrón en los productos. Explica por qué ocurre este patrón.

5 Sin multiplicar, di si el producto de 8 × 6 será impar o par. ¿Cómo lo sabes?

Refina Ideas acerca de los patrones

APLÍCALO

Completa estos problemas por tu cuenta.

1 EXPLICA

Izzy notó un patrón en la tabla de suma: una diagonal cuyos números eran todos 4. Completa la tabla que está debajo de la tabla de suma para mostrar los sumandos.

Explica cómo el total, 4, permanece igual mientras que los sumandos cambian en cada línea de la tabla de suma.

+	0	1	2	3	4
0	0	1	2	3	4
1	1	2	3	4	5
2	2	3	4	5	6
3	3	4	5	6	7
4	4	5	6	7	8

Sumando	Sumando	Total
0		4
	3	4
	2	4
3		4
4		4

2 EXAMINA

Jace cuenta hasta 50 de cinco en cinco. Annabel cuenta hasta 50 de diez en diez. ¿Qué números dicen ambas? Explica por qué.

3 DETERMINA

Booth dice que un factor impar multiplicado por un factor impar siempre será igual a un producto par. ¿Tiene razón? Explica.

EN PAREJA

Comenta tus soluciones a estos tres problemas con un compañero.

Usa lo que aprendiste para resolver el problema 4.

4 Mira la siguiente tabla de multiplicación.

×	0	1	2	3	4	5	6	7	8	9
0	0	0	0	0	0	0	0	0	0	0
1	0	1	2	3	4	5	6	7	8	9
2	0	2	4	6						18
3	0		6	9	12	15	18	21	24	27
4	0	4		12		20		28		36
5	0	5		15		25		35		45

Parte A Completa los números que faltan en la tabla.

Parte B Mira los productos sombreados. ¿Qué patrón notas en los factores de los productos que están sombreados del mismo color?

Parte C Explica por qué ocurre el patrón.

5 DIARIO DE MATEMÁTICAS

Encuentra y describe al menos dos patrones más en una tabla de multiplicación.

En esta unidad aprendiste a . . .

Destreza	Lección
Explicar la multiplicación usando grupos iguales y matrices.	4, 5, 6, 7
Separar números para hacer que la multiplicación sea más fácil, por ejemplo: 3×8 es igual a $(3 \times 4) + (3 \times 4)$.	6, 7
Usar el orden y agrupar para que la multiplicación sea más fácil, por ejemplo: $2 \times 6 \times 5$ es igual a $6 \times (2 \times 5)$.	8
Usar el valor posicional para multiplicar, por ejemplo: 3×40 es igual a $3 \times 4 \times 10$.	9
Explicar la división usando grupos iguales y matrices.	10
Comprender la división como un problema de multiplicación, por ejemplo: $10 \div 2 = ?$ puede mostrarse como $2 \times ? = 10$.	11
Usar datos de multiplicación y división hasta los datos para 10.	12
Hallar la regla de un patrón y explicarla.	13

Piensa en lo que has aprendido.

Usa palabras, números y dibujos.

1 Estoy orgulloso porque puedo . . .

2 Trabajé mucho para aprender cómo . . .

3 Una pregunta que aún tengo es . . .

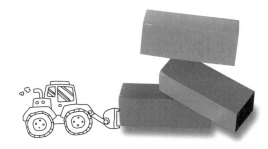

Resuelve problemas de multiplicación y división

Estudia un problema y su solución

EPM 1 Entender problemas y perseverar en resolverlos.

Lee el siguiente problema de multiplicación y división. Luego mira cómo Brandi resolvió el problema.

Ordenar las sillas

Brandi planea cómo ordenar las sillas para una obra de teatro.

Mis notas

- Usar entre 80 y 100 sillas.
- Organizar 2 secciones de asientos.
- El número de sillas en cada sección puede ser igual o diferente.
- Usar filas iguales de asientos en una sección.

Ayuda a Brandi a ordenar las sillas.

- Decide qué número de sillas usar.
- Di cuántas sillas se deben colocar en cada sección.
- Di el número de filas y el número de sillas que habrá en cada fila.

Lee la solución que aparece en la página siguiente. Luego mira la lista de chequeo de abajo. Marca las partes de la solución que corresponden a la lista.

✓ LISTA DE CHEQUEO PARA LA SOLUCIÓN DE PROBLEMAS

- ☐ Di lo que se sabe.
- ☐ Di lo que pide el problema.
- ☐ Muestra todo tu trabajo.
- ☐ Muestra que la solución tiene sentido.

a. Haz un círculo alrededor de lo que se sabe.

b. Subraya las cosas que hace falta averiguar.

c. Encierra en un cuadro lo que se hace para resolver el problema.

d. Pon una marca ✓ junto a la parte que muestra que la solución tiene sentido.

LA SOLUCIÓN DE BRANDI

- **Sé que necesito un número total de sillas que esté entre 80 y 100.**

  Puedo hallar dos números que sumen 80 o 100.
      $40 + 40 = 80$ y $50 + 50 = 100$
  Si uso más de 40 y menos de 50 en cada sección el total será correcto.

- **Debo usar números que puedan formar filas iguales.**

  Estos son algunos datos que sé:
      $4 \times 10 = 40$
      $6 \times 7 = 42$
      $5 \times 9 = 45$

- **Puedo elegir dos de estos productos.**

  Si sumo los números, debería obtener un número que esté entre 80 y 100.
      $42 + 45 = 87$
  87 está entre 80 y 100.

- **Usaré 87 sillas.**

  6 filas de 7 sillas = 42 sillas   5 filas de 9 sillas = 45 sillas

Hola, soy Brandi. Así fue como resolví este problema.

Formo filas iguales, así que puedo usar la multiplicación.

Debo sumar los productos para que el total tenga sentido.

El dibujo muestra mi razonamiento y me ayuda a comprobar mi respuesta.

Prueba otro método

Hay muchas maneras de resolver problemas. Piensa en cómo podrías resolver el problema de "Ordenar las sillas" de una manera distinta.

Ordenar las sillas

Brandi planea cómo ordenar las sillas para una obra de teatro.

Mis notas

- Usar entre 80 y 100 sillas.
- Organizar 2 secciones de asientos.
- El número de sillas en cada sección puede ser igual o diferente.
- Usar filas iguales de asientos en una sección.

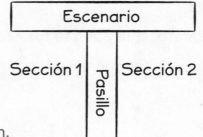

Ayuda a Brandi a ordenar las sillas.

- Decide qué número de sillas usar.
- Di cuántas sillas se deben colocar en cada sección.
- Di el número de filas y el número de sillas que habrá en cada fila.

PLANEA

Contesta las siguientes preguntas para empezar a pensar en un plan.

A. ¿Qué otros números te dan un total que esté entre 80 y 100?

B. ¿Qué otros datos conoces que podrían ayudarte a resolver el problema?

RESUELVE

Halla una solución distinta al problema de la de "Ordenar las sillas". Muestra todo tu trabajo en una hoja de papel aparte.

Tal vez quieras usar las sugerencias de abajo para empezar.

SUGERENCIAS PARA RESOLVER PROBLEMAS

- **Herramientas** Tal vez quieras usar . . .

  - una matriz.

  - ecuaciones.

- **Banco de palabras**

sumar	multiplicar	multiplicación
matriz	igual	suma
producto	factor	filas

- **Oraciones modelo**

- _____ un total de _____

- Hay _____ en cada _____

✓ LISTA DE CHEQUEO PARA LA SOLUCIÓN DE PROBLEMAS

Asegúrate de . . .
- ☐ decir lo que se sabe.
- ☐ decir lo que pide el problema.
- ☐ mostrar todo tu trabajo.
- ☐ mostrar que la solución tiene sentido.

REFLEXIONA

Usa las prácticas matemáticas A medida que vayas resolviendo el problema, comenta las siguientes preguntas con un compañero.

- **Utiliza estructuras** ¿Con qué tipos de números puedes formar filas iguales?

- **Persevera** ¿Cuál es tu plan para resolver este problema?

Comenta modelos y estrategias

Lee el problema. Escribe una solución en una hoja de papel aparte. Recuerda que puede haber muchas maneras de resolver un problema.

Robot de utilería

La obra de teatro de Brandi trata sobre criaturas del espacio. Quiere hacer un robot espacial de utilería. Brandi tiene 50 platos para pasteles. Usará los platos para hacer los brazos y las piernas del robot.

Mi plan para el robot de utilería

- Usar hasta 50 platos.
- Usar el mismo número de platos en cada brazo.
- Usar el mismo número de platos en cada pierna.
- Usar más platos en cada pierna que en cada brazo.

¿Cuántos platos debería usar Brandi para cada pierna y cada brazo?

PLANEA Y RESUELVE

Halla una solución al problema del "Robot de utilería".

Haz un plan para el robot de Brandi.

• Di cuántos platos usar para cada brazo y cada pierna.

• Di cuántos platos necesitas en total.

• Explica por qué tu plan funciona.

Tal vez quieras usar las sugerencias de abajo para empezar.

SUGERENCIAS PARA RESOLVER PROBLEMAS

● **Preguntas**

• ¿Tratarás de usar todos los platos?

• ¿Puedes usar datos de multiplicación para hallar algunos números que puedas probar?

● **Oraciones modelo**

• Puedo usar _____

• Puedo sumar _____

☑ LISTA DE CHEQUEO PARA LA SOLUCIÓN DE PROBLEMAS

Asegúrate de . . .

☐ decir lo que se sabe.

☐ decir lo que pide el problema.

☐ mostrar todo tu trabajo.

☐ mostrar que la solución tiene sentido.

REFLEXIONA

Usa las prácticas matemáticas A medida que vayas resolviendo el problema, comenta las siguientes preguntas con un compañero.

• **Usa modelos** ¿Cómo podría un dibujo ayudarte a hallar una solución?

• **Construye un argumento** ¿Cómo sabes que los números que elegiste tienen sentido?

Persevera por tu cuenta

Lee el problema. Escribe una solución en una hoja de papel aparte.

Criaturas del espacio

Brandi no sabe cuántas criaturas del espacio tener en la obra de teatro, pero tiene algunas ideas.

Notas para las criaturas del espacio

- Las criaturas deben salir de la nave espacial en grupos iguales o en filas iguales.
- Debe haber más de 20.
- No debe haber más de 30.

¿Cuántas criaturas del espacio debería usar Brandi?

RESUELVE

Escribe un plan para las criaturas del espacio de Brandi.

- Decide cuántas criaturas del espacio usar.

- Di cuántos grupos o filas de criaturas usar. Además, di cuántas hay en cada grupo o fila.

- Describe cómo las criaturas saldrán marchando de la nave espacial.

REFLEXIONA

Usa las prácticas matemáticas Cuando termines, elige una de las siguientes preguntas y coméntala con un compañero.

- **Utiliza estructuras** ¿Cómo hallaste números que forman grupos iguales?

- **Construye un argumento** ¿Cuántas criaturas del espacio elegiste? ¿Por qué?

Donaciones mensuales

En la obra de teatro, Brandi dice a los asistentes que pueden ayudar al departamento de teatro de la universidad local. Brandi pide a los asistentes que se inscriban para hacer donaciones mensuales. Quiere recaudar al menos $800 en 6 meses con estas donaciones.

Estos son los montos de las donaciones.

¿Cómo puede Brandi recaudar al menos $800 en 6 meses?

RESUELVE

Ayuda a Brandi a hallar una manera de recaudar dinero.

• Halla cuánto recauda cada donación mensual en 6 meses.

• Luego halla una manera de recaudar al menos $800 en 6 meses.

• Di cómo sabes que tu respuesta tienen sentido.

REFLEXIONA

Usa las prácticas matemáticas Cuando termines, elige una de las siguientes preguntas y coméntala con un compañero.

• **Utiliza estructuras** ¿Cómo usaste datos básicos para ayudarte a resolver este problema?

• **Razona matemáticamente** ¿Qué estrategias de cálculo usaste?

1 A Hana le gusta caminar. La tabla muestra el número de días y el número de millas que camina en una semana. ¿Cuántas millas camina Hana en una semana?

Día	Número de millas
Lunes	3
Miércoles	3
Viernes	3
Sábado	3

Escribe una ecuación de multiplicación que se pueda usar para responder la pregunta.
Escribe tu respuesta en los espacios en blanco.

.... $\times$ .... = ...

2 ¿Qué expresiones se pueden usar para hallar el producto de 8, 5 y 3?
Elige todas las respuestas correctas.

Ⓐ $(3 + 5) \times 8$ Ⓑ $(8 + 3) \times 5$

Ⓒ $(8 \times 5) \times 3$ Ⓓ $8 \times (3 \times 5)$

Ⓔ $3 \times (5 + 8)$ Ⓕ $5 \times (8 \times 3)$

3 Isabel descompone 9×8 en $(9 \times 3) + (9 \times 5)$ para resolver el problema.
¿Cuál es otra manera en que Isabel podría descomponer 9×8?
Muestra tu trabajo.

4 ¿Qué valor hace verdadera a ambas ecuaciones? Anota tu respuesta en la cuadrícula. Luego rellena los círculos.

$32 \div 8 = ?$

$8 \times ? = 32$

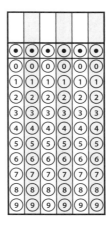

5 Kent ve un patrón en la tabla.

Sumando	Sumando	Total
2	18	20
4	16	20
6	14	20
8	12	20
10	10	20

Describe el patrón. Escribe tu respuesta en los espacios en blanco.

Cuando un sumando aumenta en _____, el otro sumando disminuye en _____.

6 ¿Qué problema se puede resolver usando la ecuación de división $42 \div 6$?

Ⓐ Lizzie tenía 42 duraznos. Usó algunos para hacer mermelada. Ahora le quedan 6. ¿Cuántos duraznos usó para hacer mermelada?

Ⓑ Lizzie compró 42 bolsas de duraznos. En cada bolsa hay 6 duraznos. ¿Cuántos duraznos compró Lizzie?

Ⓒ Lizzie compró 42 duraznos. Los puso en 6 tazones, colocando en cada tazón el mismo número de duraznos. ¿Cuántos duraznos hay en cada tazón?

Ⓓ Lizzie usó 7 duraznos para hacer pasteles. Luego usó 6 duraznos para hacer batidos. ¿Cuántos duraznos usó Lizzie en total?

7 Completa la familia de datos. Escribe tu respuesta en los espacios en blanco.

$4 \times$ _____ $= 24$ $24 \div 6 =$ _____

$4 \times 6 =$ _____   _____ $\div 6 = 4$

Prueba de rendimiento

Contesta las preguntas y muestra todo tu trabajo en una hoja de papel aparte.

Madelyn, William y Hannah intentan decidir cómo exhibir los borradores en la tienda de la escuela. Los borradores vienen en 2 paquetes. En cada paquete hay 24 borradores.

- William dice que pueden colocarlos en 4 filas con 12 borradores en cada fila.

- Hannah cree que deberían colocarlos en 7 filas con 7 borradores en cada fila.

- Madelyn quiere colocarlos en dos grupos: 3 filas con 6 borradores en cada fila sobre una mesa, y 5 filas con 6 borradores en cada fila sobre otra mesa.

Di si la idea de cada estudiante funcionará y explica por qué.

REFLEXIONA

Usa las prácticas matemáticas Cuando termines, escoge una de estas preguntas y contéstala.

- **Persevera** ¿Cómo decidiste qué hacer primero para resolver este problema?

- **Usa un modelo** ¿Qué modelos te ayudaron a resolver este problema?

Lista de chequeo

- ☐ ¿Escribiste ecuaciones para representar las ordenaciones?
- ☐ ¿Hiciste diagramas?
- ☐ ¿Usaste oraciones completas?

Vocabulario

Dibuja o escribe para dar un ejemplo de cada término. Luego dibuja o escribe para mostrar otras palabras de matemáticas de la unidad.

cociente el resultado de la división.

Mi ejemplo

dividir separar en grupos iguales y hallar cuántos hay en cada grupo o el número de grupos.

Mi ejemplo

división operación que se usa para separar una cantidad de cosas en grupos iguales.

Mi ejemplo

ecuación de división ecuación que contiene un signo de división y un signo de igual. Por ejemplo, $15 \div 3 = 5$.

Mi ejemplo

ecuación de multiplicación ecuación que contiene un signo de multiplicación y un signo de igual. Por ejemplo, $3 \times 5 = 15$.

Mi ejemplo

factor número que se multiplica.

Mi ejemplo

familia de datos grupo de ecuaciones relacionadas que tienen los mismos números, ordenados de distinta manera, y dos símbolos de operaciones diferentes. Una familia de datos puede mostrar la relación que existe entre la suma y la resta o entre la multiplicación y la división.

Mi ejemplo

multiplicación operación que se usa para hallar el número total de objetos en un número dado de grupos de igual tamaño.

Mi ejemplo

multiplicar sumar el mismo número una y otra vez una cierta cantidad de veces. Se multiplica para hallar el número total de objetos que hay en grupos de igual tamaño.

Mi ejemplo

patrón serie de números o figuras que siguen una regla para repetirse o cambiar.

Mi ejemplo

producto el resultado de la multiplicación.

Mi ejemplo

regla procedimiento que se sigue para ir de un número o una figura al número o la figura siguiente de un patrón.

Mi ejemplo

tabla de multiplicación tabla que muestra multiplicaciones y sus resultados.

Mi ejemplo

Mi palabra: _____

Mi ejemplo

Mi palabra: _____

Mi ejemplo

Mi palabra: _____

Mi ejemplo

Mi palabra: _____

Mi ejemplo

Mi palabra: _____

Mi ejemplo

Mi palabra: _____

_____

_____

Mi ejemplo

Mi palabra: _____

_____

_____

Mi ejemplo

Mi palabra: _____

_____

_____

Mi ejemplo

Mi palabra: _____

_____

_____

Mi ejemplo

Mi palabra: _____

_____

_____

Mi ejemplo

Mi palabra: _____

_____

_____

Mi ejemplo

☑ COMPRUEBA TU PROGRESO

Antes de comenzar esta unidad, marca las destrezas que ya conoces. Al terminar cada lección, comprueba si puedes marcar otras.

Puedo . . .	Antes	Después
Comprender el área y hallar el área al teselar y multiplicar.	☐	☐
Hallar el área de un rectángulo combinado o una figura no rectangular sumando las áreas de los rectángulos que forman la figura.	☐	☐
Usar la multiplicación o la división para resolver problemas verbales de un paso.	☐	☐
Usar la suma, la resta, la multiplicación o la división para resolver problemas verbales de dos pasos.	☐	☐
Resolver problemas usando pictografías y gráficas de barras.	☐	☐
Hacer pictografías y gráficas de barras para mostrar datos.	☐	☐

Amplía tu vocabulario

REPASO

gráfica de barras longitud
medir pictografía
unidad

Vocabulario matemático

Completa la tabla jugando "Pienso en una palabra". En la primera columna, escribe las palabras en las que piensa tu maestro. Luego trabaja con un compañero para completar la segunda columna.

Escribe la palabra	Describe la palabra
1. medir	determinar la longitud, altura o el peso de una figura/objeto.
2. unidad	el area de una figura que tiene lados de 1 unidad de longitud.
3. longitud	una medida de distansia y va de un lado a otro.
4. Pictografia	repersentasion por dibuho.
5. gráfica de barras	repersentasion de datos en la cual se usan barras

Vocabulario académico

Pon una marca junto a las palabras académicas que ya conoces. Luego usa las palabras para completar las oraciones.

☑ reunir   ☑ interesante   ☑ desacuerdo   ☑ estrategia

1 Para completar una gráfica de barras, debo __reunir__ más datos.

2 Estoy en __desacuerdo__ con la respuesta. Tengo una respuesta distinta y puedo comprobar mi solución.

3 Usé la suma como __estrategia__ para hallar los resultados.

4 Disfruto leer, en especial cuando el cuento o el artículos es __interesate__

Comprende Área

Estimada familia:

Esta semana su niño está explorando la idea de medir el área.

El **área** es la cantidad de espacio que cubre una figura. En esta lección, los estudiantes aprenden que el área se mide con **unidades cuadradas**.

1 unidad cuadrada

Medirán el área de una figura cubriéndola exactamente con unidades cuadradas, usando estas tres reglas:

- Todas las unidades cuadradas deben tener el mismo tamaño.
- No puede haber espacios vacíos entre los cuadrados.
- Los cuadrados no pueden superponerse en ningún lugar.

Luego cuentan para hallar cuántas unidades cuadradas cubren la figura.

1	2	3	4
5	6	7	8
		9	10
		11	12

El área de esta figura es 12 unidades cuadradas.

Puede usar unidades cuadradas más pequeñas o más grandes para hallar el área de una figura. Solo se debe identificar el tamaño de la unidad que se está usando.

Los estudiantes verán que se necesitan menos unidades cuadradas grandes que unidades cuadradas pequeñas para cubrir completamente la misma figura.

Invite a su niño a compartir lo que sabe sobre área haciendo juntos la siguiente actividad.

1	2
	3

1 unidad cuadrada

ACTIVIDAD ÁREA

Haga la siguiente actividad con su niño para ayudarlo a comprender el concepto de área.

Trabaje con su niño para dibujar figuras que parezcan letras y luego hallar sus áreas.

Por ejemplo, la figura de la derecha parece la letra C.

Use este estilo para dibujar la inicial de su nombre en el papel cuadriculado de abajo.

- Halle el área de la letra que dibujó contando las unidades cuadradas.

- Ahora dibuje la letra de otra manera para que tenga un área diferente.

- ¿Pueden letras diferentes tener la misma área? Dibuje un ejemplo.

Explora Área

¿Cómo mides el área de una figura?

HAZ UN MODELO

Completa los siguientes problemas.

1 Hay diferentes maneras de medir una alfombra que tiene forma de rectángulo.

   a. Dibuja una alfombra rectangular a la derecha y rotula su longitud y su ancho.

   b. ¿Cómo podrías medir la longitud y el ancho de la alfombra?

2 **Área** es la cantidad de espacio que cubre una figura plana. El área de una alfombra es la cantidad de espacio que cubre en el piso. ¿Cómo crees que podrías medir el área de la alfombra de la derecha?

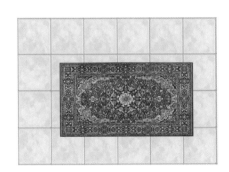

3 ¿En qué se diferencian tus maneras de medir del problema 1 y el problema 2?

HAZ UN MODELO

Completa los siguientes problemas.

4 El área se mide en unidades que cubren un espacio, llamadas **unidades cuadradas**.

Área = 1 unidad cuadrada

a. Encierra en un círculo la alfombra que crees que muestra la manera correcta de usar unidades cuadradas para medir su área.

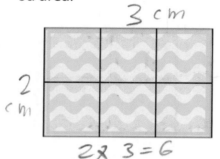

3 cm

2 cm

2 x 3 = 6

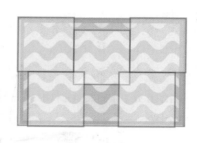

b. Explica por qué tu elección de la Parte a mide el área de manera correcta.

yo pienso que la 1 opsion es la mejor porque est en orden.

CONVERSA CON UN COMPAÑERO

• ¿Por qué era incorrecta la otra manera de medir el área en el problema 4a?

• Creo que las unidades cuadradas deben tener el mismo tamaño para hallar el área porque . . .

c. ¿Cuál es el área de la alfombra en unidades cuadradas?

_____6_____ unidades cuadradas

5 REFLEXIONA

Explica cómo usas unidades cuadradas para hallar el área de una figura.

las unidades cuadradas nos alluda a encontra el nemero

Prepárate para hallar el área

1 Piensa en lo que sabes acerca del área. Llena cada recuadro. Usa palabras, números y dibujos. Muestra tantas ideas como puedas.

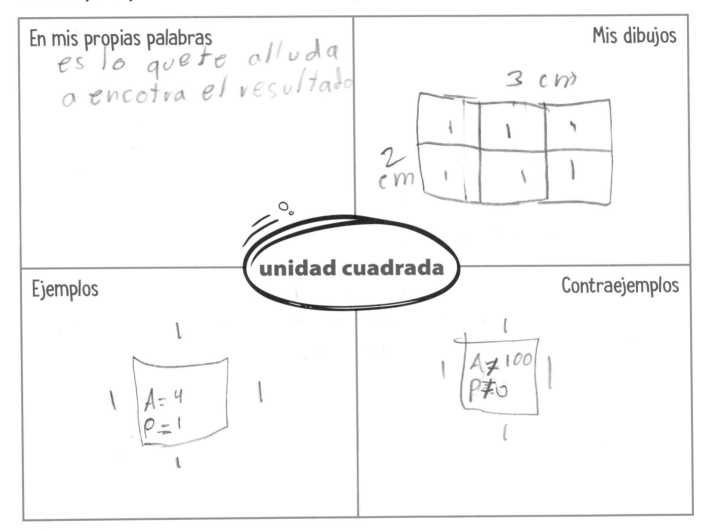

En mis propias palabras

es lo quete alluda a encotra el resultado

Mis dibujos

3 cm

2 cm

unidad cuadrada

Ejemplos

A = 4
P = 1

Contraejemplos

A ≠ 100
P ≠ 0

2 ¿Cómo crees que podrías medir el área de la alfombra de la derecha en unidades cuadradas?

Resuelve.

3 Encierra en un círculo la alfombra de abajo que crees que muestra la manera correcta de usar unidades cuadradas para medir su área.

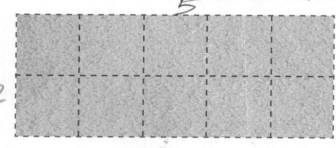

2

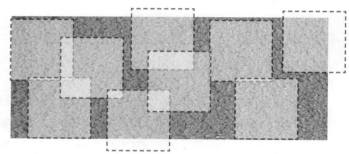

$$2 \times 5 = 10$$

4 Explica por qué tu elección en el problema 3 mide el área de manera correcta.

el numero uno es la correcta porque las lineas son iguales

A 2cm × 5cm = 10cm

10 uc

5 ¿Cuál es el área de la alfombra en unidades cuadradas?

.... 6 .... unidades cuadradas

©Curriculum Associates, LLC   Se prohíbe la reproducción.

Desarrolla Comprender el área

HAZ UN MODELO: FIGURAS RECTANGULARES

Resuelve estos dos problemas.

1 Mira el cuadrado *A* de la derecha.

a. Usa una regla de pulgadas para medir la
longitud y el ancho de la unidad cuadrada
que está junto al cuadrado *A*. ¿Cuál es el
área de esta unidad cuadrada?

........4........ pulgada cuadrada

b. ¿Cuál es el área del cuadrado *A*?

........1........ pulgadas cuadradas

Cuadrado *A*

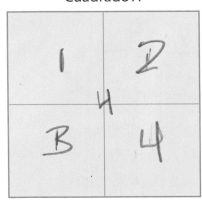

1 unidad
cuadrada

2 Mira el rectángulo *B*.

Rectángulo *B*

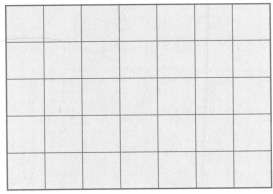

1 unidad
cuadrada

a. Usa una regla de centímetros para medir la longitud y el
ancho de la unidad cuadrada que está junto al rectángulo *B*.
¿Cuál es el área de esta unidad cuadrada?

........4.2........ centímetro cuadrado

b. ¿Cuál es el área del rectángulo *B*?

........1........ centímetros cuadrados

**CONVERSA CON
UN COMPAÑERO**

• ¿Cómo hallaste el área de
cada figura?

• Creo que se necesitarían
más centímetros cuadrados
que pulgadas cuadradas
para hallar el área de la
misma figura porque . . .

HAZ UN MODELO: FIGURAS NO RECTANGULARES

Enumera y cuenta las unidades cuadradas para hallar el área de cada figura.

3

| 1 | 2 | 3 |

Área = ……10…… unidades cuadradas

4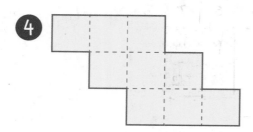

Área = ……9…… unidades cuadradas

CONVERSA CON UN COMPAÑERO

• ¿Hallaron tu compañero y tú el área de la figura del problema 4 de la misma manera?

• Creo que las unidades cuadradas son diferentes que las pulgadas cuadradas porque . . .

CONÉCTALO

Completa los siguientes problemas.

5 ¿En qué se parece hallar el área de una figura rectangular a hallar el área de una figura no rectangular?

$A = 2 \times 6 = 12$

6 Explica cómo hallar el área del rectángulo. Luego halla el área.

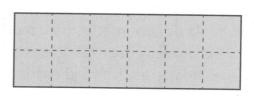

$A = 12$

Practica hallar el área

Estudia cómo el Ejemplo muestra cómo contar las unidades cuadradas para hallar el área. Luego resuelve los problemas 1 a 7.

EJEMPLO

La figura está cubierta con cuadrados del mismo tamaño. ¿Cuál es el área de esta figura?

Cuenta las unidades cuadradas. El área de la figura es de 12 unidades cuadradas. Debes usar cuadrados del mismo tamaño para hallar el área en unidades cuadradas.

1	2	3	4
5	6	7	8

	9	10	
	11	12	

⬜ = 1 unidad cuadrada

1 Cuenta para hallar cada área.

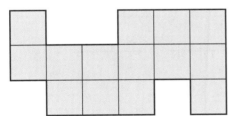

Área = _14_ unidades cuadradas   Área = _10_ unidades cuadradas

2 ¿Cuál es el área?

1 pulgada cuadrada

Área = _6_ pulgadas cuadradas

Vocabulario

área cantidad de espacio dentro de una figura plana cerrada.

unidad cuadrada el área de un cuadrado que tiene lados de 1 unidad de longitud.

3 ¿Cuál es el área de este rectángulo?

1	2	3	4	5	6
Y	8	a	10	11	12

 = 1 centímetro cuadrado

4 Ria dice que el área del rectángulo A es de 9 unidades cuadradas. ¿Estás de acuerdo? Explica.

no estoy deacuerdo porque las lineas no son iguales.

Rectángulo A

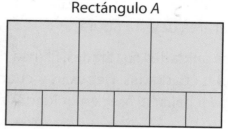

5 Completa los espacios en blanco.

El rectángulo B tiene ......15...... filas de cuadrados.

Hay ......5...... cuadrados en cada fila.

Rectángulo B

6 ¿Cómo puedes contar salteado para hallar el área del rectángulo B? Escribe el área.

3 X 5 = 15

7 ¿Cuál es el área del rectángulo C? ¿Cómo se compara esto con el área del rectángulo B? ¿Tienen los rectángulos el mismo tamaño? Explica.

5X3 = 15

Rectángulo C

Refina Ideas acerca de hallar el área

APLÍCALO

Completa estos problemas por tu cuenta.

1 COMPARA

Halla el área de cada una de las siguientes figuras.

Cada ☐ tiene un área de 1 metro cuadrado.

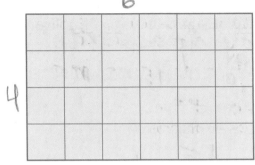

Cada ☐ tiene un área de 1 pie cuadrado.

Área = _____6_____   Área = ___24___

2 EXAMINA

Anna dice que el área de este rectángulo es de 12 unidades cuadradas porque cada rectángulo pequeño mide 1 unidad de largo. ¿Cuál es el error de Anna?

Que los lados son diferentes.

1	2	3
4	5	6
7	8	9
10	11	12

3 RELACIONA

Piensa en cómo podrías hallar el área de esta figura.

Primero dibuja las unidades cuadradas.

Luego enumera las unidades cuadradas para hallar el área de la figura.

Área = ___16___ unidades cuadradas

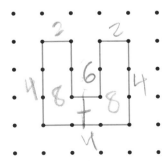

EN PAREJA

Comenta con un compañero tus soluciones a estos tres problemas.

Usa lo que aprendiste para resolver el problema 4.

4 Usa una regla y la siguiente cuadrícula de puntos para completar los problemas.

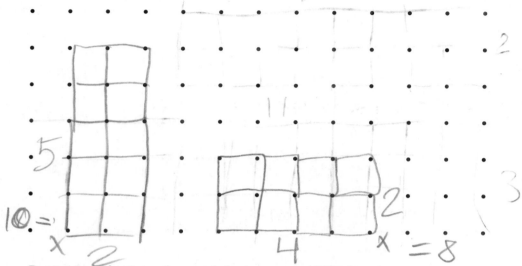

Parte A Dibuja en la cuadrícula un rectángulo que tenga un área de 8 unidades cuadradas. Rotúlalo con una *A*.

Parte B Dibuja en la misma cuadrícula un rectángulo que tenga un área mayor que 8 unidades cuadradas. Rotúlalo con una *B*.

Parte C ¿Cómo sabías de qué manera dibujar tu rectángulo *B* con un área mayor que 8 unidades cuadradas?

¿no entiendo?

5 DIARIO DE MATEMÁTICAS

Explica cómo hallas el área de un rectángulo dibujado en una cuadrícula de puntos.

¿no entiendo?

Explora **Multiplicar para hallar el área**

Ya has aprendido cómo hallar el área de un rectángulo contando el número de unidades cuadradas que lo cubren. Esta lección te ayudará a hallar el área usando la multiplicación. Usa lo que sabes para tratar de resolver el siguiente problema.

Objetivo de aprendizaje

- Hallar el área de un rectángulo cuyas longitudes laterales son números enteros teselándolo, mostrar que el área sería igual a la que se hallaría multiplicando las longitudes laterales.

EPM 1, 2, 3, 4, 5, 6, 7, 8

Jenny quiere hallar el área del rectángulo que se muestra. Pero se derramó un poco de tinta sobre él. ¿Cómo puede hallar el área si no puede contar todas las unidades cuadradas?

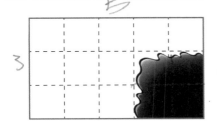

Área de un  = 1 unidad cuadrada.

PRUÉBALO

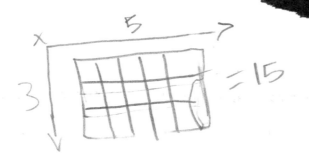

Herramientas matemáticas

- fichas cuadradas
- fichas
- papel cuadriculado
- herramienta de perímetro y área
- modelos de multiplicación

CONVERSA CON UN COMPAÑERO

Pregúntale: ¿Cómo empezaste a resolver el problema?

Dile: Yo ya sabía que … así que …

CONÉCTALO

1 REPASA

Explica cómo hallaste el área del rectángulo de Jenny si no podías ver todos los cuadrados. ¿Cuál es el área del rectángulo de Jenny?

el area del rectangulo es 15.

$$A = 3 \times 5 = 15 \quad A = 5 \times 3 = 15$$

2 SIGUE ADELANTE

Cuando conoces la longitud y el ancho de un rectángulo, no es necesario contar las unidades cuadradas para hallar el área. En cambio, puedes multiplicar.

a. El rectángulo de Jenny sin la tinta derramada es una matriz de cuadrados que se han colocado juntos. ¿Qué dos ecuaciones de multiplicación puedes escribir para describir esta matriz?

3 cuadrados de ancho

5 cuadrados de largo

b. Escribe una ecuación para multiplicar la **longitud** por el **ancho** del rectángulo. Explica cómo puedes usar la longitud y el ancho para hallar el área de un rectángulo.

$$5 \times 3 = 15$$
$$3 \times 5 = 15$$

c. Explica cómo 5 × 3 da la misma área que contar todos los cuadrados.

porque es como contar solamentar que lo multiplicas.

3 REFLEXIONA

¿En qué se parece hallar el área de un rectángulo a hallar el número de elementos que hay en una matriz?

Se paresen porque el area es lo que abi adentro del rectángulo.

Prepárate para multiplicar para hallar el área

1 Piensa en lo que sabes acerca de las medidas. Llena cada recuadro.
Usa palabras, números y dibujos. Muestra tantas ideas como puedas.

Palabra	En mis propias palabras	Ejemplo
longitud	Medir de un punto a otro.	cm
ancho	El ancho es lo grande.	
área	El are es lo que ahi dentro de la figura.	

2 Manny cuenta salteado de cuatro en cuatro 3 veces para hallar el área del rectángulo que se muestra. Lee multiplica la longitud del rectángulo por su ancho. Ambos dicen que el área del rectángulo es de 12 unidades cuadradas. Explica por qué con los dos métodos se llega a la misma respuesta.

$3 \times 4 = 12$
$4 \times 3 = 12$
$12 \div 4 = 3$
$12 \div 3 = 4$

3 Resuelve el problema. Muestra tu trabajo.

Marcos quiere hallar el área del rectángulo que se muestra. Pero se derramó un poco de tinta sobre él. ¿Cómo puede hallar el área si no puede contar todas las unidades cuadradas?

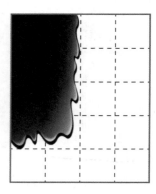

Área de un ☐ = 1 unidad cuadrada

$A = 4 \times 5 = 20\ cm$

Solución 20 cm

4 Comprueba tu respuesta. Muestra tu trabajo.

$4 \times 5 = 20$
$5 \times 4 = 20$
$20 \div 5 = 4$
$20 \div 4 = 5$

Desarrolla Multiplicar para hallar el área

Lee el siguiente problema y trata de resolverlo.

¿Cuál es el área del rectángulo?

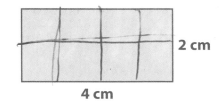

2 cm

4 cm

PRUÉBALO

$$A = 2 \times 4 = 8$$
$$A = 4 \times 2 = 8$$

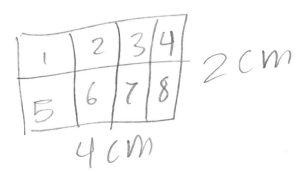

2 cm

4 cm

Herramientas matemáticas

- fichas cuadradas
- papel cuadriculado
- papel punteado
- herramienta de perímetro y área 🖱
- modelos de multiplicación 🖱

CONVERSA CON UN COMPAÑERO

Pregúntale: ¿Qué estrategia usaste?

Dile: La estrategia que usé para hallar la respuesta fue . . .

Explora diferentes maneras de entender cómo multiplicar para hallar el área.

¿Cuál es el área del rectángulo?

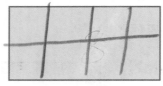

2 cm

4 cm

8 S

HAZ UN DIBUJO
Puedes usar fichas cuadradas para hallar el área.

El siguiente modelo muestra el rectángulo cubierto con cuadrados de 1 centímetro.

1	2	3	4
5	6	7	8

Área de un ☐ = 1 centímetro cuadrado

HAZ UN MODELO
También puedes usar una ecuación de multiplicación para hallar el área.

La longitud del rectángulo es de **4 centímetros**.
Usando cuadrados de 1 centímetro,
4 cuadrados llenarán una fila.

El ancho del rectángulo es de **2 centímetros**.
Usando cuadrados de 1 centímetro,
2 cuadrados llenarán una columna.

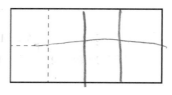

Se multiplica la longitud por el ancho
para hallar el área del rectángulo.

Área = **4** × **2** = 8
A = 2 × 4 = 8

CONÉCTALO

Ahora vas a usar el problema de la página anterior para ayudarte a entender cómo multiplicar para hallar el área.

1 ¿Cuántos cuadrados de 1 centímetro caben a lo largo del rectángulo? ....

¿Cuál es la longitud del rectángulo? .... centímetros

2 ¿Cuántos cuadrados de 1 centímetro caben a lo ancho del rectángulo? ....

¿Cuál es el ancho del rectángulo? .... centímetros

3 ¿Qué tienes que hallar en el problema?

4 La unidad de medida para la longitud y el ancho del rectángulo es el centímetro. ¿Cuál es la unidad de medida para el área?

5 Completa la siguiente ecuación para hallar el área del rectángulo.

longitud × **ancho** = **área**

.... centímetros × .... centímetros = ... centímetros cuadrados

6 El área del rectángulo es de .... centímetros cuadrados.

7 Explica cómo puedes usar fichas cuadradas o la multiplicación para hallar el área de un rectángulo.

8 REFLEXIONA

Repasa **Pruébalo**, las estrategias de tus compañeros, **Haz un dibujo** y **Haz un modelo**. ¿Qué modelos o estrategias prefieres para multiplicar para hallar el área de un rectángulo? Explica.

....

....

....

APLÍCALO

Usa lo que acabas de aprender para resolver estos problemas.

9 ¿Cuál es el área del cuadrado? Muestra tu trabajo.

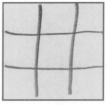

3 unidades

3 unidades

$A = 3 \times 3 = 9$

Solución ___9___

10 Sheigh tiene un rectángulo que mide 5 centímetros de largo. El área del rectángulo es de 10 centímetros cuadrados. ¿Cuál es el ancho del rectángulo? Muestra tu trabajo.

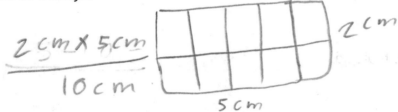

$$\frac{2\,cm \times 5\,cm}{10\,cm}$$

2 cm

5 cm

Solución ___2 cm___

11 Un rectángulo tiene una longitud de 8 pulgadas y un ancho de 6 pulgadas. ¿Cuál es el área del rectángulo? Muestra tu trabajo.

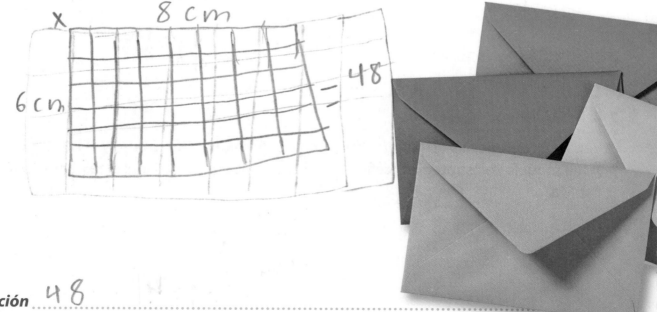

X   8 cm

6 cm   = 48

Solución ___48___

Practica multiplicar para hallar el área

Estudia el Ejemplo, que muestra cómo multiplicar para hallar el área. Luego resuelve los problemas 1 a 9.

EJEMPLO

Un rectángulo tiene una longitud de 4 centímetros y un ancho de 3 centímetros. ¿Cuál es el área?

Llena el rectángulo con cuadrados de 1 centímetro. Hay 4 cuadrados en una fila y hay 3 filas.

Puedes multiplicar para hallar el número total de cuadrados: $4 \times 3 = 12$.

El área es de 12 centímetros cuadrados.

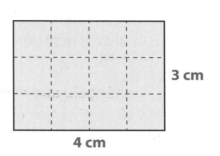
3 cm
4 cm

---

1 ¿Cuál es el área de este rectángulo? Escribe una ecuación.

| **longitud** | **×** | **ancho** | **=** | **área** |

_7_ unidades × _6_ unidades = _42_ unidades
cuadradas

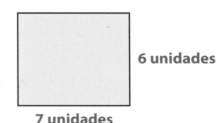
6 unidades
7 unidades

---

2 Un rectángulo tiene una longitud de 8 pulgadas y un ancho de 7 pulgadas. ¿Cuál es el área del rectángulo?

$7 \times 8 = 56$

---

3 Un cuadrado tiene lados que miden 4 centímetros de largo. ¿Cuál es el área? Escribe una ecuación.

1 cm
4 cm
$A = 4 \times 1 = 4$

---

4 Escribe una ecuación para hallar el área del rectángulo *A*. Luego escribe el área.

Ecuación $9 \times 3 = ?$

Área $A = 27$

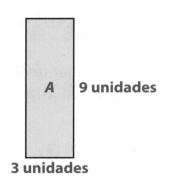

A | **9 unidades**

3 unidades

5 Un rectángulo tiene una longitud de 6 centímetros y un ancho de 5 centímetros. ¿Cuál es el área del rectángulo? Muestra tu trabajo.

5 cm

$6\ cm = 30$

6 ¿Cuál es el área de un cuadrado que tiene lados que miden 8 centímetros de largo? Muestra tu trabajo.

8 cm

1 cm $= 8$

7 ¿Cuál es el área del rectángulo *B*? Muestra tu trabajo.

$8 \times 4 = 32$

B | **8 unidades**

4 unidades

8 Lena dibuja un cuadrado que tiene un área mayor que el área del rectángulo *B*. ¿Cuáles son dos longitudes laterales posibles tiene del cuadrado de Lena? Explica.

$4 \times 9 = 36$

9 Pablo dibuja el rectángulo *P*. Dice que el área es mayor que 50 unidades cuadradas. ¿Cuál podría ser la longitud lateral desconocida? Explica.

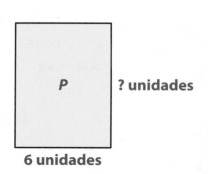

P | **? unidades**

6 unidades

$6 \times 8 = 48$

Desarrolla Resolver problemas verbales de área

Lee el siguiente problema y trata de resolverlo.

> El piso rectangular del dormitorio de Tyler mide 9 pies de ancho y 9 pies de largo. El piso rectangular del dormitorio de Suki mide 8 pies de ancho y 10 pies de largo. ¿Quién tiene el piso del dormitorio con mayor área?

PRUÉBALO

Herramientas matemáticas 🧰
- fichas cuadradas
- papel cuadriculado
- papel punteado
- herramienta de perímetro y área 👆
- modelos de multiplicación 👆

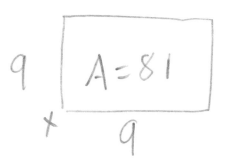

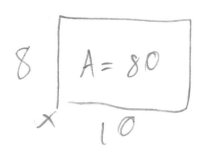

Explora diferentes maneras de entender cómo resolver problemas verbales de área.

> El piso rectangular del dormitorio de Tyler mide 9 pies de ancho y 9 pies de largo. El piso rectangular del dormitorio de Suki mide 8 pies de ancho y 10 pies de largo. ¿Quién tiene el piso del dormitorio con mayor área?

HAZ UN DIBUJO

Puedes usar modelos para ayudarte a multiplicar para hallar el área.

Los siguientes modelos muestran la longitud y el ancho del piso de los dormitorios de Tyler y Suki.

Piso del dormitorio de Tyler

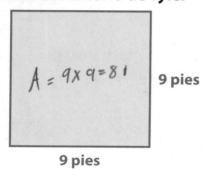

9 pies

9 pies

Piso del dormitorio de Suki

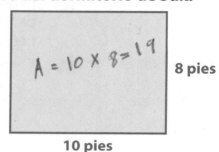

8 pies

10 pies

HAZ UN MODELO

También puedes usar ecuaciones de multiplicación para hallar el área.

Usa palabras para describir las medidas del piso de cada dormitorio.

Dormitorio de Tyler:

La **longitud** del piso es de **9** pies.
El **ancho** del piso es de **9** pies.

Dormitorio de Suki:

La **longitud** del piso es de **10** pies.
El **ancho** del piso es de **8** pies.

Multiplica la **longitud** por el **ancho** para hallar el área de cada piso.

Piso de Tyler: Área $= 9 \times 9$

Piso de Suki: Área $= 10 \times 8$

CONÉCTALO

Ahora vas a usar el problema de la página anterior para ayudarte a entender cómo resolver problemas verbales de área.

1 ¿Qué tienes que hallar en el problema?

2 ¿Qué unidades se usan para medir la longitud y el ancho de cada piso?

3 ¿Qué unidad debes usar para registrar el área de cada piso?

4 Completa la siguiente ecuación para hallar el área del piso del dormitorio de Tyler.

longitud × **ancho** = **área**

.... pies × .... pies = ... pies cuadrados

El área del piso del dormitorio de Tyler es de .... pies cuadrados.

5 Completa la siguiente ecuación para hallar el área del piso del dormitorio de Suki.

longitud × **ancho** = **área**

.... pies × .... pies = ... pies cuadrados

El área del piso del dormitorio de Suki es de .... pies cuadrados.

6 Por lo tanto, ... tiene el piso del dormitorio con mayor área.

7 Explica cómo sabes que el área del piso de cada dormitorio debe tener el rótulo "pies cuadrados".

8 REFLEXIONA

Repasa **Pruébalo**, las estrategias de tus compañeros, **Haz un dibujo** y **Haz un modelo**. ¿Qué modelos o estrategias prefieres para resolver problemas verbales de área? Explica.

....

....

APLÍCALO

Usa lo que acabas de aprender para resolver estos problemas.

9 Fran halló el área de un rectángulo multiplicando 5 unidades por 4 unidades. Dibuja el rectángulo de Fran. Rotula la longitud y el ancho. ¿Cuál es el área del rectángulo? Muestra tu trabajo.

Solución ....

10 Kayla dibuja el rectángulo que se muestra. James dibuja un rectángulo que tiene la misma área que el rectángulo de Kayla, pero diferentes longitudes laterales. ¿Cuáles son las longitudes laterales posibles para el rectángulo de James? Muestra tu trabajo.

2 unidades

9 unidades

Solución ....

11 Jan tiene una fotografía rectangular que mide 7 pulgadas de largo y 5 pulgadas de ancho. ¿Cuánto espacio cubrirá esta fotografía en el album de fotografías de Jan? Muestra tu trabajo.

Solución ....

Practica resolver problemas verbales de área

**Estudia el Ejemplo, que muestra cómo resolver un problema verbal de área.
Luego resuelve los problemas 1 a 6.**

EJEMPLO

El jardín de Ana mide 7 pies de largo y 7 pies de ancho. El jardín de Noah mide 8 pies de largo y 6 pies de ancho. ¿Qué jardín tiene menor área?

Puedes hacer un modelo. Luego multiplicar la longitud por el ancho para hallar el área de cada jardín.

Ana: 7 × 7 = 49 pies cuadrados
Noah: 8 × 6 = 48 pies cuadrados

El jardín de Noah tiene menor área.

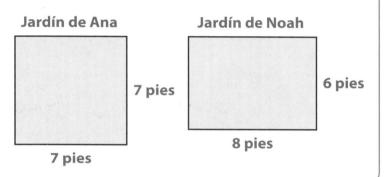

Jardín de Ana

7 pies

7 pies

Jardín de Noah

6 pies

8 pies

---

1. El pupitre de Roberto tiene forma de rectángulo y mide 4 pies de largo y 2 pies de ancho. ¿Cuál es el área del pupitre de Roberto? Completa los espacios en blanco.

     longitud   ×   ancho   =   área

     ____4____ pies × ____2____ pies = ____8____ pies cuadrados

2. Muestra cómo hallar el área de esta alfombra.

   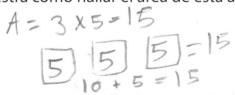

   $A = 3 \times 5 = 15$

   $\boxed{5} \; \boxed{5} \; \boxed{5} = 15$

   $10 + 5 = 15$

   3 pies

   5 pies

3. Vera compra una alfombra como la del problema 2. La alfombra de Vera es cuadrada. Tiene lados que miden 4 pies de largo. ¿Cubre la alfombra de Vera más o menos área que la alfombra del problema 2? Explica.

   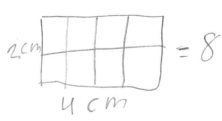

   $A = 4 \times 2 = 8$

   2 cm

   4 cm

   = 8

4 Aiden imprime una fotografía rectangular que mide 4 unidades de ancho y
6 unidades de largo. Bella imprime una fotografía cuadrada. Tiene 5 unidades
en cada lado. Dibuja las fotografías y rotula las longitudes laterales. Escribe el
área de cada una.

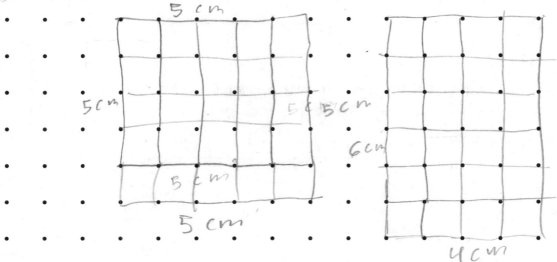

5 Dibuja y rotula un rectángulo que tenga un área menor que el área de un
cuadrado que tiene 3 unidades en cada lado. Escribe el área del rectángulo.

6 Ron compra una alfombra rectangular para su dormitorio. La alfombra mide
8 pies de largo y 5 pies de ancho. El piso de su dormitorio tiene forma de
cuadrado y mide 10 pies de largo y 10 pies de ancho. ¿Qué parte del piso del
dormitorio de Ron NO cubrirá la alfombra? Muestra tu trabajo.

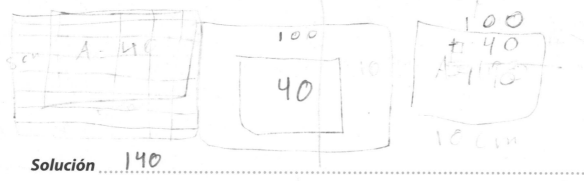

Solución 140

Refina Multiplicar para hallar el área

Completa el Ejemplo siguiente. Luego resuelve los problemas 1 a 8.

EJEMPLO

La Sra. Cruz coloca una alfombra en la sala de estar. La longitud y el ancho de la habitación se muestran abajo. ¿Cuántos pies cuadrados de alfombra necesita la Sra. Cruz para cubrir todo el piso?

Sala de estar

8 pies

9 pies

Mira cómo podrías mostrar tu trabajo usando la multiplicación.

longitud × ancho =   área

9 pies × 8 pies = 72 pies cuadrados

Solución ....

El estudiante multiplica la longitud por el ancho para hallar el área.

EN PAREJA
¿De qué otra manera podrías resolver este problema?

APLÍCALO

1 Marcia halla el área de un cuadrado. La longitud de un lado del cuadrado es de 5 centímetros. ¿Cuál es el área del cuadrado? Muestra tu trabajo.

5 cm

3 cm | A = 25 cm

Todos los lados de un cuadrado tienen la misma longitud.

EN PAREJA
¿Cómo resolvieron tu compañero y tú este problema?

Solución ....

2 La Sra. Clark construye un patio rectangular que mide 4 yardas de largo y 3 yardas de ancho. Tiene suficientes ladrillos para cubrir un área de 14 yardas cuadradas. ¿Tiene la Sra. Clark suficientes ladrillos para construir el patio? Explica. Muestra tu trabajo.

Creo que hay al menos dos pasos diferentes que debes seguir para resolver este problema.

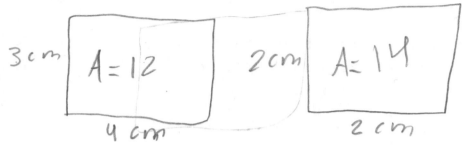

3cm A=12 4cm   2cm A=14 2cm

Solución _____

_____

EN PAREJA
¿Cómo podrías usar un dibujo para resolver este problema?

3 ¿Cuál es el área del rectángulo que se muestra abajo?

Para hallar el área del rectángulo, ¿sumas o multiplicas?

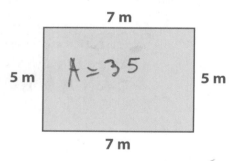

7 m
5 m   A = 35   5 m
7 m

Ⓐ 35 metros cuadrados ✓

Ⓑ 24 metros cuadrados

Ⓒ 12 metros cuadrados

Ⓓ 7 metros cuadrados

Bobby eligió Ⓑ como la respuesta correcta. ¿Cómo obtuvo él esa respuesta?

?

EN PAREJA
Para resolver el problema, ¿es necesario que la medida de cada lado del rectángulo esté rotulada? ¿Por qué sí o por qué no?

4 El Sr. Frank coloca azulejos en la pared del baño encima de la bañera. El modelo muestra la longitud y el ancho de la pared. ¿Cuántos pies cuadrados de azulejos necesita para cubrir la pared?

Ⓐ 49 pies cuadrados

Ⓑ 42 pies cuadrados ✓

Ⓒ 26 pies cuadrados

Ⓓ 13 pies cuadrados

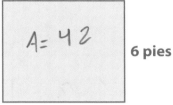

A= 42

6 pies

7 pies

5 ¿Cuál de las siguientes figuras tiene un área de 12 pies cuadrados?

Ⓐ 6 pies

6 pies

Ⓑ 3 pies

3 pies

✓ Ⓒ 2 pies

6 pies

Ⓓ 2 pies

4 pies

6 El área de un patio rectangular es de 24 yardas cuadradas. ¿Qué medidas podrían tener la longitud y el ancho del patio?

Ⓐ longitud: 8 yardas, ancho: 4 yardas

Ⓑ longitud: 5 yardas, ancho: 5 yardas

Ⓒ longitud: 6 yardas, ancho: 3 yardas

Ⓓ longitud: 6 yardas, ancho: 4 yardas

Ⓔ longitud: 8 yardas, ancho: 3 yardas

7 Rita hace una colcha de retazos. Está hecha con 45 cuadrados de tela y mide 9 cuadrados de largo.

9 cuadrados de largo

5 cm

? cuadrados de ancho

Completa la siguiente ecuación para mostrar cuántos cuadrados de ancho mide la colcha. Usa números de la siguiente lista.

| 4 | 5 | 6 | 9 | 45 |

$$\underline{5} \times \underline{9} = \underline{45}$$

8 DIARIO DE MATEMÁTICAS

Dibuja un rectángulo. Rotula su longitud y su ancho. Luego explica cómo hallar el área de tu rectángulo. Usa una ecuación de multiplicación en tu explicación.

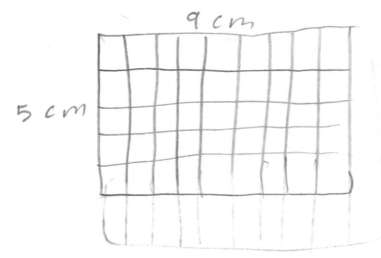

9 cm

5 cm

 COMPRUEBA TU PROGRESO Vuelve al comienzo de la Unidad 3 y mira qué destrezas puedes marcar.

Explora **Sumar áreas**

Antes aprendiste a contar cuadrados y a usar la multiplicación para hallar las áreas de rectángulos con lados de números enteros. Usa lo que sabes para tratar de resolver el siguiente problema.

Objetivo de aprendizaje

- Reconocer que el área es aditiva. Hallar el área de figuras rectilíneas descomponiéndolas en rectángulos que no se superponen y sumando las áreas de las partes no superpuestas, aplicando esta técnica para resolver problemas del mundo real.

EPM 1, 2, 3, 4, 5, 6, 7

Ayana hace un cartel que mide 3 pies de largo y 2 pies de ancho. Raul hace un cartel que mide 3 pies de largo y 1 pie de ancho. Cuelgan los carteles en la pared de su salón de clase, como se muestra. ¿Cuál es el área total de la pared que cubren los carteles?

3 pies

2 pies

1 pie

3 pies

PRUÉBALO

ayana

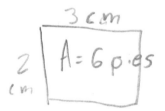

3 cm

2 cm   A = 6 pies

Raul

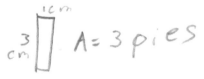

1 cm

3 cm   A = 3 pies

6 + 3 = 9

Herramientas matemáticas

- fichas cuadradas
- papel cuadriculado
- papel punteado
- herramienta de perímetro y área
- modelos de multiplicación

CONVERSA CON UN COMPAÑERO

Pregúntale: ¿Estás de acuerdo conmigo? ¿Por qué sí o por qué no?

Dile: Yo ya sabía que . . . así que . . .

CONÉCTALO

1 REPASA

Explica cómo hallar el área de la pared cubierta por ambos carteles.

suma 6 y 3 y te dava el aved de lo paved.

2 SIGUE ADELANTE

Un rectángulo combinado es un rectángulo compuesto por más de un rectángulo. Puedes hallar el área de un rectángulo combinado de diferentes maneras.

Mira este rectángulo formado por dos rectángulos.

2 pulg. | A | B | 2 pulg.

2 pulg.   1 pulg.

a. Completa estas ecuaciones para mostrar cómo puedes hallar el área total sumando el área de los dos rectángulos más pequeños:

Rectángulo A: ....**2**.... pulgadas × ....**2**.... pulgadas = ...**4**.... pulgadas cuadradas

Rectángulo B: ....**1**.... pulgadas × ....**2**.... pulgadas = ...**2**.... pulgadas cuadradas

cuadardo

Rectángulo A + B: ....**4**.... pulgadas cuadradas + ...**2**.... pulgadas cuadradas = ...**6**.... pulgadas cuadradas

b. Piensa en los dos rectángulos como un solo rectángulo. Completa la ecuación para mostrar cómo puedes hallar el área total multiplicando las longitudes laterales.

Rectángulo: ....**6**.... pulgadas × ....**6**.... pulgadas = ...**36**.... pulgadas cuadradas

3 REFLEXIONA

¿Por qué crees que con ambas estrategias se obtiene la misma área total para el rectángulo?

....

....

....

Prepárate para sumar áreas

1. Piensa en lo que sabes acerca del área. Llena cada recuadro. Usa palabras, números y dibujos. Muestra tantas ideas como puedas.

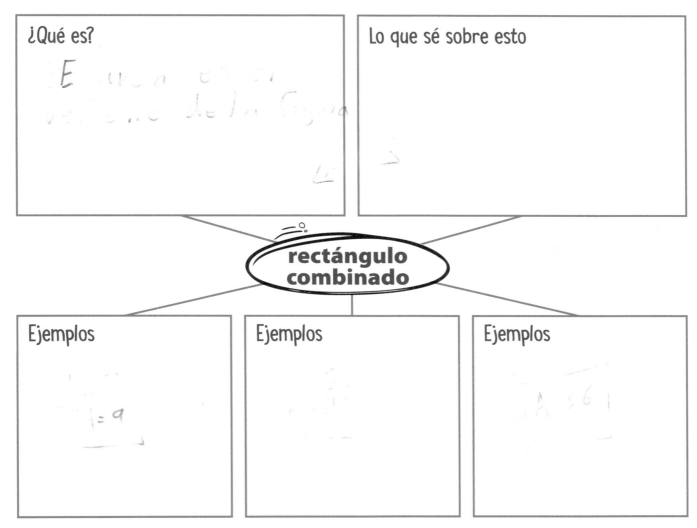

¿Qué es?

Lo que sé sobre esto

rectángulo combinado

Ejemplos

Ejemplos

Ejemplos

2. ¿Formaron tanto Lola como Eric un rectángulo combinado usando los rectángulos A y B? Explica.

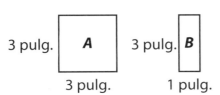

3 pulg. | A
3 pulg.

3 pulg. | B
1 pulg.

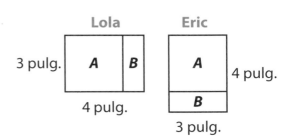

Lola   Eric

3 pulg. | A | B   A | 4 pulg.

4 pulg.   B

3 pulg.

3 Resuelve el problema. Muestra tu trabajo.

Kelsie tiene una alfombra que mide 4 pies de largo y 3 pies de ancho. Greg tiene una alfombra que mide 3 pies de largo y 2 pies de ancho. Colocan las alfombras en el piso, como se muestra. ¿Cuál es el área total del piso que cubren las alfombras?

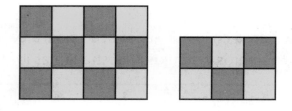

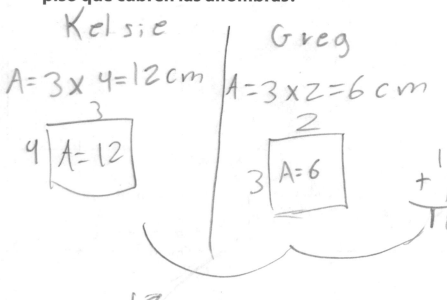

Kelsie

$A = 3 \times 4 = 12$ cm

$4 \overline{\smash{\big)} A = 12}$ 3

Greg

$A = 3 \times 2 = 6$ cm

$3 \overline{\smash{\big)} A = 6}$ 2

$\begin{array}{r} 12 \\ + 6 \\ \hline 18 \end{array}$

Solución 18

4 Comprueba tu respuesta. Muestra tu trabajo.

Desarrolla Hallar áreas de rectángulos combinados

Lee el siguiente problema y trata de resolverlo.

Se muestra el huerto de la Sra. Chang. Tiene forma de rectángulo. Cultiva tomates en una parte y maíz en la otra parte.

↓ **¿Cuál es el área del huerto?**

3 pies {

5 pies   4 pies

PRUÉBALO

Herramientas matemáticas

- fichas cuadradas
- papel cuadriculado
- papel punteado
- herramienta de perímetro y área
- modelos de multiplicación

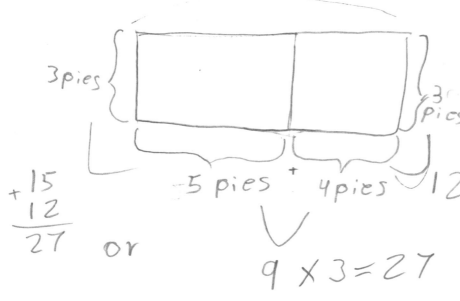

3pies {   } 3 pies

+15
 12
―――
 27   or

5 pies + 4pies 12

9 × 3 = 27

CONVERSA CON UN COMPAÑERO

Pregúntale: ¿Cómo empezaste a resolver el problema?

Dile: No sé bien cómo hallar la respuesta porque . . .

Explora diferentes maneras de entender cómo sumar áreas.

> **Se muestra el huerto de la Sra. Chang. Tiene forma de rectángulo. Cultiva tomates en una parte y maíz en la otra parte.**
> **¿Cuál es el área del huerto?**

3 pies

5 pies   4 pies

HAZ UN DIBUJO

Puedes hallar el área de un rectángulo grande separándolo en dos rectángulos más pequeños.

Usa unidades cuadradas para hallar el área de cada rectángulo pequeño. Luego suma las dos áreas para hallar el área del rectángulo grande.

Tomates   **Maíz**

1	2	3	4	5	1	2	3	4
6	7	8	9	10	5	6	7	8
11	12	13	14	15	9	10	11	12

Cada unidad cuadrada tiene un área de 1 pie cuadrado.

15 unidades cuadradas + **12 unidades cuadradas** = ? *27*

HAZ UN MODELO

Puedes hallar el área de un rectángulo multiplicando su longitud por su ancho.

La longitud del rectángulo es de **5 pies** + **4 pies**, o **9 pies**.

El ancho del rectángulo es de **3 pies**.

$9 \times 3 = ?$ *27*

3 pies

5 pies   4 pies

CONÉCTALO

Ahora vas a usar el problema de la página anterior para ayudarte a entender cómo sumar áreas.

1 Mira **Haz un modelo**. La ecuación 9 × 3 = ? se usa para hallar el área. Explica qué representa cada factor en la ecuación.

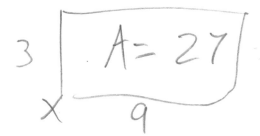

3 | A = 27
      9

2 La imagen del huerto en **Haz un modelo** muestra la longitud separada en dos números menores.

¿Cuáles son estos dos números? ....

3 Puedes usar estos números para hallar el área de las dos partes del huerto.

..... 5 ..... × 3 = ... 15 .... 4 ..... × 3 = ... 12 .....

4 Puedes sumar el área de las dos partes para hallar el área de todo el huerto.

..... 12 ..... + ... 15 ..... = ... 27 .....

El área del huerto es de ... 27 ..... pies cuadrados.

5 Explica cómo se puede hallar el área de un rectángulo sumando el área de los dos rectángulos más pequeños que lo forman.

3 | A = 27
  ⨯   9

6 REFLEXIONA

Repasa **Pruébalo**, las estrategias de tus compañeros, **Haz un dibujo** y **Haz un modelo**. ¿Qué modelos o estrategias prefieres para hallar el área de rectángulos combinados? Explica.

....

....

....

....

APLÍCALO

Usa lo que acabas de aprender para resolver estos problemas.

7 ¿Cuál es el área de la figura de la derecha? Muestra tu trabajo.

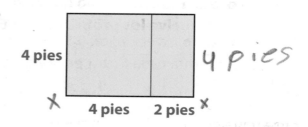

4 pies

4 pies

4 pies   2 pies

$4 \times 4 = 16$
$2 \times 4 = 8$
24

Solución ....

8 ¿Cuántas baldosas cuadradas de 1 metro se necesitan para cubrir la figura de abajo? Muestra tu trabajo.

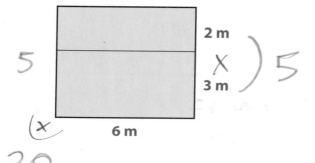

2 m

3 m

6 m

5

X) 5

(x

30
+ 5
35

Solución .... 35 ....

9 ¿Cuál es el área de esta figura?

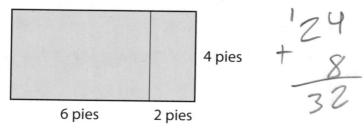

4 pies

6 pies   2 pies

24
+ 8
32

Ⓐ 12 pies cuadrados

Ⓑ 18 pies cuadrados

Ⓒ 20 pies cuadrados

Ⓓ 32 pies cuadrados ✓

Practica hallar áreas de rectángulos combinados

Estudia el Ejemplo, que muestra cómo hallar el área de rectángulos combinados. Luego resuelve los problemas 1 a 6.

EJEMPLO

El diagrama muestra cómo la maestra Rigby cubre su tablero de avisos con papel de colores. ¿Cuál es el área de todo el tablero de avisos?

Puedes contar las unidades cuadradas. Hay 32 cuadrados.

Puedes multiplicar la longitud por el ancho.
Longitud = 2 pies + 6 pies, u 8 pies
Ancho = 4 pies
$8 \times 4 = 32$

1	2	3	4	5	6	7	8
9	10	11	12	13	14	15	16
17	18	19	20	21	22	23	24
25	26	27	28	29	30	31	32

4 pies

2 pies   6 pies
Área = 32 pies cuadrados

Usa el tablero de avisos del Ejemplo para resolver los problemas 1 y 2.

1 Escribe una ecuación para el área de cada sección coloreada del tablero de avisos.

sección roja: 8

sección azul: 24⁺

2 Suma el área de las dos secciones. ¿Cómo se compara esta área con la respuesta del Ejemplo?

$$\begin{array}{r} +24 \\ 8 \\ \hline 32 \end{array}$$

3 El corral del perro de Baxter tiene una sección pequeña cubierta y una sección grande al descubierto. ¿Cuál es el área total del corral del perro?

Corral del perro de Baxter

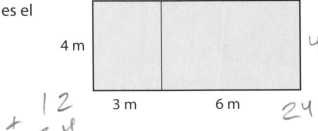

4 m

3 m   6 m   24

4

$$\begin{array}{r} 12 \\ + 24 \\ \hline 36 \end{array}$$

4 Joaquin hace dos dibujos en tarjetas pequeñas. El diagrama muestra cómo las cuelga juntas en la pared. Completa los espacios en blanco.

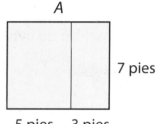

6 pulg.

5 pulg.

4 pulg.

6 pulg

a. El área gris es de ___30___ pulgadas cuadradas.

b. El área roja es de ___24___ pulgadas cuadradas.

c. El área total es de ___54___ pulgadas cuadradas.

5 Muestra cómo hallar el área de la figura A.

?

A

7 pies

5 pies   3 pies

6 Mila y su mamá colocan baldosas de dos colores en el piso del cuarto de juego. Tienen 70 baldosas de color azul oscuro y 30 baldosas de color azul claro. Cada baldosa mide 1 pie cuadrado. El diagrama muestra el plan de Mila.

5 pies   4 pies

8 pies

color azul oscuro

color azul claro

a. Muestra cómo hallar el área total a la que le están poniendo baldosas.

?

b. ¿Funcionará el plan de Mila con las baldosas que tiene? Explica.

?

Desarrolla Hallar áreas de figuras no rectangulares

Lee el siguiente problema y trata de resolverlo.

Elsa usa fichas cuadradas de 1 pulgada para formar la figura que se muestra. ¿Cuál es el área de la figura de Elsa?

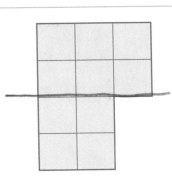

PRUÉBALO

$$A = 2 \times 3 = 6 \; pulg$$
$$+$$
$$A = 2 \times 2 = \underline{4 \; pulg}$$
$$1.0$$

Herramientas matemáticas

- fichas de 1 pulgada
- papel cuadriculado de 1 pulgada
- papel punteado
- herramienta de perímetro y área
- modelos de multiplicación
- rectas numéricas

CONVERSA CON UN COMPAÑERO

Pregúntale: ¿Puedes explicarme eso otra vez?

Dile: Estoy de acuerdo contigo en que . . . porque . . .

Explora diferentes maneras de entender cómo hallar el área de figuras no rectangulares.

Elsa usa fichas cuadradas de 1 pulgada para formar la figura que se muestra. ¿Cuál es el área de la figura de Elsa?

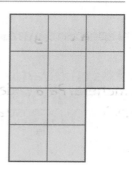

HAZ UN DIBUJO

Puedes hallar el área de una figura contando el número de unidades cuadradas que la cubren.

Hay 10 unidades cuadradas. Cada unidad cuadrada tiene un área de 1 pulgada cuadrada.

$$2 \times 5 = 10$$
$$5 \times 2 = 10$$
$$10 \div 5 = 2$$
$$10 \div 2 = 5$$

1	2	3
4	5	6
7	8	
9	10	

HAZ UN MODELO

Puedes hallar el área de una figura separándola en figuras más pequeñas.

Una manera:

Puedes separar la figura de Elsa en dos figuras más pequeñas de esta manera:

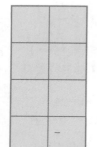

Área = 2 pulgadas cuadradas

Área = 8 pulgadas cuadradas

Otra manera:

Puedes separar la figura de Elsa en dos figuras más pequeñas diferentes de esta manera:

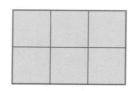

Área = 6 pulgadas cuadradas

Área = 4 pulgadas cuadradas

CONÉCTALO

Ahora vas a usar el problema de la página anterior para ayudarte a entender cómo hallar el área de figuras no rectangulares.

1 **Haz un modelo** muestra dos maneras de separar la figura de Elsa. Mira la primera manera. Para cada figura más pequeña, escribe una ecuación de multiplicación para mostrar su área.

$2 \times 2 = 4$ $2 \times 3 = 6$

Escribe una ecuación de suma para mostrar el área total de la figura de Elsa.

$4 + 6 = 10$

El área total de la figura de Elsa es de ___10___ pulgadas cuadradas.

2 Mira la segunda manera de separar la figura de Elsa. Para cada figura más pequeña, escribe una ecuación de multiplicación para mostrar su área.

$4 \times 2 = 8$ $1 \times 2 = 2$

Escribe una ecuación de suma para mostrar el área total de la figura de Elsa.

$8 + 2 = 10$

El área total de la figura de Elsa es de ___10___ pulgadas cuadradas.

¿Cómo se compara esta área total con el área total que hallaste en el problema 1?

dan la misma respuesta

3 Mike separa una figura en dos figuras más pequeñas. Rick separa la misma figura en dos figuras diferentes. Explica cómo sabes que el área total de las dos figuras de Mike es igual al área total de las dos figuras de Rick.

4 **REFLEXIONA**

Repasa **Pruébalo**, las estrategias de tus compañeros, **Haz un dibujo** y **Haz un modelo**. ¿Qué modelos o estrategias prefieres para hallar el área de figuras no rectangulares? Explica.

APLÍCALO

Usa lo que acabas de aprender para resolver estos problemas.

5 ¿Cuál es el área total de esta figura?
Muestra tu trabajo.

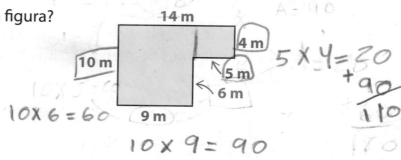

14 m

4 m

10 m

5 m

6 m

9 m

$A = 90$

$5 \times 4 = 20$
$+ 90$
110

$10 \times 6 = 60$

$10 \times 9 = 90$

Solución 110 m

6 ¿Cuál es el área de esta figura? Muestra tu trabajo.

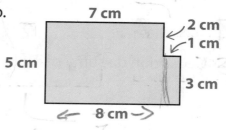

7 cm

2 cm

1 cm

5 cm

3 cm

8 cm

35
$+ \ 3$
$\overline{38}$

Solución 38 cm

7 Opal dibuja este modelo de una mesa de picnic. ¿Cuál es el
área total de la mesa de picnic? Muestra tu trabajo.

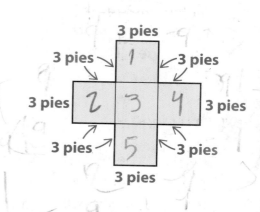

3 pies

3 pies · 1 · 3 pies

3 pies · 2 · 3 · 4 · 3 pies

3 pies · 5 · 3 pies

3 pies

$A = 3 \times 3 = 9$

$A = 9 \times 5 = 45$

Solución 45 pies

Practica hallar áreas de figuras no rectangulares

Estudia el Ejemplo, que muestra cómo hallar el área de figuras que no son rectángulos. Luego resuelve los problemas 1 a 10.

EJEMPLO

El maestro Carey forma esta figura con fichas de 1 pulgada.
Pide a sus estudiantes que hallen el área.
Dos estudiantes muestran su trabajo.

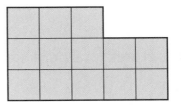

Manera de Renata

1	2	3		
4	5	6	7	8
9	10	11	12	13

Manera de Marco

3 pulgadas cuadradas

+

10 pulgadas cuadradas

---

1. Marco separa la figura en dos rectángulos. Dibuja dos rectángulos para mostrar la manera de Marco.

2. Escribe ecuaciones de multiplicación para mostrar el área de cada rectángulo que dibujaste en el problema 1.

   __1__ pulgadas × __3__ pulgadas = __3__ pulgadas cuadradas

   __2__ pulgadas × __5__ pulgadas = __10__ pulgadas cuadradas

3. Escribe una ecuación de suma para mostrar el área total de la figura.

   __10__ pulgadas cuadradas + __3__ pulgadas cuadradas = __13__ pulgadas cuadradas

Manera de Marco

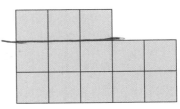

4. Sara separa la figura en dos rectángulos de una manera diferente. Dibuja dos rectángulos para mostrar la manera de Sara. Luego muestra cómo hallar el área total.

Manera de Sara

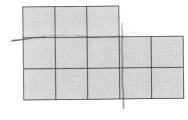

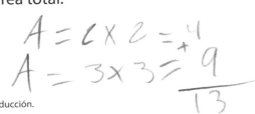

$$A = 6 \times 2 = 4$$
$$A = 3 \times 3 = 9$$
$$\overline{13}$$

Usa la figura de arriba para resolver los problemas 5 a 7.

5 Sombrea el rectángulo en esta figura que mide 5 pulgadas de largo y 2 pulgadas de ancho. ¿Cuál es el área de este rectángulo?

6 ¿Cuál es el área del rectángulo que no está sombreado?

6

7 ¿Cuál es el área total de la figura?

10

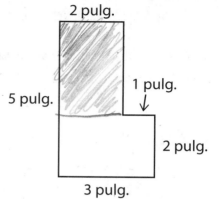

8 Traza una línea para separar la figura A en 2 rectángulos. Luego halla el área total.

$A = 2 \times 1 = 2$
$A = 2 \times 1 = 2$
$A = 3 \times 4 = 12$

20

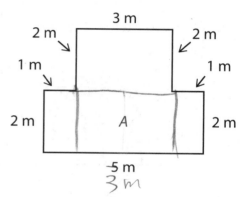

9 Traza líneas para separar la figura B en 3 rectángulos. Luego halla el área total.

$A = 2 \times 1 = 2$
$A = 2 \times 1 = 2$
$A = 3 \times 4 = 12$

?

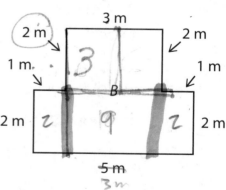

10 Traza líneas para mostrar dos maneras de separar esta figura en rectángulos. Luego halla el área total.

$A = 3 \times 8 = 24$
$A = 3 \times 5 = 15$
39

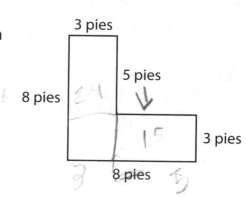

Refina Sumar áreas

Completa el Ejemplo siguiente. Luego resuelve los problemas 1 a 7.

EJEMPLO

Miguel dibuja esta figura en su cuaderno.

¿Cuál es el área de la figura de Miguel?

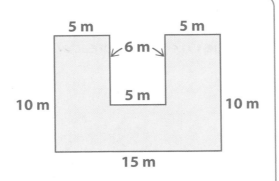

5 m   5 m

6 m

5 m

10 m   10 m

15 m

Mira cómo podrías mostrar tu trabajo separando la figura en 3 rectángulos.

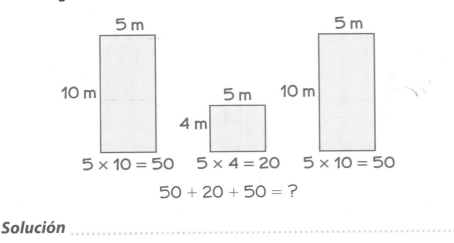

5 m   5 m   5 m

10 m   4 m   10 m

$5 \times 10 = 50$ $5 \times 4 = 20$ $5 \times 10 = 50$

$50 + 20 + 50 = ?$

Solución _____

El estudiante separa la figura en 3 rectángulos más pequeños y luego suma el área de estas figuras para hallar el área de la figura de Miguel.

EN PAREJA

¿De qué otra manera puedes separar la figura?

APLÍCALO

1 ¿Cuál es el área de la siguiente figura?

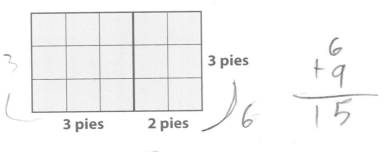

3

3 pies

9

3 pies   2 pies

6

$\begin{array}{r} 6 \\ + 9 \\ \hline 15 \end{array}$

Hay al menos dos maneras de resolver este problema.

EN PAREJA

Compara la manera en la que tu compañero y tú resolvieron el problema.

Solución _____ 15

2

Seth usa fichas cuadradas de 1 pulgada para formar la figura que se muestra abajo.

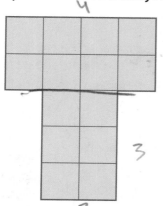

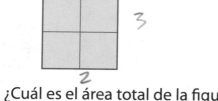

$A = 2 \times 4 = 8$
$A = 2 \times 3 = 6$

$8 + 6 = 14$

¿Cuál es el área total de la figura de Seth?

Solución 14

¿Cómo contar te ayuda a resolver este problema?

EN PAREJA
¿De qué otra manera podrías resolver este problema?

3

Kale hace un modelo de una pajarera.

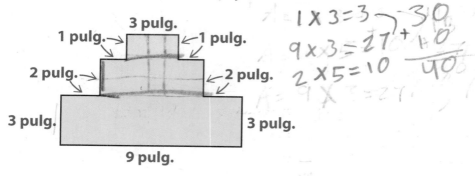

1 X 3 = 3 ⟩ 30
9 x 3 = 27 + 10
2 X 5 = 10   40
A = 9 X 3 = 27

¿Es el área la distancia alrededor de una figura o la cantidad de espacio que cubre la figura?

¿Cuál es el área total de la pajarera?

Ⓐ 30 pulgadas

Ⓑ 30 pulgadas cuadradas

Ⓒ 40 pulgadas

Ⓓ 40 pulgadas cuadradas

Sue eligió Ⓒ como la respuesta correcta. ¿Cómo obtuvo ella esa respuesta?

porque lmultiplica y despues sumo.

EN PAREJA
¿Tiene sentido la respuesta de Sue?

4 La Sra. Ambrose hace el siguiente modelo de su nuevo patio y jardín con rocas.

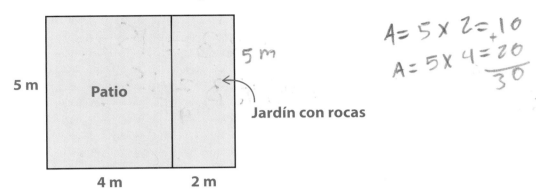

$A = 5 \times 2 = 10$
$A = 5 \times 4 = 20$
$\overline{30}$

¿Cuál es el área total del nuevo patio y jardín con rocas de la Sra. Ambrose?

Ⓐ 22 metros

Ⓑ 22 metros cuadrados

Ⓒ 30 metros

Ⓓ 30 metros cuadrados ✓

5 A la derecha se muestran dos rectángulos que se han combinado.

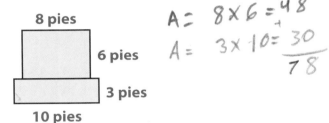

$A = 8 \times 6 = 48$
$A = 3 \times 10 = 30$
$\overline{78}$

Si se combina cada rectángulo de abajo con los dos rectángulos de arriba, ¿se formaría una figura que tiene un área de 98 pies cuadrados?

	Sí	No
8 pies / 3 pies	Ⓐ	Ⓑ
10 pies / 2 pies	Ⓒ	Ⓓ
5 pies / 4 pies	Ⓔ	Ⓕ
9 pies / 2 pies	Ⓖ	Ⓗ

6 Halla las medidas desconocidas de la siguiente figura. Luego separa la figura en dos rectángulos para hallar su área.

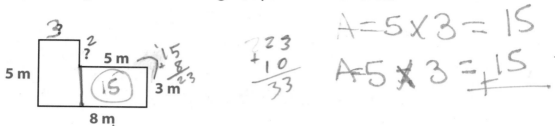

El área es de .... metros cuadrados.

7 DIARIO DE MATEMÁTICAS

Dibuja tu propia figura formada por al menos 2 rectángulos. Rotula las dimensiones de tu figura. Halla el área total. Luego explica cómo hallaste el área.

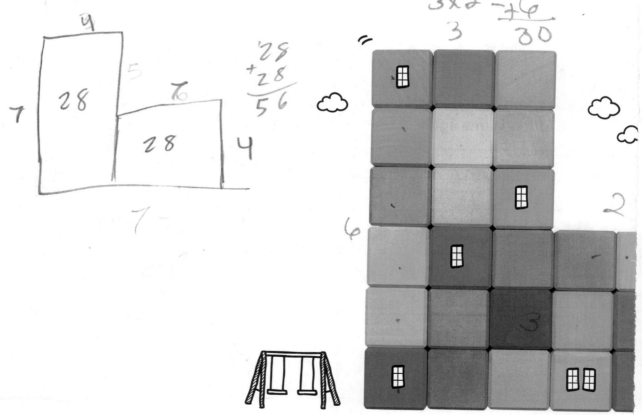

☑ COMPRUEBA TU PROGRESO Vuelve al comienzo de la Unidad 3 y mira qué destrezas puedes marcar.

Explora Resolver problemas verbales de un paso usando la multiplicación y la división

Ya has aprendido diferentes maneras de mostrar la multiplicación y la división. En esta lección aprenderás a resolver problemas verbales de multiplicación y división. Usa lo que sabes para tratar de resolver el siguiente problema.

Objetivo de aprendizaje

- Usar la multiplicación y la división hasta 100 para resolver problemas verbales con grupos iguales, matrices y cantidades de medición.

EPM 1, 2, 3, 4, 5, 6, 7

> **Escribe un problema verbal sobre esta matriz que podrías resolver con la multiplicación o la división. Luego escribe una ecuación para representar tu problema.**

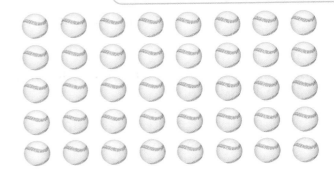

PRUÉBALO

rectangulo

8
o o o o o o o o
o
o
5 o
o
o

$5 \times 8 = 40$
$40 \div 5 = 8$

$A = 8 \times 5 = 40$
$A = 5 \times 8 = 40$
$A = 40 \div 5 = 8$
$A = 40 \div 8 = 5$

Herramientas matemáticas

- fichas
- botones
- vasos desechables
- papel cuadriculado de 1 centímetro
- modelos de multiplicación
- rectas numéricas

CONVERSA CON UN COMPAÑERO

Pregúntale: ¿Cómo empezaste a resolver el problema?

Dile: Comencé por . . .

CONÉCTALO

① REPASA

Explica cómo decidiste qué problema verbal escribir para que coincidiera con la matriz de las pelotas de beisbol.

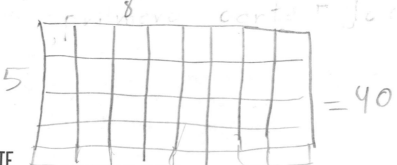

② SIGUE ADELANTE

A menudo se puede escribir una ecuación de multiplicación o de división para resolver un problema. Mira los siguientes problemas. Escribe una ecuación de multiplicación y una ecuación de división que puedas usar para resolver cada problema sobre las bananas. Usa un ? en tus ecuaciones para representar el número desconocido.

a. Dos racimos tienen un total de 12 bananas. Cada racimo tiene el mismo número de bananas. ¿Cuántas bananas hay en cada racimo?

b. Cada racimo tiene 6 bananas. Si hay 12 bananas, ¿cuántos racimos hay?

$$12 \div 6 = 2$$

③ REFLEXIONA

¿En qué se parecen las ecuaciones de multiplicación y de división en el problema 2b?

....

....

....

....

Prepárate para resolver problemas verbales de un paso

1 Piensa en lo que sabes acerca de resolver problemas verbales. Llena cada recuadro.
Usa palabras, números y dibujos. Muestra tantas ideas como puedas.

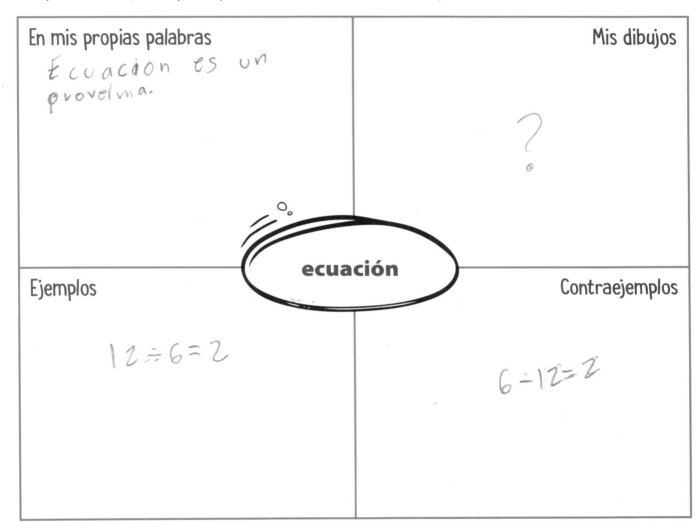

En mis propias palabras

Ecuacion es un provelma.

Mis dibujos

?

ecuación

Ejemplos

$12 \div 6 = 2$

Contraejemplos

$6 \div 12 = 2$

2 Escribe una ecuación de multiplicación y una ecuación
de división que podrías usar para resolver el siguiente
problema. Usa un ? en tus ecuaciones para representar el
número desconocido.

Hay un total de 24 mandarinas en 3 cajas. Cada caja tiene el mismo
número de mandarinas. ¿Cuántas mandarinas hay en cada caja?

$24 \div 3 = \underline{8} \quad 3 \times \underline{8} = 24$

Lección 17 Resuelve problemas verbales de un paso usando la multiplicación y la división

3 Resuelve el problema. Muestra tu trabajo.

Escribe un problema verbal sobre esta matriz que podrías resolver con la multiplicación o la división. Luego escribe una ecuación para representar el problema.

Solución .... 24 ....

4 Comprueba tu respuesta. Muestra tu trabajo.

$$4 \times 6 = 24$$
$$6 \times 4 = 24$$
$$24 \div 6 = 4$$
$$24 \div 4 = 6$$

Desarrolla Resolver problemas verbales sobre grupos iguales

Lee el siguiente problema y trata de resolverlo.

> **Una tienda tiene 24 peces de agua salada. La tienda tiene 4 peceras para los peces. Cada pecera tiene el mismo número de peces. ¿Cuántos peces hay en cada pecera?**

PRUÉBALO

$$6 \times 4 = 24$$
$$4 \times 6 = 24$$
$$24 \div 4 = 6$$
$$24 \div 6 = 4$$

Herramientas matemáticas

- fichas y botones
- vasos desechables
- tarjetas en blanco
- modelos de multiplicación
- rectas numéricas

CONVERSA CON UN COMPAÑERO

Pregúntale: ¿Puedes explicarme eso otra vez?

Dile: Yo ya sabía que . . . así que . . .

Explora diferentes maneras de entender cómo resolver problemas verbales sobre grupos iguales.

> **Una tienda tiene 24 peces de agua salada. La tienda tiene 4 peceras para los peces. Cada pecera tiene el mismo número de peces. ¿Cuántos peces hay en cada pecera?**

HAZ UN DIBUJO

Puedes usar un dibujo para mostrar y resolver problemas sobre grupos iguales.

Forma 4 grupos con 1 pez cada uno. Agrega peces a cada grupo uno por uno hasta que haya 24 peces.

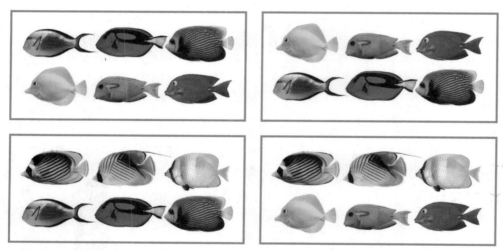

Hay 4 peceras con ? peces en cada una.

HAZ UN MODELO

También puedes usar palabras para mostrar y resolver problemas sobre grupos iguales.

Toma notas sobre el problema.

Hay 24 peces en total. Hay 4 grupos, o peceras.

Hay ? peces en cada grupo.

Usa la multiplicación o la división para hallar el número de peces que hay en cada grupo.

$4 \times ? = 24$ o

$24 \div 4 = ?$

CONÉCTALO

Ahora vas a usar el problema de la página anterior para ayudarte a entender cómo resolver problemas verbales sobre grupos iguales.

1 ¿Qué representa el 24 en el problema?

¿Qué representa el 4?

2 ¿Cuál es el número desconocido en el problema?

3 Usa la letra *f* para representar el número desconocido. Escribe una ecuación de división que pueda usarse para resolver el problema. Luego escribe una ecuación de multiplicación relacionada.

4 ¿Cuál es la solución? Explica cómo hallaste tu respuesta.

5 Supón que el problema cambia como al problema siguiente.

Hay 24 peces. El gerente de la tienda quiere colocar 6 peces en cada pecera. ¿Cuántas peceras habrá?

Escribe una ecuación de multiplicación y una de división. Luego resuelve el problema.

6 REFLEXIONA

Repasa **Pruébalo**, las estrategias de tus compañeros, **Haz un dibujo** y **Haz un modelo**. ¿Qué modelos o estrategias prefieres para resolver problemas sobre grupos iguales? Explica.

....

....

....

....

APLÍCALO

Usa lo que acabas de aprender para resolver estos problemas. Muestra tu trabajo usando un dibujo de grupos iguales o una ecuación con una letra para representar el número desconocido.

7 Jenna tiene 30 fotos de sus amigas. Ella coloca 6 fotos en cada página de su álbum. ¿Cuántas páginas usa Jenna? Muestra tu trabajo.

Solución ....

8 Hay 9 kits de dibujo sobre una mesa en el salón de arte. Cada kit tiene 4 lápices. ¿Cuántos lápices hay en total? Muestra tu trabajo.

Solución ....

9 Tom tiene 21 manzanas y 3 canastas. Si Tom coloca el mismo número de manzanas en cada canasta, ¿cuántas manzanas habrá en cada canasta? Muestra tu trabajo.

Solución ....

Practica resolver problemas sobre grupos iguales

Estudia el Ejemplo, que muestra cómo un dibujo puede ayudarte a entender problemas sobre grupos iguales. Luego resuelve los problemas 1 a 8.

EJEMPLO

24 estudiantes se inscriben en una clase de danza folklórica irlandesa. Hay 4 estudiantes en cada grupo. ¿Cuántos grupos hay?

Haz un dibujo.

24 estudiantes
4 en cada grupo
n grupos

Escribe una ecuación.

$24 \div 4 = n$

$n = 6$

Hay 6 grupos de estudiantes.

18 estudiantes toman clases de danza hula. Hay 6 estudiantes en cada clase. ¿Cuántas clases hay?

1 Haz un dibujo para este problema. Usa una ☺ para representar cada estudiante. Forma grupos para mostrar las clases.

2 Completa las ecuaciones de multiplicación y división para este problema. Escribe el valor de n.

$18 \div$ .... $= n$ $n \times$ .... $= 18$ $n =$ ....

3 ¿Cuántas clases de danza hula hay? ....

Hay 2 clases de danza folklórica mexicana. Hay 8 estudiantes en cada clase. ¿Cuántos estudiantes toman clases de danza folklórica mexicana?

4 ¿Cuál es el número desconocido que hay que hallar?

5 Escribe una ecuación para el problema. Usa *n* para representar el número que necesitas hallar. Resuelve el problema.

Ecuación: ....

.... estudiantes toman clases de danza folklórica mexicana.

15 estudiantes toman clases de danza moderna. Hay 3 estudiantes en cada grupo. ¿Cuántos grupos de estudiantes hay?

6 Escribe una ecuación para el problema. Luego resuélvela.

Ecuación: ....

Hay .... grupos de estudiantes.

7 Si se inscriben 15 estudiantes más en danza moderna, ¿cuántos grupos habrá?

Ecuación: ....

Habrá .... grupos de estudiantes.

8 ¿Cómo puedes usar la respuesta al problema 6 para hallar la respuesta al problema 7?

Desarrolla Resolver problemas sobre matrices

Lee el siguiente problema y trata de resolverlo.

> **Una tienda de ropa usa cajas de embalaje para guardar _jeans_. El gerente ordena 42 cajas. Seis cajas cabrán en una fila a lo largo de la pared. ¿Cuántas filas de cajas habrá?**

PRUÉBALO

Herramientas matemáticas

- fichas
- fichas cuadradas
- papel cuadriculado
- notas adhesivas
- modelos de multiplicación
- rectas numéricas

CONVERSA CON UN COMPAÑERO

Pregúntale: ¿Estás de acuerdo conmigo? ¿Por qué sí o por qué no?

Dile: No comprendo cómo . . .

Explora diferentes maneras de entender cómo resolver problemas verbales sobre matrices.

> **Una tienda de ropa usa cajas de embalaje para guardar *jeans*. El gerente ordena 42 cajas. Seis cajas cabrán en una fila a lo largo de la pared. ¿Cuántas filas de cajas habrá?**

HAZ UN DIBUJO

Puedes usar un dibujo para mostrar y resolver problemas sobre matrices.

Usa una matriz. Muestra una fila de 6. Agrega filas de 6 hasta llegar a 42.

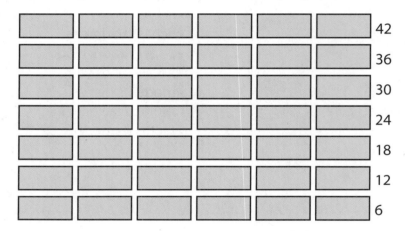

42

36

30

24

18

12

6

HAZ UN MODELO

También puedes usar palabras para mostrar y resolver problemas sobre matrices.

Toma notas sobre el problema.

> Hay 42 cajas en total.

> Hay 6 cajas en cada fila.

> ? filas

Usa la multiplicación o la división para hallar el número de filas.

> $? \times 6 = 42$

o

> $42 \div 6 = ?$

CONÉCTALO

Ahora vas a usar el problema de la página anterior para ayudarte a entender cómo resolver problemas verbales sobre matrices.

1 ¿Qué representan los números en el problema?

2 ¿Cuál es el número desconocido en el problema?

3 Usa la letra *f* para representar el número desconocido. Escribe una ecuación de división que pueda usarse para resolver el problema. Luego escribe una ecuación de multiplicación relacionada.

4 Muestra y explica cómo resolver el problema.

5 Explica cómo puedes usar una matriz para resolver este problema.

> Hay 24 crayones en una caja. Hay 8 crayones en cada fila.
> ¿Cuántas filas de crayones hay?

6 REFLEXIONA

Repasa **Pruébalo**, las estrategias de tus compañeros, **Haz un dibujo** y **Haz un modelo**. ¿Qué modelos o estrategias prefieres para resolver problemas sobre matrices? Explica.

APLÍCALO

Usa lo que acabas de aprender para resolver estos problemas. Muestra tu trabajo usando una matriz o una ecuación con una letra para representar el número desconocido.

7 El huerto de Grace tiene 4 filas de tomates con 8 plantas en cada fila. ¿Cuántas plantas de tomate hay en el huerto de Grace? Muestra tu trabajo.

Solución ....

8 Hay 20 niños en la clase de educación física. El maestro forma a los niños en 4 filas iguales para un juego. ¿Cuántos niños hay en cada fila? Muestra tu trabajo.

Solución ....

9 Hay 54 flores en el jardín. Hay 9 flores en cada fila. ¿Cuántas filas de flores hay? Muestra tu trabajo.

Solución ....

Practica resolver problemas sobre matrices

Estudia el Ejemplo, que muestra cómo una matriz puede ayudarte a resolver problemas de multiplicación y división. Luego resuelve los problemas 1 a 6.

EJEMPLO

La maestra de arte quiere colgar 18 dibujos en la pared del pasillo. Ella cuelga 6 dibujos en cada fila. ¿Cuántas filas de dibujos hay?

18 dibujos
6 en cada fila
n filas

$18 \div 6 = n$ y $n \times 6 = 18$

$18 \div 6 = 3$ y $3 \times 6 = 18$

Hay 3 filas de dibujos.

6

6

$+ \ 6$

18

En el salón de arte hay 20 caballetes. Los caballetes están colocados en 4 filas iguales. ¿Cuántos caballetes hay en cada fila?

1 Dibuja una matriz para mostrar los 20 caballetes en 4 filas. Coloca el mismo número en cada fila.

2 Completa la ecuación de división para resolver el problema. n representa el número desconocido.

$20 \div$ .... $= n$; por lo tanto, $n =$ ....

3 ¿Cuántos caballetes hay en cada fila? ....

4   En el salón de arte hay 5 estantes con frascos de pintura. Hay 9 frascos en cada estante. ¿Cuántos frascos de pintura hay en el salón de arte? Muestra tu trabajo.

Solución ....

5   Hay 54 marcos en la pared de una tienda de arte. Los marcos están colocados en 6 filas iguales. ¿Cuántos marcos hay en cada fila? Muestra tu trabajo.

Solución ....

6   Una tienda tiene 3 estantes con el mismo número de cuadernos de dibujo en cada uno. Hay 30 cuadernos de dibujo en total. ¿Cuántos cuadernos de dibujo hay en cada estante? Muestra tu trabajo.

Solución ....

Desarrolla Resolver problemas de área

Lee el siguiente problema y trata de resolverlo.

Para un proyecto de arte, Sean usa cuadrados de papel de colores para teselar un rectángulo que tiene un área de 48 pulgadas cuadradas. Cada cuadrado de papel mide 1 pulgada cuadrada. Él forma 6 filas. ¿Cuál es el largo del rectángulo?

PRUÉBALO

Herramientas matemáticas

- fichas de 1 pulgada
- papel cuadriculado de 1 pulgada
- notas adhesivas
- modelos de multiplicación
- herramienta de perímetro y área

CONVERSA CON UN COMPAÑERO

Pregúntale: ¿Por qué elegiste esa estrategia?

Dile: La estrategia que usé para hallar la respuesta fue . . .

Explora diferentes maneras de entender cómo resolver problemas verbales de área.

> **Para un proyecto de arte, Sean usa cuadrados de papel de colores para teselar un rectángulo que tiene un área de 48 pulgadas cuadradas. Cada cuadrado de papel mide 1 pulgada cuadrada. Él forma 6 filas. ¿Cuál es el largo del rectángulo?**

HAZ UN DIBUJO

Puedes usar un dibujo para mostrar y resolver problemas de área.

Haz un dibujo.

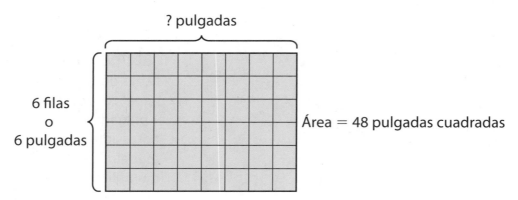

HAZ UN MODELO

También puedes usar una ecuación para resolver problemas de área.

Toma notas sobre el problema.

El rectángulo tiene un área de 48 pulgadas cuadradas.

6 filas significa que el rectángulo mide 6 pulgadas de ancho.

El rectángulo mide ? pulgadas de largo.

Usa la multiplicación o la división para hallar la longitud del rectángulo.

$$6 \times ? = 48$$

o

$$48 \div 6 = ?$$

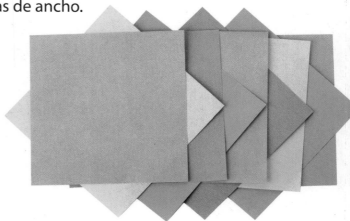

CONÉCTALO

Ahora vas a usar el problema de la página anterior para ayudarte a entender cómo resolver problemas verbales de área.

1 ¿Cuál es el número desconocido en este problema?

2 Escribe una ecuación de división usando la letra ℓ para representar el número desconocido. Luego escribe una ecuación de multiplicación relacionada.

3 Muestra y explica cómo resolver el problema.

4 ¿Cómo podrías usar el dato de multiplicación $6 \times 7 = 42$ para hallar la solución a este problema?

5 Supón que el rectángulo de Sean tiene un área de 56 pulgadas cuadradas y él forma 7 filas. Explica cómo podrías usar la multiplicación y la división para hallar la longitud de este rectángulo.

6 REFLEXIONA

Repasa **Pruébalo**, las estrategias de tus compañeros, **Haz un dibujo** y **Haz un modelo**. ¿Qué modelos o estrategias prefieres para resolver problemas de área con multiplicación y división? Explica.

APLÍCALO

Usa lo que acabas de aprender para resolver estos problemas. Muestra tu trabajo usando un dibujo de fichas cuadradas o una ecuación con una letra para representar el número desconocido.

7 Una acera está construida con bloques cuadrados de patio. Cada bloque mide 1 metro cuadrado. Hay 2 filas de bloques con 9 bloques en cada una. ¿Cuál es el área de la acera? Muestra tu trabajo.

Solución ....

8 Michael usa baldosas que tienen un área de 1 pie cuadrado cada una para construir un patio rectangular que tiene un área de 35 pies cuadrados. Usa 5 baldosas en cada fila. ¿Cuántas filas de baldosas hay? Muestra tu trabajo.

Solución ....

9 Ayla usa 30 cuadrados de tela para hacer una colcha de retazos. Cada cuadrado mide 1 pie cuadrado. Su colcha terminada tiene 5 filas y usó el mismo número de cuadrados en cada fila. ¿Cuál es la longitud de su colcha?

¿Qué ecuaciones podrían usarse para resolver este problema?

Ⓐ $5 \times c = 30$

Ⓑ $30 \times 5 = c$

Ⓒ $30 = c \times 5$

Ⓓ $5 \times 30 = c$

Ⓔ $30 \div 5 = c$

Practica resolver problemas de área

Estudia el Ejemplo, que muestra cómo usar dibujos y ecuaciones para ayudarte a resolver problemas de área con multiplicación y división. Luego resuelve los problemas 1 a 6.

EJEMPLO

La Sra. Milton coloca baldosas en su patio que miden 1 pie cuadrado. El piso tiene un área de 21 pies cuadrados. Ella coloca 3 filas iguales de baldosas. ¿Cuántas baldosas hay en cada fila?

21 pies cuadrados = 21 baldosas
3 filas iguales
n baldosas en cada fila

3 filas

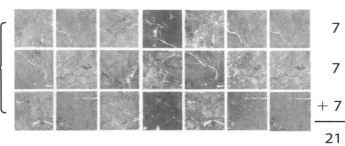

$21 \div 3 = n$ y $3 \times n = 21$
$21 \div 3 = 7$ y $3 \times 7 = 21$

$$\begin{array}{r} 7 \\ 7 \\ + 7 \\ \hline 21 \end{array}$$

Hay 7 baldosas en cada fila.

El Sr. Salton pavimenta la entrada de su casa con baldosas de piedra de 1 pie cuadrado. El área de la entrada es de 42 pies cuadrados. Coloca 7 baldosas en cada fila. ¿Cuántas filas de baldosas hay?

1 Haz un dibujo a la derecha para mostrar las filas de baldosas.

2 Completa la ecuación de división para resolver el problema. Usa n para representar el número desconocido.

$42 \div$ .... $= n$; por lo tanto, $n =$ ....

3 ¿Cuántas filas de baldosas de piedra hay? ....

4 Una colcha de retazos rectangular se hace con 36 cuadrados que tienen un área de 1 pie cuadrado cada uno. Un lado de la colcha mide 9 pies de largo. ¿Cuánto mide el otro lado? Muestra tu trabajo.

Solución ....

5 Hay 7 filas de cuadrados en un tablero de juego. Hay 9 cuadrados en cada fila. ¿Cuántos cuadrados hay en el tablero de juego? Muestra tu trabajo.

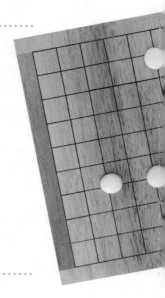

Solución ....

6 Cada cuadrado del tablero de juego del problema 5 tiene lados que miden 2 pulgadas de largo. ¿Cuál es la longitud del lado que tiene 7 cuadrados? ¿Cuál es la longitud del lado que tiene 9 cuadrados? Muestra tu trabajo.

El lado que tiene 7 cuadrados mide .... pulgadas de largo.

El lado que tiene 9 cuadrados mide .... pulgadas de largo.

Refina Resolver problemas verbales de un paso usando la multiplicación y la división

Completa el Ejemplo siguiente. Luego resuelve los problemas 1 a 9.

EJEMPLO

Troy tiene 18 problemas de tarea para resolver. Tiene 3 días para terminar su tarea. Si resuelve el mismo número de problemas cada día, ¿cuántos problemas resolverá por día?

Mira cómo podrías mostrar tu trabajo usando un dibujo.

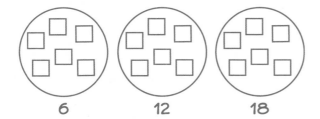

Solución ....

Este problema se puede resolver usando $3 \times ? = 18$ o $18 \div 3 = ?$.

EN PAREJA
¿Qué ecuación usaste y por qué?

APLÍCALO

1 El maestro Rivera coloca 28 trabajos de estudiantes en el tablero de avisos. Coloca los trabajos en 4 filas, con un número igual de trabajos en cada fila. ¿Cuántos trabajos coloca el maestro Rivera en cada fila? Muestra tu trabajo.

¿Qué representa el 28 en el problema?

EN PAREJA
¿Multiplicaste o dividiste para resolver el problema?

Solución ....

2 Hay 54 jugadores en una clínica de beisbol. El entrenador los divide en equipos de 9 jugadores. ¿Cuántos equipos hay? Muestra tu trabajo.

¿Qué dato conoces que tiene ambos números del problema?

Solución ....

EN PAREJA
¿Cómo puedes comprobar que tu respuesta es correcta?

3 Mai come 3 porciones de fruta por día. ¿Cuántas porciones de fruta come en una semana? [1 semana = 7 días]

Ⓐ 10 porciones

Ⓑ 18 porciones

Ⓒ 21 porciones

Ⓓ 24 porciones

Harry eligió Ⓐ como la respuesta correcta. ¿Cómo obtuvo él esa respuesta?

¿Debes multiplicar o dividir para resolver el problema?

EN PAREJA
¿Cómo averiguaste de qué manera Harry obtuvo su respuesta?

4 Hay 8 calcetines en la secadora.
¿Cuántos pares de calcetines hay?

5 Dana forma un rectángulo con 15 notas adhesivas cuadradas.
Ella coloca 5 notas en cada fila.
¿Cuántas filas forma?

Ⓐ 3

Ⓑ 5

Ⓒ 10

Ⓓ 20

6 Jasmine tiene 42 globos. Da el mismo número de globos a 6 niños.
¿Puede usarse cada ecuación para hallar el número de globos que
Jasmine da a cada niño?

	Sí	No
$42 \times 6 = \square$	Ⓐ	Ⓑ
$6 \times \square = 42$	Ⓒ	Ⓓ
$6 \div \square = 42$	Ⓔ	Ⓕ
$42 \div 6 = \square$	Ⓖ	Ⓗ

7 ¿Qué problemas se pueden resolver usando $12 \div 4 = \square$?

Ⓐ Brandon tiene 12 galletas. Da el mismo número de galletas a cada uno de sus 4 amigos. ¿Cuántas galletas recibe cada amigo?

Ⓑ Zoe tiene 12 carpetas. Quiere colocar 4 trabajos en cada una. ¿Cuántos trabajos necesita?

Ⓒ Michael recorre en su bicicleta 4 millas por día. ¿Cuánto días le tomará recorrer 12 millas?

Ⓓ Lilah tiene 12 tomates. Siempre usa 4 tomates para preparar una ensalada. ¿Cuántas ensaladas puede preparar?

Ⓔ Jacob tiene 12 flores. Da 4 flores a sus amigos. ¿Cuántas flores le quedan a Jacob?

8 Catrina usa baldosas verdes para hacer un cuadrado con un área de 25 pies cuadrados en el piso de su cocina. ¿Cuál es la longitud de cada lado del cuadrado verde? Muestra tu trabajo.

Cada lado del cuadrado verde mide .... pies de largo.

9 DIARIO DE MATEMÁTICAS

Missy quiere colgar 12 fotos en la pared de su dormitorio. Cuelga 3 fotos en cada fila. ¿Cuántas filas de fotos hay? Explica dos maneras de hallar la respuesta.

COMPRUEBA TU PROGRESO Vuelve al comienzo de la Unidad 3 y mira qué destrezas puedes marcar.

Explora Resolver problemas verbales de dos pasos usando las cuatro operaciones

En esta lección aprenderás cómo resolver problemas verbales de dos pasos usando cualquiera de las cuatro **operaciones**: suma, resta, multiplicación y división. Usa lo que sabes para tratar de resolver el siguiente problema.

Objetivo de aprendizaje

- Resolver problemas verbales de dos pasos usando las cuatro operaciones. Representar estos problemas usando ecuaciones con una letra que representa la cantidad desconocida. Evaluar si las respuestas son razonables usando cálculos mentales y estrategias de estimación incluyendo el redondeo.

EPM 1, 2, 3, 4, 5, 6

La Cabaña de las camisetas tiene 438 camisetas al finalizar el día. Luego reciben una entrega de camisetas nuevas en la que:

- **las camisetas son de 4 colores (verde, gris, anaranjado, morado).**
- **hay 8 camisetas de cada color.**

¿Cuántas camisetas tiene la tienda ahora?

PRUÉBALO

Herramientas matemáticas

- bloques de base diez
- papel cuadriculado de 1 centímetro
- notas adhesivas
- modelos de multiplicación
- rectas numéricas

CONVERSA CON UN COMPAÑERO

Pregúntale: ¿Cómo empezaste a resolver el problema?

Dile: Al principio, pensé que . . .

CONÉCTALO

① REPASA

Explica cómo hallaste cuántas camisetas tiene la tienda ahora.

② SIGUE ADELANTE

Puedes usar ecuaciones para resolver problemas verbales de dos pasos. Puedes usar una ecuación para cada paso o combinar ambos pasos en una ecuación. Mira el siguiente problema:

Una tienda de sombreros tiene 45 sombreros. Se venden 20 sombreros. Los otros sombreros están en 5 estantes con el mismo número de sombreros en cada uno. ¿Cuántos sombreros hay en cada estante?

a. Completa dos ecuaciones para resolver el problema.

Sombreros al empezar − Sombreros vendidos = Sombreros que quedan

.... − .... $= q$

.... $= q$

Sombreros que quedan ÷ Estantes = Sombreros en cada estante

.... ÷ .... $= s$

.... $= s$

b. Completa una ecuación para resolver el problema.

(Sombreros al empezar − Sombreros vendidos) ÷ Estantes = Sombreros en cada estante

(............ − ....) ÷ .... $= s$

÷ .... $= s$

$= s$

③ REFLEXIONA

¿En qué se parece y en qué se diferencia resolver un problema con dos ecuaciones y uno con una ecuación?

....

....

Prepárate para resolver problemas verbales de dos pasos usando las cuatro operaciones

1 Piensa en lo que sabes acerca de resolver problemas verbales. Llena cada recuadro.
Usa palabras, números y dibujos. Muestra tantas ideas como puedas.

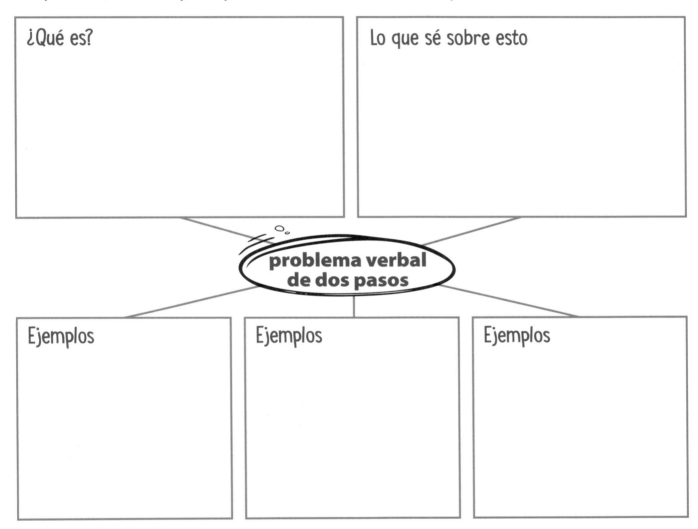

¿Qué es?

Lo que sé sobre esto

problema verbal
de dos pasos

Ejemplos

Ejemplos

Ejemplos

2 ¿Es el siguiente problema un problema verbal de dos pasos? Explica.

Una tienda tiene 40 trajes. Se venden 16 trajes. Los otros trajes están colgados
en 4 exhibidores con el mismo número de trajes en cada uno. ¿Cuántos trajes
hay en cada exhibidor?

3 Resuelve el problema. Muestra tu trabajo.

Chanel tiene 356 cuentas. Luego recibe un paquete con más cuentas en el que:
- **las cuentas son de 6 colores (rojo, anaranjado, amarillo, verde, azul, morado).**
- **hay 9 cuentas de cada color.**

¿Cuántas cuentas tiene Chanel ahora?

Solución ....

4 Comprueba tu respuesta. Muestra tu trabajo.

Desarrolla Resolver problemas verbales de dos pasos usando dos ecuaciones

Lee el siguiente problema y trata de resolverlo.

> **Sam tiene una caja con 12 latas de pintura. Hay otras 3 latas de pintura sobre la mesa. Él coloca todas las latas sobre la mesa en 5 filas. ¿Cuántas filas de latas de pintura forma Sam?**

PRUÉBALO

Herramientas matemáticas

- fichas
- papel cuadriculado de 1 centímetro
- notas adhesivas
- modelos de multiplicación
- rectas numéricas

CONVERSA CON UN COMPAÑERO

Pregúntale: ¿Por qué elegiste esa estrategia?

Dile: La estrategia que usé para hallar la respuesta fue ...

Explora diferentes maneras de entender cómo resolver problemas verbales de dos pasos usando dos ecuaciones.

> **Sam tiene una caja con 12 latas de pintura. Hay otras 3 latas de pintura sobre la mesa. Él coloca todas las latas sobre la mesa en 5 filas. ¿Cuántas filas de latas de pintura forma Sam?**

HAZ UN DIBUJO

Puedes usar un dibujo para representar problemas verbales de dos pasos.

15 latas de pintura en filas de 5 latas.

3 latas ya están sobre la mesa.

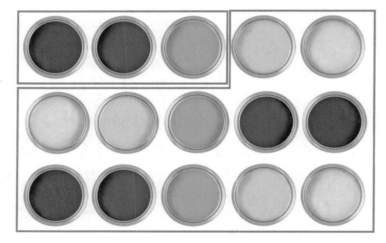

12 latas se colocan sobre la mesa.

HAZ UN MODELO

También puedes usar palabras y números para representar problemas de dos pasos.

$$12 \text{ latas en una caja}$$
$$+ \quad 3 \text{ latas sobre la mesa}$$
$$15 \text{ latas en total}$$

15 latas ÷ 5 latas en cada fila = ? filas

CONÉCTALO

Ahora vas a usar el problema de la página anterior para ayudarte a entender cómo resolver problemas verbales de dos pasos usando dos ecuaciones.

1 ¿Cómo se halla el número total de latas de pintura que tiene Sam?

Sea l el número total de latas. Escribe una ecuación para hallar l.

2 ¿Cómo ordena Sam las latas de pintura?

3 ¿Cómo se halla el número de filas?

Sea f el número de filas. Escribe una ecuación para hallar f que incluya l y f.

4 ¿Cómo se halla el valor de l? ¿Cuál es el valor de l?

Escribe la ecuación del problema 3 usando el valor de l. ¿Cuántas filas de latas de pintura forma Sam?

5 Explica cómo se puede usar la multiplicación para comprobar que tu respuesta es correcta.

6 REFLEXIONA

Repasa **Pruébalo**, las estrategias de tus compañeros, **Haz un dibujo** y **Haz un modelo**. ¿Qué modelos o estrategias prefieres para resolver problemas verbales de dos pasos? Explica.

....

....

....

....

APLÍCALO

Usa lo que acabas de aprender para resolver estos problemas. Escribe una ecuación para cada paso del problema. Usa letras para representar los números desconocidos.

7 Demarco tiene 4 billetes de cinco dólares. Luego su abuelo le da 1 billete de diez dólares. ¿Cuánto dinero tiene Demarco ahora? Muestra tu trabajo.

Solución ....

8 Se dividen 40 botellas de agua por igual entre 5 equipos. Cada equipo tiene 4 jugadores. Cada jugador recibe el mismo número de botellas de agua. ¿Cuántas botellas de agua recibe cada jugador? Muestra tu trabajo.

Solución ....

9 Los vegetales se venden en paquetes de 4. En un recipiente caben 2 paquetes de vegetales. Hay 10 recipientes en un estante. ¿Cuántos vegetales hay en el estante? Muestra tu trabajo.

Solución ....

Practica resolver problemas verbales de dos pasos usando dos ecuaciones

Estudia el Ejemplo, que muestra cómo resolver problemas de dos pasos usando dos ecuaciones. Luego resuelve los problemas 1 a 10.

EJEMPLO

Sally compra 6 bolsas de cuentas redondas para hacer pulseras. Hay 4 cuentas redondas en cada bolsa. También compra 5 cuentas con forma de corazón. ¿Cuántas cuentas compró Sally?

Cuentas redondas:
   6 grupos de 4
   $r = 6 \times 4 = 24$

Todas las cuentas:
   Cuentas redondas + cuentas de corazón
   $t = r + 5; 24 + 5 = 29$

Sally compró 29 cuentas.

Unos estudiantes reúnen 12 manzanas rojas y 12 manzanas verdes. Colocan todas las manzanas en bolsas, con 6 manzanas en cada una. ¿Cuántas bolsas con manzanas tienen?

1 Escribe una ecuación que muestre cuántas manzanas reunieron.

2 Reunieron _____ manzanas.

3 Escribe una ecuación que muestre cuántas bolsas de manzanas tienen los estudiantes.

4 Los estudiantes tienen _____ bolsas de manzanas.

5 Haz un modelo para comprobar tu trabajo.

Una tienda tiene 4 canastas con pelotas de futbol con 8 pelotas en cada una. Se venden 10 pelotas. ¿Cuántas pelotas quedan?

6   Haz un modelo del problema. Rotula el modelo.

7   Escribe una ecuación para cada paso del problema. Usa letras para representar los números desconocidos.

8   ¿Cuántas pelotas de futbol quedan? ....

Unos estudiantes reúnen 7 cajas de papas con 8 papas en cada una. Luego colocan todas las papas en bolsas. Hay 8 papas en cada bolsa.

9   ¿Cuántas bolsas necesitan los estudiantes para las papas? Muestra tu trabajo.

Necesitan .... bolsas.

10   Luego los estudiantes reúnen 24 papas más. ¿Cuántas bolsas necesitan para todas las papas? Muestra tu trabajo.

Necesitan .... bolsas.

Desarrolla Resolver problemas verbales de dos pasos usando una ecuación

Lee el siguiente problema y trata de resolverlo.

> Los estudiantes de tercer grado de la escuela elemental Brown recaudan dinero para la biblioteca de la escuela.
> - El objetivo es recaudar $250.
> - Recaudaron $9 cada día durante 8 días seguidos.
>
> ¿Cuánto dinero, d, se necesita para lograr el objetivo? Para resolver este problema, escribe una ecuación para cada paso. O escribe una ecuación que incluya ambos pasos.

PRUÉBALO

Herramientas matemáticas
- bloques de base diez
- fichas
- vasos desechables
- papel cuadriculado de 1 centímetro
- modelos de multiplicación
- rectas numéricas

CONVERSA CON UN COMPAÑERO

Pregúntale: ¿Estás de acuerdo conmigo? ¿Por qué sí o por qué no?

Dile: No comprendo cómo . . .

Explora diferentes maneras de entender cómo resolver problemas verbales de dos pasos usando una ecuación.

> **Los estudiantes de tercer grado de la escuela elemental Brown recaudan dinero para la biblioteca de la escuela.**
> - **El objetivo es recaudar $250.**
> - **Recaudaron $9 cada día durante 8 días seguidos.**
> **¿Cuánto dinero, _d_, se necesita para lograr al objetivo? Para resolver este problema, escribe una ecuación para cada paso. O escribe una ecuación que incluya ambos pasos.**

Biblioteca de la escuela

HAZ UN DIBUJO

Puedes usar un diagrama para representar un problema verbal de dos pasos.

250

| 9 | 9 | 9 | 9 | 9 | 9 | 9 | 9 | _d_ |

HAZ UN MODELO

Usa el diagrama de arriba para ayudarte a escribir una ecuación para un problema verbal de dos pasos.

Los estudiantes recaudaron $9 cada día durante 8 días. Por lo tanto, ya han recaudado **8 × 9** dólares.

Necesitan un total de **250** dólares. Necesitan recaudar _d_ dólares más.

La **cantidad ya recaudada** más _d_ debe ser igual a **250**.

Escribe esto como una ecuación.

$(8 \times 9) + d = 250$

CONÉCTALO

Ahora vas a usar el problema de la página anterior para ayudarte a entender cómo resolver problemas verbales de dos pasos usando una ecuación.

$$(\mathbf{8} \times \mathbf{9}) + d = 250$$
$$\mathbf{72} + d = 250$$

1 ¿Qué operación se hace primero? .... ¿Por qué?

2 ¿Cómo se halla el sumando desconocido, *d*?

3 ¿Por qué podrías restar 72 a 250 para hallar *d*?

4 ¿Cuánto es *d*, y qué representa?

5 Explica cómo puedes usar la suma para comprobar tu respuesta.

6 REFLEXIONA

Repasa **Pruébalo**, las estrategias de tus compañeros, **Haz un dibujo** y **Haz un modelo**. ¿Qué modelos o estrategias prefieres para resolver problemas verbales de dos pasos? Explica.

....

....

....

....

APLÍCALO

Usa lo que acabas de aprender para resolver estos problemas.

7 Nima entrena para una carrera de bicicletas. Durante las primeras tres semanas de abril recorrió un total de 176 millas. Durante la última semana de abril recorrió 9 millas por día durante 7 días.

a. Escribe una ecuación que pueda usarse para hallar cuántas millas en total, *m*, recorrió Nima en abril.

b. Usa tu ecuación de la Parte a para hallar cuántas millas en total recorrió Nima en abril. Muestra tu trabajo.

Solución

8 Tabitha tiene una bolsa con 24 canicas. Hay otras 6 canicas en el piso. Ella coloca todas las canicas juntas en el piso y forma filas de 5. ¿Cuantas filas de canicas, *f*, forma Tabitha? Escribe una ecuación que pueda usarse para resolver el problema. Luego resuelve el problema. Muestra tu trabajo.

Solución

9 Tim ahorra dinero para comprar un par de patines de hockey que cuesta $289. Durante las últimas 6 semanas, ahorró $7 por semana. ¿Cuánto dinero, *h*, aún debe ahorrar Tim? Muestra tu trabajo.

Solución

Practica resolver problemas verbales de dos pasos usando una ecuación

Estudia el Ejemplo, que muestra cómo resolver un problema verbal de dos pasos usando una ecuación. Luego resuelve los problemas 1 a 5.

EJEMPLO

Los estudiantes del club de ciencias recaudan $210 para comprar instrumentos de laboratorio. Compran 7 paquetes de pilas por $9 cada uno. ¿Cuánto dinero, d, les quedó? Escribe una ecuación que pueda usarse para resolver el problema. Luego resuelve el problema.

$(7 \times 9) + d = 210$

$63 + d = 210$

$210 - 63 = d$

$d = 147$

							210
9	9	9	9	9	9	9	d

Les quedan $147.

---

1 La maestra Horn necesita 50 reglas para el salón de arte. Tiene 7 paquetes con 4 reglas en cada uno. ¿Cuántas reglas más, r, necesita? Completa las ecuaciones para resolver el problema.

$(7 \times \underline{\quad}) + r = 50$

$\underline{\quad} + r = 50$

$\underline{\quad} - \underline{\quad} = r,$ y $r = \underline{\quad}.$

							50
4	4	4	4	4	4	4	r

La maestra Horn necesita _____ reglas más.

2 El director quiere comprar un cartel que cuesta $95. Cinco padres donaron $6 cada uno para comprar el cartel. ¿Cuánto dinero más, d, se necesita? Completa las ecuaciones para resolver el problema.

$(\underline{\quad} \times \underline{\quad}) + d = 95$

$\underline{\quad} + d = 95$

$d = \underline{\quad}$

					95
6	6	6	6	6	d

Se necesitan _____ más.

3 En un campamento se necesitan 100 estudiantes para ayudar con los campistas de 4 años. Ocho estudiantes de 4 clases diferentes aceptaron ayudar. ¿Cuántos estudiantes más se necesitan? Escribe una ecuación que pueda usarse para resolver el problema. Luego resuelve el problema. Muestra tu trabajo.

Solución ....

4 El maestro de arte tiene 75 pinceles. Da 35 pinceles a otro maestro. Divide el resto por igual entre 8 estudiantes. ¿Cuántos pinceles da a cada estudiante? Muestra tu trabajo.

Solución ....

5 El maestro Berg compra 5 rompecabezas de números y 3 rompecabezas de palabras para sus estudiantes. Los rompecabezas cuestan $7 cada uno. El maestro Berg usa una tarjeta de regalo de $60 para pagar los rompecabezas. ¿Cuánto dinero le queda en la tarjeta? Muestra tu trabajo.

Solución ....

Desarrolla Estimar soluciones a problemas verbales

Lee el siguiente problema y trata de resolverlo.

En un zoológico hay un elefante que se llama Tiny.

- **El sábado, Tiny comió 152 libras de alimento.**
- **El domingo, comió 12 libras más de alimento que el sábado.**

¿Cuántas libras de alimento comió Tiny ese fin de semana? Haz una estimación para comprobar tu respuesta.

PRUÉBALO

Herramientas matemáticas

- bloques de base diez
- papel cuadriculado de 1 centímetro
- notas adhesivas
- rectas numéricas

CONVERSA CON UN COMPAÑERO

Pregúntale: ¿Puedes explicarme eso otra vez?

Dile: No estoy de acuerdo contigo con esta parte porque . . .

Explora diferentes maneras de entender cómo estimar soluciones a problemas verbales de dos pasos.

En un zoológico hay un elefante que se llama Tiny.
- **El sábado, Tiny comió 152 libras de alimento.**
- **El domingo, comió 12 libras más de alimento que el sábado.**

¿Cuántas libras de alimento comió Tiny ese fin de semana?

Haz una estimación para comprobar tu respuesta.

HAZ UN DIBUJO

Puedes usar una tabla para mostrar la información de un problema verbal de dos pasos.

Cantidad de alimento que comió Tiny	
Sábado	Domingo
152 libras	152 libras + 12 libras

$152 + (152 + 12) = a$

HAZ UN MODELO

Estima la solución al problema de dos pasos.

Puedes redondear cada número a la centena más cercana y luego sumar mentalmente.

152 se redondea a 200.
12 se redondea a 0.
$200 + (200 + 0) = 400$

También puedes redondear cada número a la decena más cercana y luego sumar mentalmente.

152 se redondea a 150.
12 se redondea a 10.
$150 + (150 + 10) = 310$

CONÉCTALO

Ahora vas a usar el problema de la página anterior para ayudarte a entender por qué es útil estimar soluciones a problemas verbales de dos pasos.

$152 + (152 + 12) = a$

1 Suma los números que están entre paréntesis. Descompón los números para usar números con los que sea fácil trabajar: $150 + 2 + 10 + 2 =$ ....

2 ¿Cuál es el siguiente paso? Explícalo y muéstralo.

3 ¿Cuántas libras de alimento comió Tiny ese fin de semana? Compara la respuesta con la estimación de la página anterior. ¿Son cercanas?

4 ¿Crees que la respuesta es razonable? Explica por qué.

5 ¿Cuándo sería mejor hacer una estimación, antes de resolver el problema o después? ¿Es importante? Explica.

6 REFLEXIONA

Repasa **Pruébalo**, las estrategias de tus compañeros, **Haz un dibujo** y **Haz un modelo**. ¿Qué modelos o estrategias prefieres para estimar la solución a un problema verbal de dos pasos? Explica.

....

....

....

....

APLÍCALO

Usa lo que acabas de aprender para resolver estos problemas. Haz una estimación para comprobar tus respuestas.

7 Kennedy plantó 222 flores la semana pasada. Esta semana plantó 65 flores más que la semana pasada. ¿Cuántas flores plantó en total? Muestra tu trabajo.

Solución

8 Joan ganó $136 la semana pasada y $215 esta semana. Ella usa parte de sus ingresos para comprar una chaqueta. A Joan le quedaron $273 después de comprar la chaqueta. ¿Cuánto gastó en la chaqueta? Muestra tu trabajo.

Solución

9 Una librería tiene 650 ejemplares de un libro nuevo. El primer día se venden 281 ejemplares. Al terminar la semana solo quedan 43 ejemplares. ¿Cuántos libros se vendieron entre el primer día y al final de la semana? Di por qué tu respuesta es razonable. Muestra tu trabajo.

Solución

Practica estimar soluciones a problemas verbales

Estudia el Ejemplo, que muestra cómo estimar la solución a un problema verbal de dos pasos. Luego resuelve los problemas 1 a 4.

EJEMPLO

El jardín de la ciudad tiene rosales rojos y rosados. Hay 119 rosales rojos. Hay 17 rosales rosados menos que rosales rojos. Aproximadamente, ¿cuántos rosales hay en el jardín de la ciudad?

Redondea a la decena más cercana y resuelve el problema.
119 se redondea a 120, y 17 se redondea a 20.
Sé que $120 - 20$ es 100;
por lo tanto, *estimo* 100 rosales rosados.
Sé que $120 + 100 = 220$; por lo tanto,
estimo 220 rosales.

$119 + (119 - 17) = r$
$119 + 102 = r$; por lo tanto, $r = 221$.

Rosales	
Rojo	**Rosado**
119	$119 - 17$
(aproximadamente 120)	(aproximadamente $120 - 20$, o 100)

El número real de rosales que hay en el jardín es 221.
Esto es cercano a 220; por lo tanto, 221 es razonable.

Para el concierto se vendieron 109 boletos para adultos. Se vendieron 67 boletos para estudiantes más que boletos para adultos. ¿Cuántos boletos se vendieron en total?

1. Completa la tabla para mostrar la información del problema. Redondea a la centena más cercana.

2. Escribe una ecuación para estimar el número total de boletos vendidos. Luego halla el total real.

   _____ $= b$

   _____ $= b$

   Se vendieron aproximadamente _____ boletos.

   Realmente se vendieron _____ boletos.

Boletos vendidos	
Adulto	**Estudiante**
(aproximadamente ____)	(aproximadamente ____ + ____)

3 En el estacionamiento de la escuela hay 113 bicicletas menos que carros. Hay 185 carros. ¿Cuántos carros y bicicletas hay en el estacionamiento?

Carros	Bicicletas
185	185 − 113
(aproximadamente 190)	(aproximadamente 190 − _____ , o _____)

Redondea a la decena más cercana para hacer una estimación. Luego completa la tabla.

.... + (.................. − ....) = c

c = ...

Estimación: Hay aproximadamente .... carros y bicicletas.

Real: .... + (.................. − ....) = c

c = ...

Hay .... carros y bicicletas en total.

4 Sarah lee 215 páginas de su libro durante la primera semana de sus vacaciones. Durante la segunda semana lee 62 páginas más que en la primera semana. ¿Cuántas páginas leyó en las dos semanas? Redondea a la decena más cercana para hacer una estimación. Luego resuelve el problema. Muestra tu trabajo.

Estimación: Lee aproximadamente .... páginas durante las dos semanas.

Real: ....

....

Sarah lee .... páginas.

Refina Resolver problemas verbales de dos pasos usando las cuatro operaciones

Completa el Ejemplo siguiente. Luego resuelve los problemas 1 a 9.

EJEMPLO

Bridget coloca fresas en bolsas de sándwich para vender en su encuentro de gimnasia. Tiene 140 fresas y prepara bolsas de 5. Hasta ahora, Bridget ha embolsado 105 fresas. ¿Cuántas bolsas más de 5 fresas puede preparar?

Mira cómo podrías mostrar tu trabajo usando una ecuación.

$$(140 - 105) \div 5 = b$$
$$35 \div 5 = b$$
$$b = ?$$

Solución ....

El estudiante usa una ecuación que incluye la resta y la división.

EN PAREJA

¿Puedes escribir una ecuación diferente para resolver este problema?

APLÍCALO

1 Los estudiantes de la clase de la maestra Kemp ganan 1 punto por cada página que leen. El estudiante que gane 300 puntos recibe un premio. Elise lee 8 páginas por día durante 7 días seguidos. ¿Cuántos puntos más necesita para recibir el premio? Muestra tu trabajo.

¿Qué operación usas para hallar cuántas páginas ha leído Elise?

EN PAREJA

¿Cómo puedes comprobar tu respuesta?

Solución ....

2 Emry tiene 243 estampillas de los Estados Unidos en su colección. Tiene 58 estampillas de otros países. Emry coloca 129 de sus estampillas en un álbum. Ella resuelve esta ecuación: $243 + 58 - 129 = a$.

Emry dice: "Hay 172 estampillas que NO están en el álbum".

¿Es su respuesta razonable? Usa la estimación para comprobar su trabajo. Muestra tu trabajo..

¿Podrías redondear los números a la decena o la centena más cercana para hacer una estimación?

Solución ....

....

EN PAREJA
¿Puedes resolver este problema de otra manera?

3 En la mañana se toman prestados 134 libros de la biblioteca. En la tarde se toman prestados 254 libros y 118 al atardecer. ¿Cuántos libros en total se toman prestados de la biblioteca este día?

Ⓐ 270

Ⓑ 388

Ⓒ 496

Ⓓ 506

Paolo eligió Ⓑ como la respuesta correcta. ¿Cómo obtuvo él esa respuesta?

¿Cómo puedes estimar la respuesta?

EN PAREJA
¿Cómo sabes si la respuesta de Paolo es razonable?

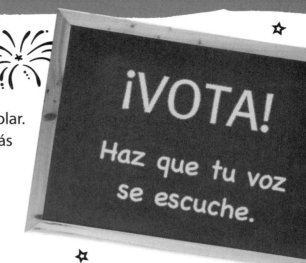

¡VOTA!

Haz que tu voz se escuche.

4 ¿Qué ecuación NO PUEDE usarse para resolver el siguiente problema?

Rosa y Brett son los únicos candidatos en una elección escolar. Rosa obtiene 314 votos en la elección. Obtiene 18 votos más que Brett. ¿Cuántas personas votaron en la elección?

Ⓐ $314 + (314 - 18) = n$

Ⓑ $n = 314 + (314 - 18)$

Ⓒ $(314 - 18) + 314 = n$

Ⓓ $314 + (314 + 18) = n$

5 George estima que 800 personas votaron en la elección del problema 4. ¿Qué error pudo haber cometido?

Ⓐ George redondeó 18 hacia abajo a 10 en lugar de hacia arriba a 20.

Ⓑ George redondeó 314 hacia arriba a 320 en lugar de hacia abajo a 310.

Ⓒ George redondeó 314 hacia arriba a 400 en lugar de hacia abajo a 300.

Ⓓ George redondeó 18 hacia arriba a 100 en lugar de hacia abajo a 0.

6 El gerente de frutas y vegetales desempaca 108 bananas. Hay 9 racimos de 4 bananas cada uno. Las otras son bananas sueltas. ¿Qué par de ecuaciones pueden usarse para hallar el número de bananas sueltas?

Ⓐ $9 \times 4 = b$
$108 - b = s$

Ⓑ $b = 108 \div 4$
$b + 9 = s$

Ⓒ $4 \times 9 = b$
$108 = s - b$

Ⓓ $108 \div 9 = b$
$b + 4 = s$

Ⓔ $b = 9 \times 4$
$s + b = 108$

Ⓕ $b = 9 \times 4$
$108 + s = b$

7 Greg empaca un pedido de libros. Ya ha empacado 3 cajas con 5 libros en cada una. Quedan 210 libros por empacar. ¿Cuántos libros hay en todo el pedido? Muestra tu trabajo.

Hay .... libros en todo el pedido.

8 Gina quiere estimar el total de tres facturas que debe pagar. Las facturas son de $125, $115 y $138. Gina quiere asegurarse de tener suficiente dinero. Quiere que la estimación sea mayor que el total de las facturas. ¿Debería redondear a la decena más cercana o a la centena más cercana? Explica.

9 DIARIO DE MATEMÁTICAS

Simone llena un estante con frascos de pepinillos. Tiene una caja con 30 frascos y otra caja con 18 frascos. Puede colocar 6 frascos en una fila en el estante. Escribe y resuelve una ecuación para hallar cuántas filas forma usando todos los frascos de ambas cajas. Explica cómo resolviste el problema.

 COMPRUEBA TU PROGRESO Vuelve al comienzo de la Unidad 3 y mira qué destrezas puedes marcar.

Gráficas a escala

Estimada familia:

Esta semana su niño está aprendiendo a resolver problemas usando datos presentados en gráficas a escala.

En una pictografía a escala, como la de la derecha, cada símbolo representa más de un objeto.

Usar una **escala** de 2 o más permite que haya más información en un espacio más pequeño. Aprender sobre gráficas a escala le da a su niño la oportunidad de aplicar los datos de multiplicación y división que ha estado practicando.

Tipo de libro favorito	
Historietas	📗 📗
Misterio	📗 📗 📗
Fantasía	📗 📗 📗 📗

Clave: Cada 📗 representa 2 votos.

En esta pictografía, la **clave** nos indica que cada 📗 representa 2 votos. Para hallar el total de votos que obtuvo cada tipo de libro, se multiplica el número de 📗 por 2. Por ejemplo, los libros de misterio obtuvieron 3 × 2 o 6 votos.

Además, su niño podría ver los mismos **datos** en una gráfica de barras a escala.

Su niño deberá interpretar cualquiera de las gráficas para responder preguntas como *¿Cuántos estudiantes votaron por libros de historietas?* o *¿Cuántos estudiantes más votaron por libros de fantasía que de misterio?*

Invite a su niño a compartir lo que sabe sobre resolver problemas usando gráficas a escala haciendo juntos la siguiente actividad.

ACTIVIDAD RESOLVER PROBLEMAS USANDO UNA GRÁFICA A ESCALA

Haga la siguiente actividad con su niño para resolver problemas usando gráficas a escala.

Hable con su niño sobre los datos de esta pictografía.

Goles anotados esta temporada	
Osos	⚽⚽⚽⚽⚽
Guepardos	⚽⚽
Águilas	⚽⚽⚽⚽⚽
Halcones	⚽⚽⚽⚽⚽⚽⚽
Leones	⚽⚽⚽
Tigres	⚽⚽⚽⚽⚽⚽⚽⚽

Clave: Cada ⚽ representa 3 goles.

Comenten preguntas como:
- ¿Qué muestra esta gráfica?
- ¿Cuántos equipos hay y cómo se llaman?
- ¿Qué representa cada pelota de futbol?

Junto con su niño, escriba y resuelva una ecuación para responder las siguientes preguntas.
1. ¿Cuántos goles más que los Leones anotaron las Águilas?
2. Si 6 jugadores del equipo de los Tigres anotaron todos los goles del equipo y cada uno el mismo número de goles, ¿cuántos anotó cada uno?

Luego háganse preguntas que requieran usar una operación como la suma, la resta, la multiplicación o la división para ser respondidas.

Para practicar con situaciones del mundo real, busque pictografías o gráficas de barras en revistas, en Internet o en otros lugares. Por ejemplo, la cuenta de la luz puede ser una buena fuente de gráficas de barras. Comparta estos ejemplos con su niño y vea que casi todos usan una escala de dos o más para mostrar los datos.

Respuestas:
1. Posible ecuación: $15 - 9 = 6$; Las Águilas anotaron 6 goles más que los Leones.
2. Posible ecuación: $24 \div 6 = 4$; Cada jugador anotó 4 goles.

Explora Gráficas a escala

Ya has practicado representar y resolver problemas verbales. En esta lección usarás la información presentada en gráficas para resolver problemas verbales. Usa lo que sabes para tratar de resolver el siguiente problema.

Ron lleva la cuenta de los puntos anotados por sus compañeros durante un juego de básquetbol. Anotó sus datos en la siguiente pictografía. ¿Cuántos puntos anotó cada miembro del equipo?

Puntos anotados durante el juego	
Alan	🏀
Cate	🏀 🏀 🏀
Gary	🏀 🏀 🏀 🏀 🏀
Mae	🏀 🏀 🏀 🏀

Clave: Cada representa 2 puntos.

PRUÉBALO

Herramientas matemáticas

• fichas
• botones
• vasos desechables
• papel cuadriculado de 1 pulgada

CONVERSA CON UN COMPAÑERO

Pregúntale: ¿Cómo empezaste a resolver el problema?

Dile: Yo ya sabía que . . . así que . . .

CONÉCTALO

1 REPASA

¿Cuántos puntos anotó cada miembro del equipo? Explica.

2 SIGUE ADELANTE

Los datos de una pictografía también pueden mostrarse en una gráfica de barras. Se muestra una gráfica de barras para esos datos.

La **escala** en una gráfica de barras es la diferencia entre dos números que están uno al lado del otro a lo largo de la parte de abajo o el lado izquierdo de la gráfica. Estos números se llaman números de la escala.

Puntos anotados durante el juego

Estudiantes: Alan, Cate, Gary, Mae

Número de puntos anotados

a. ¿Cuál es la escala de esta gráfica de barras?

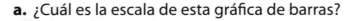

b. ¿Qué significa la barra para Gary? ¿Cómo lo sabes?

c. ¿En qué se parece la **clave** para la pictografía y la escala de la gráfica de barras? Explica cómo cada una te ayuda a leer una gráfica.

3 REFLEXIONA

¿En qué se parece y en qué se diferencia la pictografía de la gráfica de barras cuando muestran los mismos datos?

Prepárate para gráficas a escala

1 Piensa en lo que sabes acerca de las gráficas de datos. Llena cada recuadro. Usa palabras, números y dibujos. Muestra tantas ideas como puedas.

Palabra	En mis propias palabras	Ejemplo
pictografía		
gráfica de barras		
clave		
escala		

2 Usa las gráficas para responder las preguntas.

¿Juegas futbol?

Clave: Cada  representa 3 votos.

¿Juegas futbol?

a. ¿Cuál es la escala de la gráfica de barras? ....

b. ¿Qué te dice la clave para la pictografía?

3 Resuelve el problema. Muestra tu trabajo.

Courtney lleva la cuenta de las puntuaciones obtenidas por sus compañeros durante una competencia de matemáticas. Anotó sus datos en la siguiente pictografía. ¿Cuántos puntos obtuvo cada miembro del equipo?

Puntos obtenidos	
Jon	★ ★
Dara	★ ★ ★ ★
Lee	★ ★ ★ ★ ★ ★
Sam	★ ★ ★

Clave: Cada ★ representa 5 puntos.

Solución ....

....

4 Comprueba tu respuesta. Muestra tu trabajo.

Desarrolla Leer e interpretar pictografías

Lee el siguiente problema y trata de resolverlo.

Jaime pide a los estudiantes de su escuela que elijan su estación favorita. La pictografía muestra cómo respondieron los estudiantes. ¿Cuántos más estudiantes eligieron verano que invierno como su estación favorita?

Estación favorita	
Invierno	☺ ☺ ☺ ☺
Primavera	☺ ☺ ☺
Verano	☺ ☺ ☺ ☺ ☺ ☺
Otoño	☺ ☺ ☺ ☺ ☺

Clave: Cada ☺ representa 5 estudiantes.

PRUÉBALO

Herramientas matemáticas
- fichas
- notas adhesivas
- papel cuadriculado de 1 pulgada

CONVERSA CON UN COMPAÑERO

Pregúntale: ¿Por qué elegiste esa estrategia?

Dile: Un modelo que usé fue . . . Me ayudó a . . .

Explora diferentes maneras de entender cómo responder preguntas sobre pictografías.

Jaime pide a los estudiantes de su escuela que elijan su estación favorita. La pictografía muestra cómo respondieron los estudiantes. ¿Cuántos más estudiantes eligieron verano que invierno como su estación favorita?

Estación favorita	
Invierno	😊 😊 😊 😊
Primavera	😊 😊 😊
Verano	😊 😊 😊 😊 😊 😊
Otoño	😊 😊 😊 😊 😊

Clave: Cada 😊 representa 5 estudiantes.

HAZ UN DIBUJO

Puedes usar dibujos para entender el problema.

Recuerda que cada 😊 representa 5 estudiantes.

Invierno

Verano

HAZ UN MODELO

También puedes usar rectas numéricas para ayudarte a entender el problema.

Recuerda que cada 😊 representa **5 estudiantes**.

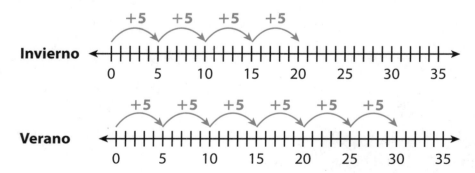

Invierno

Verano

CONÉCTALO

Ahora vas a usar el problema de la página anterior para ayudarte a entender cómo responder preguntas sobre pictografías.

1 ¿Qué te pide hallar el problema?

2 Completa la clave. Cada 😊 representa _____ estudiantes.

3 Completa la tabla.

Estación favorita	Número de 😊	×	Estudiantes por cada 😊	=	Número de estudiantes
Invierno	4	×	5	=	
Verano		×	5	=	

4 ¿Cuántos más estudiantes eligieron verano que invierno?

$30 - 20 =$ _____ . Por lo tanto, _____ estudiantes más eligieron verano.

5 Explica por qué la clave es importante cuando se resuelve un problema que tiene una pictografía.

6 REFLEXIONA

Repasa **Pruébalo**, las estrategias de tus compañeros, **Haz un dibujo** y **Haz un modelo**. ¿Qué modelos o estrategias prefieres para leer e interpretar pictografías? Explica.

APLÍCALO

Usa la pictografía y lo que acabas de aprender para resolver los problemas 7 a 9. Muestra tu trabajo.

Estación favorita	
Invierno	😊 😊 😊 😊
Primavera	😊 😊 😊
Verano	😊 😊 😊 😊 😊 😊
Otoño	😊 😊 😊 😊 😊

Clave: Cada 😊 representa 5 estudiantes.

7 ¿Cuántos estudiantes no eligieron primavera o verano?

Solución ....

8 Usa una recta numérica para hallar cuántos estudiantes eligieron primavera.

Primavera ← | | | | | | | | | | | | | | | | | | | | | | | | | | | | | | | | | | | | | →
          0   5   10   15   20   25   30   35

Solución ....

9 ¿Cuántos más estudiantes eligieron primavera u otoño que verano?

Solución ....

Practica leer e interpretar pictografías

Estudia el Ejemplo, que muestra cómo leer e interpretar una pictografía a escala. Luego resuelve los problemas 1 a 9.

EJEMPLO

Algunos estudiantes de tercer grado fueron de excursión al zoológico. La pictografía muestra sus animales favoritos. ¿Cuántos estudiantes eligieron jirafas?

La clave muestra que cada imagen representa 4 estudiantes. La fila para las jirafas tiene 4 símbolos.

Puedes sumar 4 cuatro veces.
$$4 + 4 + 4 + 4 = 16$$
Puedes multiplicar 4 por 4.
$$4 \times 4 = 16$$
Por lo tanto, 16 estudiantes eligieron jirafas.

Animal favorito del zoológico	
Serpientes	👤👤👤👤👤👤
Monos	👤👤👤👤👤👤👤
Leones	👤👤👤
Jirafas	👤👤👤👤

Clave: Cada 👤 representa 4 estudiantes.

Usa la pictografía de arriba para resolver los problemas 1 a 4. Muestra tu trabajo.

1 ¿Cuántos estudiantes eligieron leones? Haz un modelo para mostrar tu trabajo. ....

2 ¿Cuántos estudiantes eligieron serpientes? ....

3 ¿Cuántos más estudiantes eligieron jirafas que leones? ....

4 ¿Cuántos estudiantes menos eligieron leones que monos? ....

Usa la pictografía para resolver los problemas 5 a 9. Muestra tu trabajo.

Los estudiantes votaron por su animal favorito en el zoológico interactivo. La pictografía muestra el número de estudiantes que votaron por cada animal.

Animal favorito del zoológico	
Cabras	🖐🖐🖐🖐🖐🖐
Conejos	🖐🖐🖐🖐🖐🖐🖐🖐🖐🖐
Llamas	🖐🖐🖐
Cerdos	🖐🖐🖐🖐🖐🖐🖐🖐🖐

Clave: Cada 🖐 representa 6 estudiantes.

5 ¿Cuántos estudiantes votaron por las llamas? ....

6 ¿Cuántos estudiantes menos eligieron cabras que cerdos? ....

7 ¿Cuántos votos recibieron las cabras y los conejos en total? ....

8 ¿Cuántos más estudiantes eligieron conejos que llamas? ....

9 Escribe tu propio enunciado acerca de los datos de la pictografía. Muestra cómo sabes que tu enunciado es verdadero.

Desarrolla **Leer e interpretar gráficas de barras**

Lee el siguiente problema y trata de resolverlo.

La escuela Hart quiere construir una nueva área de juego. La gráfica muestra el número de dólares que ha recaudado cada grado para construir el área de juego. Tercer grado y cuarto grado combinados quieren recaudar $300. ¿Cuánto dinero más deben recaudar?

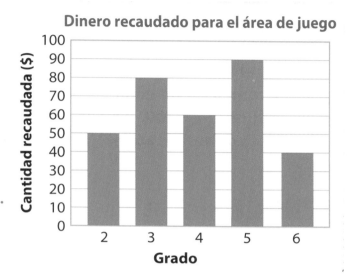

Dinero recaudado para el área de juego

PRUÉBALO

Herramientas matemáticas

- bloques de base diez
- papel cuadriculado de 1 pulgada
- notas adhesivas

CONVERSA CON UN COMPAÑERO

Pregúntale: ¿Estás de acuerdo conmigo? ¿Por qué sí o por qué no?

Dile: Estoy de acuerdo contigo en que . . . porque . . .

Explora diferentes maneras de entender cómo responder preguntas sobre una gráfica de barras.

La escuela Hart quiere construir una nueva área de juego. La gráfica muestra el número de dólares que ha recaudado cada grado para construir el área de juego. Tercer grado y cuarto grado combinados quieren recaudar $300. ¿Cuánto dinero más deben recaudar?

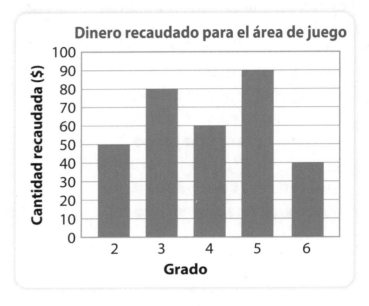

Dinero recaudado para el área de juego

Cantidad recaudada ($) — Grado

EXPLÍCALO

Puedes usar palabras para explicar cómo usar la gráfica para hallar el número de dólares que recaudó cada grado.

Tercer grado

Señala la barra de tercer grado. Ve a la parte de arriba de la barra.
Sigue la línea de la parte de arriba de la barra hacia la izquierda.
Detente en el número del lado izquierdo de la gráfica.
Este es el número de dólares que recaudó tercer grado.

Cuarto grado

Señala la barra de cuarto grado. Ve a la parte de arriba de la barra.
Sigue la línea de la parte de arriba de la barra hacia la izquierda.
Detente en el número del lado izquierdo de la gráfica.
Este es el número de dólares que recaudó cuarto grado.

CONÉCTALO

Ahora vas a usar el problema de la página anterior para ayudarte a entender cómo responder preguntas sobre gráficas de barras.

1 ¿Qué representa cada barra en la gráfica de barras?

2 ¿Qué representan los números de la escala que están a lo largo del lado izquierdo de la gráfica de barras?

3 ¿Cuál es la diferencia entre un número de la escala y el siguiente? ....

4 Mira la barra de tercer grado. ¿Cuánto dinero recaudó tercer grado? ....

Mira la barra de cuarto grado. ¿Cuánto dinero recaudó cuarto grado? ....

5 ¿Qué operación se usa para averiguar cuánto dinero recaudaron

tercer grado y cuarto grado en total? ....

¿Cuánto dinero recaudaron tercer grado y cuarto grado en total? ....

6 ¿Qué operación se usa para averiguar cuánto más dinero se debe recaudar

para que tercer grado y cuarto grado combinados recauden $300? ....

¿Cuánto dinero más deben recaudar ambos grados? ....

7 Explica cómo los números de la escala de una gráfica de barras te ayudan a entender lo que muestra la barra.

8 REFLEXIONA

Repasa **Pruébalo**, las estrategias de tus compañeros y **Explícalo**. ¿Qué modelos o estrategias prefieres para leer e interpretar gráficas de barras? Explica.

....

....

....

APLÍCALO

Usa la gráfica de barras y lo que acabas de aprender para resolver los problemas 9 y 10.

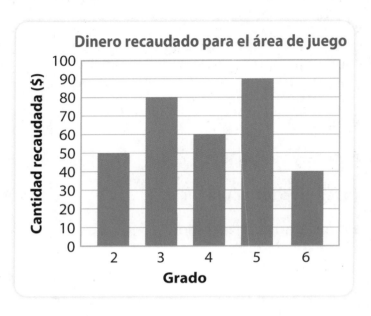

Dinero recaudado para el área de juego

Cantidad recaudada ($)

Grado

9 ¿Cuánto dinero recaudaron los grados en total? Muestra tu trabajo.

Solución ....

10 Elige los enunciados que son verdaderos.

Ⓐ Quinto grado necesita recaudar otros $10 para recaudar la misma cantidad que cuarto grado y sexto grado combinados.

Ⓑ Tercer grado recaudó $50 más que sexto grado.

Ⓒ Segundo grado y sexto grado combinados recaudaron más dinero que quinto grado.

Ⓓ Segundo grado, cuarto grado y sexto grado combinados recaudaron $20 menos que tercer grado y quinto grado combinados.

Ⓔ Segundo grado y tercer grado combinados recaudaron la misma cantidad de dinero que quinto grado y sexto grado combinados.

Practica leer e interpretar gráficas de barras

Estudia el Ejemplo, que muestra cómo leer e interpretar una gráfica de barras. Luego resuelve los problemas 1 a 5.

EJEMPLO

La gráfica de barras muestra el número de envases de leche que se vendieron en una semana. ¿Se vendieron más envases el lunes y el martes o el miércoles y el jueves?

Mira dónde terminan las barras. Lee los números de la escala en el lado izquierdo de la gráfica:

Envases de leche vendidos en la cafetería

Lunes = 60, Martes = 90, Miércoles = 100, Jueves = 70.

$$60 + 90 = 150 \text{ y } 100 + 70 = 170$$

Se vendieron más envases de leche el miércoles y el jueves que el lunes y el martes.

Usa la gráfica de barras de arriba para resolver los problemas 1 y 2. Muestra tu trabajo.

1 ¿Cuántos envases de leche se vendieron en los dos días que tienen el menor número de envases?

2 ¿Cuántos envases de leche se vendieron en total esa semana?

Usa la gráfica de barras para resolver los problemas 3 a 5. Muestra tu trabajo.

La gráfica de barras muestra qué compraron para el almuerzo los estudiantes de la clase de la maestra Tate un día.

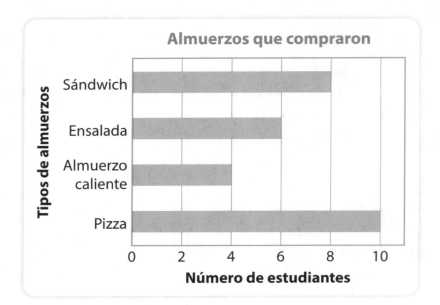

Almuerzos que compraron

Tipos de almuerzos

Sándwich
Ensalada
Almuerzo caliente
Pizza

0   2   4   6   8   10

Número de estudiantes

3 Los estudiantes compraron el mismo número de pizzas que de

.... y .... combinados.

4 El número de ensaladas que se compraron es 2 veces menor que

el número de ....

5 Escribe tu propio enunciado acerca de los datos de la gráfica. Di cómo sabes que tu enunciado es verdadero.

Desarrolla Hacer una gráfica a escala

Lee el siguiente problema y trata de resolverlo.

> **Nan lleva la cuenta de cuántos minutos practica guitarra cada día. Quiere hacer una gráfica usando los siguientes datos. ¿Cómo puede Nan mostrar los datos en una gráfica?**

Tiempo que practico guitarra	
Lunes	5 minutos
Martes	30 minutos
Miércoles	15 minutos
Jueves	25 minutos
Viernes	20 minutos

PRUÉBALO

Herramientas matemáticas

- fichas
- fichas cuadrada de 1 pulgada
- papel cuadriculado de 1 pulgada
- gráficas de barras en blanco
- pictografías en blanco

CONVERSA CON UN COMPAÑERO

Pregúntale: ¿Estás de acuerdo conmigo? ¿Por qué sí o por qué no?

Dile: No estoy de acuerdo con esta parte porque . . .

Explora diferentes maneras de entender cómo mostrar datos y hacer una gráfica.

Nan lleva la cuenta de cuántos minutos practica guitarra cada día. Quiere hacer una gráfica usando los siguientes datos.
¿Cómo puede Nan mostrar los datos en una gráfica?

Tiempo que practico guitarra	
Lunes	5 minutos
Martes	30 minutos
Miércoles	15 minutos
Jueves	25 minutos
Viernes	20 minutos

HAZ UN DIBUJO

Puedes usar rectas numéricas para ayudarte a elegir una escala o una clave.

La siguiente recta numérica tiene una escala de 5. Los puntos en la recta numérica muestran el número de minutos que Nan practica en diferentes días.

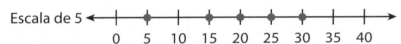

La siguiente recta numérica tiene una escala de 10. Los puntos en la recta numérica muestran el número de minutos que Nan practica en diferentes días.
Algunos puntos se encuentran entre los números de la escala.

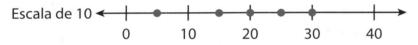

HAZ UN MODELO

Puedes usar la escala o la clave y la multiplicación para ayudarte a hacer una gráfica.

Multiplica para hallar los **números de la escala** para escribir en una gráfica de barras o **cuántos símbolos** dibujar en una pictografía. Usa una escala de 5.

$1 \times 5 = 5$ $2 \times 5 = 10$ $3 \times 5 = 15$ $4 \times 5 = 20$

$5 \times 5 = 25$ $6 \times 5 = 30$ $7 \times 5 = 35$ $8 \times 5 = 40$

CONÉCTALO

Ahora vas a usar el problema de la página anterior para ayudarte a hacer una gráfica de barras y una pictografía.

1 ¿Cómo usas los números de la escala para ayudarte a dibujar las barras en una gráfica de barras?

2 Completa la gráfica de barras de Nan.

a. Escribe el título en la gráfica.

b. Escribe los dos rótulos para la gráfica.

c. Completa los números de la escala.

d. Dibuja las barras restantes en la gráfica.

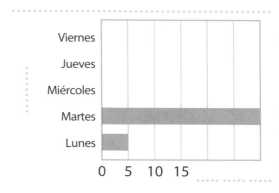

3 Usa los datos de Nan para hacer una pictografía.

a. Escribe el mismo título que el de la gráfica de barras.

b. Elige un símbolo.

c. Crea una clave basándote en la escala.

d. Dibuja los símbolos para cada día.

Viernes	
Jueves	
Miércoles	
Martes	
Lunes	

4 **REFLEXIONA**

Clave: Cada . . . . representa . . . .

Repasa **Pruébalo**, las estrategias de tus compañeros, **Haz un dibujo** y **Haz un modelo**. ¿Qué modelos o estrategias prefieres para hacer una gráfica a escala? Explica.

. . . .

. . . .

. . . .

. . . .

APLÍCALO

Usa lo que acabas de aprender para resolver estos problemas.

Robert anota los diferentes insectos que ve en una mesa. Usa la tabla para completar los problemas 5 y 6.

Insectos que vio Robert	
Tipo de insecto	**Número de insectos**
Hormiga	16
Abeja	4
Polilla	6
Araña	12

5 Completa una pictografía usando los datos de Robert.

....	
Hormiga	
Abeja	
....	
....	

Clave: Cada 🐝 representa .... insectos.

6 Completa una gráfica de barras usando los datos de Robert.

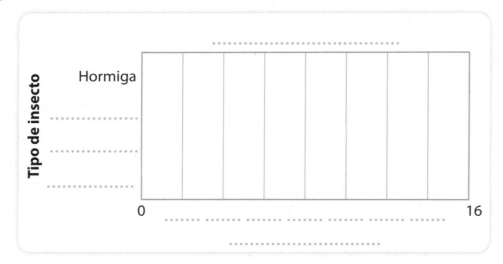

Tipo de insecto

Hormiga

0   16

Practica hacer una gráfica a escala

Estudia el Ejemplo, que muestra cómo hacer una gráfica a escala. Luego resuelve los problemas 1 a 5.

EJEMPLO

Jess preguntó a algunos estudiantes de su escuela qué color prefieren. Anotó los datos en una tabla. ¿Cómo puede hacer una pictografía para mostrar los datos?

Color	Estudiantes
Azul	10
Verde	5
Morado	20
Rojo	30
Amarillo	15

$10 = 2 \times 5$
$5 = 1 \times 5$
$20 = 4 \times 5$
$30 = 6 \times 5$
$15 = 3 \times 5$

Color favorito	
Azul	☺ ☺
Verde	☺
Morado	☺ ☺ ☺ ☺
Rojo	☺ ☺ ☺ ☺ ☺ ☺
Amarillo	☺ ☺ ☺

Clave: Cada ☺ representa 5 estudiantes.

Cada número tiene 5 como factor. Usa una escala de 5.

Usa la gráfica de arriba para resolver los problemas 1 y 2. Muestra tu trabajo.

1 Jess quiere hacer una gráfica de barras para mostrar los mismos datos. ¿Cómo puede usar la escala de la pictografía?

2 Completa la gráfica de barras de la derecha para mostrar los datos de Jess.

3 Pablo preguntó a algunos estudiantes qué deporte prefieren. Anotó los datos en esta tabla y comenzó a hacer una pictografía. Completa la siguiente pictografía.

Deporte	Número de estudiantes
Beisbol	14
Básquetbol	10
Ciclismo	16
Futbol	18

Beisbol	😊 😊 😊 😊 😊 😊 😊
Básquetbol	
Ciclismo	
Futbol	

Clave: Cada 😊 representa .... estudiantes.

Usa la tabla para resolver los problemas 4 y 5.

4 La tabla muestra el número de estudiantes que se inscribieron en diferentes juegos en la feria de la escuela. Completa la gráfica de barras de abajo usando los datos de la tabla. Asegúrate de escribir un título, dibujar las barras y de rotular todas las partes de la gráfica.

Juegos en la feria de la escuela	
Juego	**Número de estudiantes**
Lanzamiento de globos	24
Carrera de relevos	20
Carrera de sacos	28
Lanzamiento de pelota	12

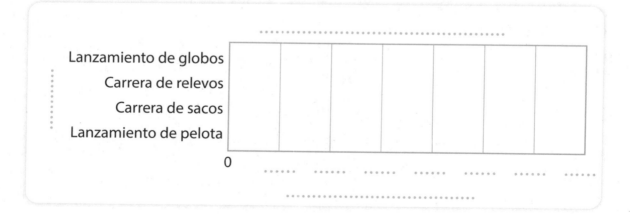

5 Explica cómo decidiste qué escala usar.

Refina Gráficas a escala

Completa el Ejemplo siguiente. Luego resuelve los problemas 1 a 7.

EJEMPLO

Sean anota los colores favoritos de bicicletas de sus compañeros en esta tabla. Quiere hacer una gráfica a escala con los datos. ¿Cómo puede decidir qué escala usar?

Mira cómo podrías mostrar tu trabajo usando rectas numéricas.

Color favorito de bicicleta	
Color	**Votos**
Azul	12
Verde	6
Anaranjado	3
Rojo	9

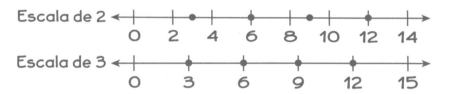

Solución ....

....

¿Los números del conjunto de datos, son números que dices cuando cuentas salteado de dos en dos o cuando cuentas salteado de tres en tres?

EN PAREJA

¿Cómo podrías multiplicar para resolver este problema?

APLÍCALO

1 Completa la gráfica de barras usando los datos de la tabla de Sean que se muestra arriba.

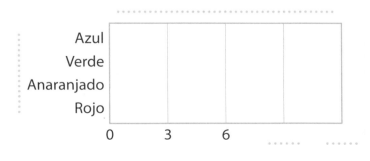

Recuerda escribir un título y rotular todas las partes de tu gráfica.

EN PAREJA

Echa un vistazo a tu gráfica. ¿Cómo sabes si coincide con los datos que usaste?

Usa la siguiente gráfica de barras para resolver los problemas 2 y 3.

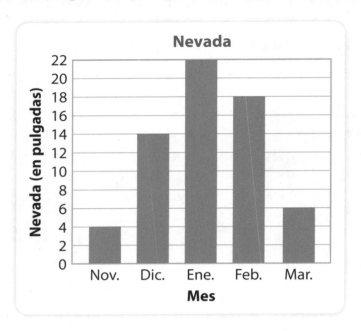

Nevada

Nevada (en pulgadas)

Mes

Nov.   Dic.   Ene.   Feb.   Mar.

2 ¿Cuánta más nieve cayó en febrero y marzo combinados que en noviembre y diciembre combinados?
Muestra tu trabajo.

Solución ....

3 ¿Qué dos meses combinados tienen la misma cantidad de nevadas que enero?

Ⓐ Febrero y marzo

Ⓑ Diciembre y marzo

Ⓒ Noviembre y diciembre

Ⓓ Noviembre y febrero

Lara eligió Ⓓ como la respuesta correcta. ¿Cómo obtuvo ella esa respuesta?

Creo que hay al menos dos pasos para resolver este problema.

EN PAREJA
¿Qué datos de la gráfica de barras necesitas para resolver el problema?

Creo que el primer paso es hallar la nevada de enero.

EN PAREJA
¿Cómo decidieron tu compañero y tú si debían sumar o restar?

Jane hace una gráfica de barras con el número de boletos que vende cada día para la obra de teatro de la escuela. Usa la gráfica de barras para resolver los problemas 4 y 5.

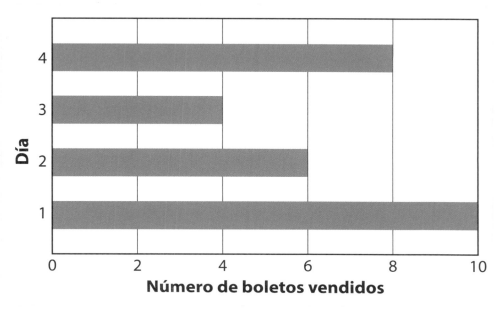

Número de boletos vendidos

4 Di si cada enunciado es *Verdadero* o *Falso*.

	Verdadero	Falso
La escala de la gráfica de barras de Jane es 2.	Ⓐ	Ⓑ
Un buen título para la gráfica de barras de Jane podría ser: "Boletos vendidos en diez días".	Ⓒ	Ⓓ
Jane vendió 1 boleto más en el día 2 y el día 4 combinados que en el día 1 y el día 3 combinados.	Ⓔ	Ⓕ
Jane vendió 8 boletos menos en el día 2, el día 3 y el día 4 combinados que en el día 1.	Ⓖ	Ⓗ

5 Supón que Jane hace una pictografía con sus datos y usa un símbolo de boleto para representar dos boletos vendidos. ¿Cuántos símbolos de boleto dibuja para mostrar el número de boletos que vendió el día 1?

.... símbolos de boleto

Usa la pictografía para resolver el problema 6.

Goles de futbol anotados esta temporada	
Osos	⚽ ⚽ ⚽ ⚽ ⚽
Guepardos	⚽ ⚽
Águilas	⚽ ⚽ ⚽ ⚽ ⚽
Halcones	⚽ ⚽ ⚽ ⚽ ⚽ ⚽ ⚽
Leones	⚽ ⚽ ⚽
Tigres	⚽ ⚽ ⚽ ⚽ ⚽ ⚽ ⚽ ⚽

Clave: Cada ⚽ representa 2 goles.

6 ¿Qué enunciados son verdaderos según la pictografía?

ⓐ Las Águilas anotaron 10 goles.

ⓑ Los Leones anotaron 3 goles.

ⓒ Los Tigres anotaron la misma cantidad de goles que los Osos y los Leones combinados.

ⓓ Los Halcones anotaron 2 goles más que las Águilas.

ⓔ Los Tigres y los Guepardos anotaron 20 goles en total.

7 DIARIO DE MATEMÁTICAS

Se pregunta a varias personas cuál es su deporte olímpico de invierno favorito. 20 dicen *snowboarding*, 10 dicen *bobsledding*, 50 dicen patinaje artístico sobre hielo y 30 dicen salto de esquí. Explica cómo decidirías qué escala usar para mostrar estos datos en una pictografía o una gráfica de barras.

 COMPRUEBA TU PROGRESO Vuelve al comienzo de la Unidad 3 y mira qué destrezas puedes marcar.

Reflexión

En esta unidad aprendiste a . . .

Destreza	Lección
Comprender el área y hallar el área al teselar y multiplicar.	14, 15
Hallar el área de un rectángulo combinado o una figura no rectangular sumando las áreas de los rectángulos que forman la figura.	16
Usar la multiplicación o la división para resolver problemas verbales de un paso.	17
Usar la suma, la resta, la multiplicación o la división para resolver problemas verbales de dos pasos.	18
Resolver problemas usando pictografías y gráficas de barras.	19
Hacer pictografías y gráficas de barras para mostrar datos.	19

Piensa en lo que has aprendido.

Usa palabras, números y dibujos.

1 Lo más importante que aprendí fue .... porque . . .

2 Me gustaría aprender más acerca de cómo . . .

3 Podría practicar más con . . .

Usa las cuatro operaciones

Estudia un problema y su solución

EPM 1 Entender problemas y perseverar en resolverlos.

Lee el siguiente problema sobre usar distintas operaciones para resolverlo. Luego estudia cómo Sweet T resolvió el problema.

Las camisetas de Sweet T

Sweet T quiere comprar camisetas para su equipo de patinaje. En el equipo habrá entre 8 y 10 miembros. Todos deberán recibir dos camisetas diferentes.

- $50 de costo de impresión.
- Sumar $2 al costo de cada camiseta para hacer la impresión.

Sweet T puede gastar hasta $225 en las camisetas. Puede sobrarle dinero.

- Di qué tipo de camisetas y cuántas ordenar.
- Decide si se deben imprimir o no las camisetas.
- Da el costo total y la cantidad de dinero que sobra.

Manga larga
$8 cada una

Manga corta
$6 cada una

Con cuello
$7 cada una

Lee la solución que aparece en la página siguiente. Luego mira la lista de chequeo de abajo. Marca las partes de la solución que corresponden a la lista.

☑ LISTA DE CHEQUEO PARA LA SOLUCIÓN DE PROBLEMAS

- ☐ Di lo que se sabe.
- ☐ Di lo que pide el problema.
- ☐ Muestra todo tu trabajo.
- ☐ Muestra que la solución tiene sentido.

a. **Haz un círculo** alrededor de lo que se sabe.

b. **Subraya** las cosas que hace falta averiguar.

c. **Encierra en un cuadro** lo que se hace para resolver el problema.

d. **Pon una marca** ✓ junto a la parte que muestra que la solución tiene sentido.

LA SOLUCIÓN DE SWEET T

- **Sé que habrá entre 8 y 10 miembros en el equipo.**

  Planearé comprar camisetas para 9 miembros. No quiero tener muchas camisetas adicionales.

- **Puedo hacer una tabla para mostrar el costo de los diferentes tipos de camisetas.**

  Multiplico el precio de la camiseta por el número que voy a comprar.

Tipo de camiseta	Sencilla	Con dibujos
Manga corta	$9 \times \$6 = \$54$	$9 \times \$8 = \$72$
Con cuello	$9 \times \$7 = \$63$	$9 \times \$9 = \$81$
Manga larga	$9 \times \$8 = \$72$	$9 \times \$10 = \$90$

- **Puedo hallar el costo de las dos camisetas más costosas.**

  Costo de las camisetas: $\$81 + \$90 = \$171$

  Sumo los costos de impresión: $\$171 + \$50 = \$221$

  Creo que esto es muy cercano a $225.

- **Compraré . . .**

9 camisetas con cuello y dibujos:	$81
9 camisetas sencillas de manga corta:	$54
costo de impresión:	+ $50
total:	$185

- **Puedo restar para hallar la cantidad que sobra.**

  $\$225 - \$185 = \$40$

  Sobrarán $40 después de comprar las camisetas.

Hola, soy Sweet T. Así fue como resolví este problema.

La tabla me ayuda a ver todas las opciones.

Podría comprar las camisetas más costosas. Me gustaría tener dinero para comprar otras cosas.

Este plan le da al equipo dos camisetas distintas.

Prueba otro método

Hay muchas maneras de resolver problemas. Piensa en cómo podrías resolver el problema de "Las camisetas de Sweet T" de una manera distinta.

Las camisetas de Sweet T

Sweet T quiere comprar camisetas para su equipo de patinaje. En el equipo habrá entre 8 y 10 miembros. Todos deberán recibir dos camisetas diferentes.

- $50 de costo de impresión.
- Sumar $2 al costo de cada camiseta para hacer la impresión.

Sweet T puede gastar hasta $225 en las camisetas. Puede sobrarle dinero.

- Di qué tipo de camisetas y cuántas ordenar.
- Decide si se deben imprimir o no las camisetas.
- Da el costo total y la cantidad de dinero que sobra.

Manga larga
$8 cada una

Manga corta
$6 cada una

Con cuello
$7 cada una

PLANEA

Contesta las siguientes preguntas para empezar a pensar en un plan.

A. ¿Para cuántos miembros comprarás camisetas?

B. ¿Quieres que sobre dinero? Si es así, ¿cuánto?

RESUELVE

Halla una solución distinta al problema de "Las camisetas de Sweet T". Muestra todo tu trabajo en una hoja de papel aparte.

Tal vez quieras usar las sugerencias de abajo para empezar.

SUGERENCIAS PARA RESOLVER PROBLEMAS

● **Modelos**

Tipo de camiseta	Sencilla	Con dibujos

● **Banco de palabras**

sumar	restar	multiplicar
total	diferencia	producto

● **Oraciones modelo**

• El costo de comprar _____

• Debo multiplicar _____

LISTA DE CHEQUEO PARA LA SOLUCIÓN DE PROBLEMAS

Asegúrate de . . .

☐ decir lo que se sabe.

☐ decir lo que pide el problema.

☐ mostrar todo tu trabajo.

☐ mostrar que la solución tiene sentido.

REFLEXIONA

Usa las prácticas matemáticas A medida que vayas resolviendo el problema, comenta las siguientes preguntas con un compañero.

• **Razona matemáticamente** ¿Cuáles son todos los números del problema y qué significan?

• **Persevera** ¿Cuál es tu plan para resolver el problema?

Comenta modelos y estrategias

Lee el problema. Escribe una solución en una hoja de papel aparte. Recuerda que puede haber muchas maneras de resolver un problema.

Piezas de una patineta

Sweet T quiere tener piezas adicionales de patinetas. Quiere que los miembros puedan mezclar y emparejar las piezas para hacer patinetas diferentes.

Tablas	**Ejes**	**Ruedas**
$8 cada una	$6 por un juego de 2	$7 por un juego de 4
Disponible en amarillo, rojo, rosado, morado, anaranjado y verde.	Disponible en rosado, rojo, azul, negro y blanco.	Disponible en amarillo, rojo, azul, negro y blanco.

Sweet T puede gastar hasta $160 en piezas de patinetas. ¿Qué debería comprar?

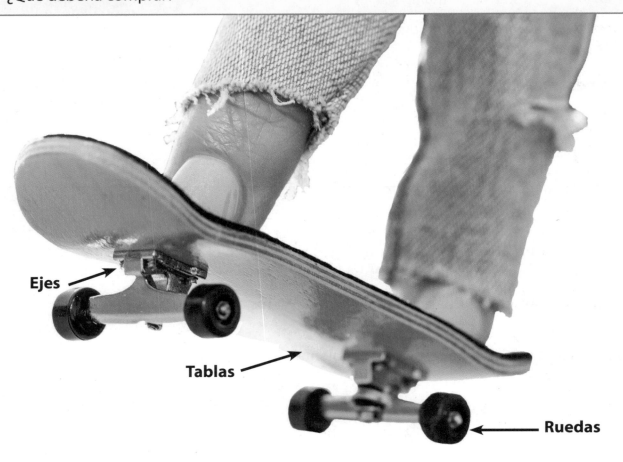

Ejes

Tablas

Ruedas

PLANEA Y RESUELVE

Halla una solución al problema de las "Piezas de una patineta".

• Haz una lista de las piezas que hay que comprar. Incluye el número de las distintas piezas y los colores.

• Di por qué elegiste esas piezas.

• Halla el costo total para comprar las piezas. Di cuánto dinero sobra.

Tal vez quieras usar las sugerencias de abajo para empezar.

SUGERENCIAS PARA RESOLVER PROBLEMAS

● **Preguntas**

• ¿Cuántas de cada pieza necesitas para hacer una patineta?

• ¿Quieres tener más de un tipo de pieza? ¿Por qué?

● **Herramientas** Tal vez quieras usar . . .

• una tabla.

• una lista organizada.

● **Oraciones modelo**

• Me gustaría tener _____

• Compraré _____

✓ **LISTA DE CHEQUEO PARA LA SOLUCIÓN DE PROBLEMAS**

Asegúrate de . . .
☐ decir lo que se sabe.
☐ decir lo que pide el problema.
☐ mostrar todo tu trabajo.
☐ mostrar que la solución tiene sentido.

REFLEXIONA

Usa las prácticas matemáticas A medida que vayas resolviendo el problema, comenta las siguientes preguntas con un compañero.

• **Usa modelos** ¿Cómo puedes usar ecuaciones para ayudarte a hallar una solución?

• **Persevera** ¿Cómo puedes comprobar que tu solución tiene sentido?

Persevera por tu cuenta

Lee el problema. Escribe una solución en una hoja de papel aparte.

Parque para patinar

A Sweet T le sobran $80 después de comprar los artículos para el equipo. Quiere comprar al menos tres artículos diferentes para el parque para patinar que construye. Estos son los artículos que Sweet T está considerando, junto con los precios.

• Mesa: $24

• Banco: $15

• Caja con forma de L: $15

• Caja: $18

• Paleta: $10

• Riel: $22

¿Qué artículos debería comprar Sweet T?

RESUELVE

Di qué artículos debería comprar Sweet T.

• Da el costo total.

• Explica por qué elegiste esos artículos.

REFLEXIONA

Usa las prácticas matemáticas Cuando termines, elige una de las siguientes preguntas y coméntala con un compañero.

• **Persevera** ¿Qué pasos seguiste para llegar a tu solución?

• **Usa un modelo** ¿Qué operaciones usaste para resolver el problema?

Cinta de agarre

Sweet T quiere comprar trozos de cinta de agarre para el equipo. La cinta se pega a la tabla de la patineta para que no sea resbaladiza.
Sweet T cree que cada uno de los 9 miembros de su equipo necesita al menos 4 trozos de cinta de agarre.

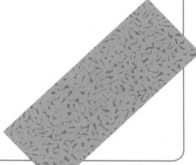

Cinta de agarre

1 trozo por $1

o

Compra 5 y recibe 1 trozo gratis.

¿Cuántos trozos de cinta de agarre debería comprar Sweet T?

RESUELVE

Decide cuántos trozos de cinta de agarre debería comprar Sweet T para cada uno de los miembros del equipo.

- Di por qué elegiste ese número.

- Di el número total de piezas que se necesitan.

- Halla una manera de comprar grupos de 5 o piezas individuales para obtener este total.

- Da el costo total.

REFLEXIONA

Usa las prácticas matemáticas Cuando termines, elige una de las siguientes preguntas y coméntala con un compañero.

- **Construye un argumento** ¿Qué razones tuviste para tomar tu decisión acerca del número de piezas que había que comprar?

- **Persevera** ¿Cuál fue tu primer paso para hallar una solución? ¿Por qué empezaste de esa manera?

1 El rectángulo de la derecha está formado por cuadrados unitarios. Completa la ecuación para hallar el área del rectángulo. Escribe tu respuesta en los espacios en blanco.

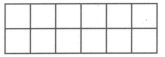

.... unidades × .... unidades = ... unidades cuadradas

2 Jessie compró un número de discos para descargar por $8 cada uno. También compró una camiseta por $12. Jessie gastó un total de $84. ¿Qué ecuación se puede usar para hallar el número de discos para descargar, d, que compró?

Ⓐ $(8 \times d) + 12 = 84$

Ⓑ $8 \times (12 + d) = 84$

Ⓒ $8 + (12 \times d) = 84$

Ⓓ $(8 + 12) \times d = 84$

3 Bianca tiene 54 libros. Los coloca en un librero que tiene 6 estantes. Coloca el mismo número de libros en cada estante. ¿Cuántos libros coloca en cada estante?

Escribe ecuaciones de multiplicación y división relacionadas para hallar el número de libros que hay en cada estante. Usa *l* para el número desconocido.

4 Nicole usa el teselado para hallar el área total de los dos rectángulos que se muestran. Cada cuadrado unitario mide 1 pie cuadrado.

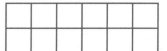

¿Qué expresiones se pueden usar para hallar el área, en pies cuadrados, de los rectángulos de Nicole? Elige todas las respuestas correctas.

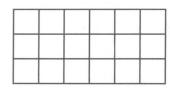

Ⓐ $5 \times (3 + 2)$

Ⓑ $(6 \times 2) + (6 \times 3)$

Ⓒ $(6 + 6) \times 5$

Ⓓ $(3 + 2) \times 6$

Ⓔ 5×6

5 Mark tiene 15 globos rojos, 12 globos verdes, 9 globos azules y 18 globos amarillos.

Usa los datos de Mark para completar la pictografía.

Globos de Mark	
Color de los globos	**Número de globos**
Rojo	
Verde	
Azul	
Amarillo	

Clave: Cada ⬤ representa .... globos.

6 La escuela de Kanti presentará tres espectáculos musicales. Kanti vendió 289 boletos para el primer espectáculo, 115 boletos para el segundo y 198 boletos para el tercero.

Ella dice, "Vendí 602 boletos".

¿Es razonable la respuesta de Kanti? Usa la estimación para comprobar su trabajo. Muestra tu trabajo.

Solución ....

....

Prueba de rendimiento

Contesta las preguntas y muestra todo tu trabajo en una hoja de papel aparte.

Dan planea construir un porche cuadrado anexo al lado de su casa. Después de construir el porche, le gustaría cubrir el piso con baldosas de 1 pie cuadrado. El diagrama de abajo muestra las medidas del porche y el jardín donde planea construirlo. ¿Cuántas baldosas necesitará para cubrir el piso del porche?

Lado de la casa

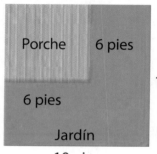

Porche   6 pies

10 pies

6 pies

Jardín

10 pies

Después de que Dan compró todas las baldosas que necesitaba, cambió de opinión acerca de la forma del porche. ¿Cómo podría cambiar la forma del porche pero aun así usar el mismo número de baldosas? Explica cómo hallaste tu respuesta. Luego dibuja un modelo nuevo para el porche de Dan que muestre la nueva forma y sus longitudes laterales.

REFLEXIONA

Usa las prácticas matemáticas Cuando termines, escoge una de estas preguntas y contéstala.

- **Persevera** ¿Cómo sabes que esta es una pregunta sobre área?

- **Construye un argumento y comenta** ¿Cómo justificaste las medidas que elegiste?

Glosario

Aa

a. m. horas desde la medianoche hasta el mediodía.

AM 7:20

algoritmo conjunto de pasos que se siguen rutinariamente para resolver problemas.

$$\begin{array}{r} \scriptstyle 1\ 1 \\ 4\,5\,6 \\ +\ 1\,6\,7 \\ \hline 6\,2\,3 \end{array}$$

ángulo esquina de una figura en la que se unen dos lados.

ángulo

ángulo recto ángulo que parece la esquina de un cuadrado.

90°

área cantidad de espacio dentro de una figura bidimensional cerrada. El área se mide en unidades cuadradas, tales como los centímetros cuadrados.

Área = 4 unidades cuadradas

arista segmento de recta donde se encuentran dos caras de una figura tridimensional.

arista

atributo característica de un objeto o una figura, como el número de lados o ángulos, la longitud de los lados o la medida de los ángulos.

atributos de un cuadrado
• 4 esquinas cuadradas
• 4 lados de igual longitud

Ejemplo

Bb

bidimensional plano, o que tiene medidas en dos direcciones, como la longitud y el ancho. Por ejemplo, un rectángulo es bidimensional.

Cc

capacidad cantidad que cabe en un recipiente. La capacidad se mide en las mismas unidades que el volumen líquido.

capacidad de 2 litros

cara superficie plana de una figura sólida.

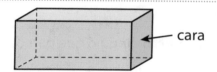

cara

centavo (¢) la menor unidad monetaria de Estados Unidos. Hay 100 centavos en 1 dólar.

1 centavo   1¢

centímetro (cm) unidad de longitud. Hay 100 centímetros en 1 metro.

Tu dedo meñique mide
1 **centímetro** (cm) de ancho.

Ejemplo

clave dice qué representa cada símbolo de una pictografía.

Puntos anotados durante el juego	
Aldo	
Celia	🏀🏀🏀
Juan	🏀🏀🏀🏀🏀
Marta	🏀🏀🏀🏀

Clave: Cada 🏀 = 2 puntos.

↑

Clave

---

cociente el resultado de la división.

$$15 \div 3 = 5$$

---

columna línea vertical de objetos o números, como las de una matriz o una tabla.

---

comparar determinar si un número, una cantidad o un tamaño es mayor que, menor que o igual a otro número, otra cantidad u otro tamaño.

$$\frac{4}{6} < \frac{5}{6}$$

---

cuadrado cuadrilátero que tiene 4 esquinas cuadradas y 4 lados de igual longitud.

---

cuadrilátero figura bidimensional cerrada que tiene exactamente 4 lados y 4 ángulos.

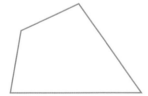

---

cuartos partes que se forman cuando se divide un entero en cuatro partes iguales.

cuartos

4 partes iguales

Ejemplo

Dd

datos conjunto de información reunida. A menudo es información numérica, tal como una lista de medidas.

Número de puntos anotados
Aldo: 2, Celia: 6, Juan: 10, Marta: 8

denominador número que está debajo de la línea en una fracción. Dice cuántas partes iguales hay en el entero.

$$\frac{2}{3}$$

diagrama de puntos representación de datos en la cual se muestran los datos como marcas sobre una recta numérica.

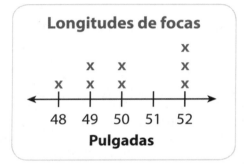

Longitudes de focas

Pulgadas

diferencia el resultado de la resta.

$$\begin{array}{r} 475 \\ -\ 296 \\ \hline \mathbf{179} \end{array}$$

dígito símbolo que se usa para escribir números.

Los dígitos son 0, 1, 2, 3, 4, 5, 6, 7, 8 y 9.

dimensión longitud en una dirección. Una figura puede tener una, dos o tres dimensiones.

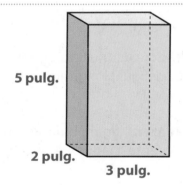

5 pulg.

2 pulg.

3 pulg.

dividendo el número que se divide por otro número.

$15 \div 3 = 5$

dividir separar en grupos iguales y hallar cuántos hay en cada grupo o el número de grupos.

15 globos   5 grupos de 3 globos

Ejemplo

división operación que se usa para separar una cantidad de cosas en grupos iguales.

División

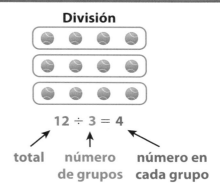

$12 \div 3 = 4$

total   número de grupos   número en cada grupo

---

divisor el número por el que se divide otro número.

$15 \div 3 = 5$

---

dólar ($) unidad monetaria de Estados Unidos. Hay 100 centavos en 1 dólar ($1).

Ee

ecuación enunciado matemático en el que se usa un signo de igual (=) para mostrar que dos expresiones tienen el mismo valor.

$25 - 15 = 10$

---

ecuación de división ecuación que contiene un signo de división y un signo de igual.

$15 \div 3 = 5$

---

ecuación de multiplicación ecuación que contiene un signo de multiplicación y un signo de igual.

$3 \times 5 = 15$

---

escala (en una gráfica) el valor que representa la distancia entre una marca y la marca siguiente de una recta numérica.

---

estimación suposición aproximada que se hace usando el razonamiento matemático.

$28 + 21 = ?$
$30 + 20 = 50$
50 es una estimación del total.

	Ejemplo
estimar / hacer una estimación hacer una suposición aproximada usando el razonamiento matemático.	$28 + 21$ es aproximadamente 50.

estrategia de sumas parciales estrategia que se usa para sumar números de varios dígitos.

$$\begin{array}{r} 312 \\ + 235 \\ \hline \end{array}$$

Se suman las centenas. 500
Se suman las decenas. 40
Se suman las unidades. $+\quad 7$
547

expresión uno o más números, números desconocidos y/o símbolos de operaciones que representan una cantidad.

3×4 o $5 + b$

Ff

factor número que se multiplica.

$4 \times 5 = 20$

factores

familia de datos grupo de ecuaciones relacionadas que tienen los mismos números, ordenados de distinta manera, y dos símbolos de operaciones diferentes. Una familia de datos puede mostrar la relación que existe entre la suma y la resta.

$5 \times 4 = 20$
$4 \times 5 = 20$
$20 \div 4 = 5$
$20 \div 5 = 4$

fila línea horizontal de objetos o números, como en uma matriz o una tabla.

★ ★ ★ ★ ★
★ ★ ★ ★ ★
★ ★ ★ ★ ★

forma desarrollada manera de escribir un número para mostrar el valor posicional de cada dígito.

$249 = 200 + 40 + 9$

fracción número que nombra partes iguales de un entero. Una fracción nombra un punto en una recta numérica.

$\frac{3}{4}$

fracción unitaria fracción cuyo numerador es 1. Otras fracciones se construyen a partir de fracciones unitarias.

$\frac{1}{4}$

fracciones equivalentes dos o más fracciones diferentes que nombran la misma parte de un entero y el mismo punto en una recta numérica.

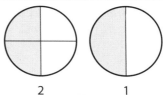

$$\frac{2}{4} = \frac{1}{2}$$

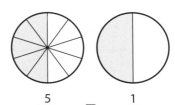

$$\frac{5}{10} = \frac{1}{2}$$

Gg

gráfica de barras representación de datos en la cual se usan barras para mostrar el número de cosas de cada categoría.

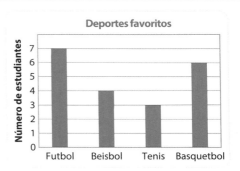

gramo (g) unidad de masa del sistema métrico. Un clip tiene una masa de aproximadamente 1 gramo. Hay 1,000 gramos en 1 kilogramo.

1,000 gramos = 1 kilogramo

Hh

hexágono figura bidimensional cerrada que tiene 6 lados rectos y 6 ángulos.

hora (h) unidad de tiempo. Hay 60 minutos en 1 hora.

60 minutos = 1 hora

Ejemplo

horario la manecilla más corta de un reloj. Muestra las horas.

horario

Ii

igual que tiene el mismo valor, el mismo tamaño o la misma cantidad.

$$25 + 15 = 40$$
$25 + 15$ **es igual a** 40.

Kk

kilogramo (kg) unidad de masa del sistema métrico. Hay 1,000 gramos en 1 kilogramo.

1,000 gramos = 1 kilogramo

Ll

lado segmento de recta que forma parte de una figura bidimensional.

lado

litro (L) unidad de volumen líquido del sistema métrico. Hay 1,000 mililitros en 1 litro.

1,000 mililitros = 1 litro

longitud medida que indica la distancia de un punto a otro, o lo largo que es un objeto.

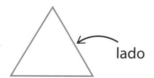

longitud

Mm

masa la cantidad de materia que hay en un objeto. Medir la masa de un objeto es una manera de medir qué tan pesado es. Las unidades de masa incluyen el gramo y el kilogramo.

La masa de un clip es aproximadamente 1 gramo.

Ejemplo

matriz conjunto de objetos a[grup]ados en filas y columnas iguales.	☆ ☆ ☆ ☆ ☆ ☆ ☆ ☆ ☆ ☆ ☆ ☆ ☆ ☆ ☆
medios partes que se forman cuan[do s]e divide un entero en dos partes iguales.	medios 2 partes iguales
medir determinar la longitud, la altura o el [pe]so de un objeto comparándolo con una unidad con[oc]ida.	0 1 2 pulgadas 0 1 2 3 4 5 centímetros
metro (m) unidad de longitud del sistema métrico. Hay 100 centímetros en 1 metro.	100 centímetros = 1 metro
minutero la manecilla más larga de un reloj. Muestra los minutos.	minutero
minuto (min) unidad de tiempo. Hay 60 minutos en 1 hora.	60 minutos = 1 hora
multiplicación operación que se usa para hallar el número total de objetos en un número dado de grupos de igual tamaño.	3 grupos de 2 pelotas es 6. 3 × 2 = 6

Ejemplo

multiplicar sumar el mismo número una y otra vez una cierta cantidad de veces. Se multiplica para hallar el número total de objetos que hay en grupos de igual tamaño.

	42
	36
	30
	24
	18
	12
	6

$7 \times 6 = 42$

Nn

numerador número que está encima de la línea en una fracción. Dice cuántas partes iguales se describen.

$\frac{2}{3}$

número impar número entero que siempre tiene el dígito 1, 3, 5, 7 o 9 en la posición de las unidades. Los números impares no pueden ordenarse en pares o en dos grupos iguales sin que queden sobrantes.

21, 23, 25, 27 y 29 son números impares.

número mixto número con una parte entera y una parte fraccionaria.

$2\frac{3}{8}$

número par número entero que siempre tiene 0, 2, 4, 6 u 8 en la posición de las unidades. Un número par de objetos puede agruparse en pares o en dos grupos iguales sin que queden sobrantes.

20, 22, 24, 26 y 28 son números pares.

Oo

operación acción matemática como la suma, la resta, la multiplicación y la división.

$15 + 5 = 20$
$20 - 5 = 15$
$4 \times 6 = 24$
$24 \div 6 = 4$

Pp

p. m. horas desde el mediodía hasta la medianoche.

paralelo que siempre está a la misma distancia.

paralelogramo cuadrilátero con lados opuestos paralelos e iguales en longitud.

patrón serie de números o figuras que siguen una regla para repetirse o cambiar.

pentágono figura bidimensional cerrada que tiene exactamente 5 lados y 5 ángulos.

perímetro longitud del contorno de una figura bidimensional. El perímetro es igual al total de las longitudes de los lados.

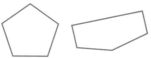

60 yardas

40 yardas   40 yardas

60 yardas

El perímetro de la cancha de futbol es de 200 yardas.
(60 yd + 40 yd + 60 yd + 40 yd)

pictografía representación de datos por medio de dibujos.

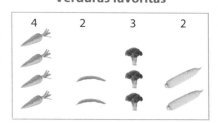

Verduras favoritas

4	2	3	2
Zanahorias	Frijoles	Brócoli	Maíz

pie unidad de longitud del sistema usual. Hay 12 pulgadas en 1 pie.

12 pulgadas = 1 pie

producto el resultado de la multiplicación.

$5 \times 3 = \mathbf{15}$

propiedad asociativa de la multiplicación cambiar la agrupación de tres o más factores no cambia el producto.

$(2 \times 4) \times 3$ $2 \times (4 \times 3)$

propiedad asociativa de la suma cambiar la agrupación de tres o más sumandos no cambia el total.

 +

$(\mathbf{2} + \mathbf{3}) + \mathbf{4}$ = $\mathbf{2} + (\mathbf{3} + \mathbf{4})$

Ejemplo

propiedad conmutativa de la multiplicación cambiar el orden de los factores no cambia el producto.

$3 \times 2 \quad = \quad 2 \times 3$

propiedad conmutativa de la suma cambiar el orden de los sumandos no cambia el total.

$3 + 4 \quad = \quad 4 + 3$

propiedad distributiva cuando uno de los factores de un producto se escribe como una suma, multiplicar cada sumando por el otro factor antes de sumar no cambia el producto.

$2 \times (3 + 6) = (2 \times 3) + (2 \times 6)$

pulgada (pulg.) unidad de longitud del sistema usual. Hay 12 pulgadas en 1 pie.

El diámetro de una moneda de 25¢ es aproximadamente 1 **pulgada** (pulg.).

Rr

reagrupar unir o separar unidades, decenas o centenas.

10 unidades se pueden reagrupar como 1 decena, o 1 centena se puede reagrupar como 10 decenas.

recta numérica recta que tiene marcas separadas por espacios iguales; las marcas muestran números.

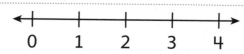

rectángulo paralelogramo que tiene 4 ángulos rectos. Los lados opuestos de un rectángulo tienen la misma longitud.

redondear hallar un número que es cercano en valor al número dado hallando la decena, la centena u otro valor posicional más cercano.

48 redondeado a la decena más cercana es 50.

regla procedimiento que se sigue para ir de un número o una figura al número o la figura siguiente de un patrón.

17, 22, 27, 32, 37, 42
regla: sumar 5

Ejemplo

reloj analógico reloj que muestra la hora con un horario y un minutero.

horario / minutero

reloj digital reloj que usa dígitos para mostrar la hora.

AM 7:20

restar quitar una cantidad a otra, o comparar dos números para hallar la diferencia.

$$365 - 186 = 179$$

rombo cuadrilátero cuyos lados tienen todos la misma longitud.

Ss

segundo (s) unidad de tiempo. Hay 60 segundos en 1 minuto.

60 segundos = 1 minuto

signo de igual (=) símbolo que significa *tiene el mismo valor que*.

$$12 + 4 = 16$$

símbolo de mayor que (>) símbolo que se usa para comparar dos números cuando el primero es mayor que el segundo.

$$\frac{1}{2} > \frac{1}{4}$$

símbolo de menor que (<) símbolo que se usa para comparar dos números cuando el primero es menor que el segundo.

$$\frac{1}{4} < \frac{1}{2}$$

sistema métrico sistema de medición. La longitud se mide en metros; el volumen líquido en litros; y la masa en gramos.

Longitud
1 kilómetro = 1,000 metros
1 metro = 100 centímetros
1 metro = 1,000 milímetros

Masa
1 kilogramo = 1,000 gramos

Volumen
1 litro = 1,000 mililitros

Ejemplo

sistema usual sistema de medición comúnmente usado en Estados Unidos. La longitud se mide en pulgadas, pies, yardas y millas; el volumen líquido en tazas, pintas, cuartos y galones; y el peso en onzas y libras.

Longitud
1 pie = 12 pulgadas
1 yarda = 3 pies
1 milla = 5,280 pies

Peso
1 libra = 16 onzas

Volumen líquido
1 cuarto = 2 pintas
1 cuarto = 4 tazas
1 galón = 4 cuartos

suma el resultado de sumar dos o más números.

$$34 + 25 = 59$$

sumando número que se suma.

$$4 + 7 = 11$$

sumandos

sumar combinar o hallar el total de dos o más cantidades.

$$\begin{array}{r} 147 \\ + 212 \\ \hline 359 \end{array}$$

sumas parciales las sumas que se obtienen en cada paso de la estrategia de sumas parciales. Se usa el valor posicional para hallar sumas parciales.

Las sumas parciales para 124 + 234 son 100 + 200 o 300, 20 + 30 o 50, y 4 + 4 u 8.

Tt

tabla de multiplicación tabla que muestra multiplicaciones y sus resultados.

	0	1	2	3	4	5
0	0	0	0	0	0	0
1	0	1	2	3	4	5
2	0	2	4	6	8	10
3	0	3	6	9	12	15
4	0	4	8	12	16	20
5	0	5	10	15	20	25

Ejemplo

tercios partes que se forman cuando se divide un entero en tres partes iguales.

tercios

3 partes iguales

tiempo transcurrido tiempo que ha pasado entre el momento de inicio y el fin.

El tiempo transcurrido desde las 2:00 p. m. hasta las 3:00 p. m. es 1 hora.

trapecio cuadrilátero que tiene al menos un par de lados paralelos.

triángulo figura bidimensional cerrada que tiene exactamente 3 lados y 3 ángulos.

tridimensional sólido, o que tiene longitud, ancho y altura. Por ejemplo, los cubos son tridimensionales.

Uu

unidad cuadrada el área de un cuadrado que tiene lados de 1 unidad de longitud.

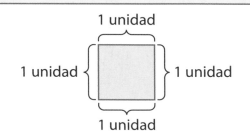

1 unidad

1 unidad · 1 unidad

1 unidad

Vv

valor posicional valor de un dígito según su posición en un número.

Centenas	Decenas	Unidades
4	4	4
↓	↓	↓
400	40	4

vértice punto donde dos semirrectas, rectas o segmentos de recta se cruzan y forman un ángulo.

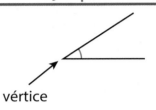

vértice

volumen líquido cantidad de espacio que ocupa un líquido.

Cuando se mide cuánta agua hay en un balde, se está midiendo el volumen líquido.

Yy

yarda (yd) unidad de longitud del sistema usual de Estados Unidos. Hay 3 pies, o 36 pulgadas, en 1 yarda.

3 pies = 1 yarda
36 pulgadas = 1 yarda

Agradecimientos

Créditos de la portada

©Teri Lyn Fisher/Offset

Créditos de las fotografías

Imágenes de monedas de los Estados Unidos (a menos que se indique lo contrario) son de la United States Mint. Imágenes usadas bajo licencia de **Shutterstock.com**.

iii ArtMari, lendy16; **iv** Dimedrol68; **v** akiyoko, Vadim; **vi** Artismo, Hurst Photo, Rashad Ashurov, trekandshoot; **vii** sumire8, TerryM; **viii** CyrilLutz, Kaiskynet; **1** Kristina Vackova; **3** Erica Truex, Iraidka; **4** En min Shen, Erica Truex; **9** Erica Truex, Seregam; **10** Billion Photos, Erica Truex, EtiAmmos; **13** Erica Truex, Ralko; **14** blue67design, Erica Truex, Jagodka, LHF Graphics, Nina_Susik; **15** Edwin Verin, Erica Truex, palform; **16** Erica Truex, palform, Rich Koele; **19** Bogdan ionescu, Erica Truex; **20** Northallertonman; **23** Erica Truex, GOLFX, Lightspring; **24** Lane V. Erickson; **27** likekightcm; **30** Erica Truex, Javier Brosch, RomanJuve; **31** Erica Truex, Fabio Berti, palform; **34** Dudarev Mikhail, Erica Truex; **40** Erica Truex, S-ts; **41** Erica Truex, Gavrylovaphoto, palform; **42** Erica Truex, Kithanet, palform; **45** Andrey Lobachev, Art'nLera, olllikeballoon; **49** pattara puttiwong; **52** Dima Sobko; **53** IROOM STOCK, palform; **54** palform, studiolovin; **56** PhotoProCorp; **57** Federico Quevedo; **58** Erica Truex, palform, Plumdesign; **59** Erica Truex, Shebeko; **60** Ed Samuel, Erica Truex; **61** Erica Truex, Kzww; **62** Erica Truex, lendy16; **69** AfricaStudio, Erica Truex; **70** Erica Truex, Natu, palform; **74** Stephen Orsillo; **75** Cmnaumann, palform; **76** Dangdumrong, otsphoto; **80** Triff; **81** SeDmi, smilewithjul; **82** David Franklin; **83** Wsantina; **89** Shuter; **91** Kovalchuk Oleksandr, Kyselova Inna; **92** Pete Spiro, Photosync; **93** KK Tan; **96** Petlia Roman; **97** Rose Carson; **99** Fotofermer, Irin-k; **100** freestyle images; **101** Tim UR; **102** Pete Spiro; **105** Pets in frames; **108** Timothy Boomer; **109–110** charles taylor; **112** Coprid, marssanya; **113** M. Unal Ozmen, Maks Narodenko; **114** Mario7, Tim UR; **116** Elnur, Lubava; **119** CrackerClips Stock Media; **120** Studio DMM Photography, Designs & Art; **122** SOMMAI; **125** Lubava, Valentina Razumova; **126** Jiri Hera, showcake, Stockforlife, Vitaly Zorkin; **127–128** Valentina Rozumova; **130** Viacheslav Rubel; **131** Natasha Pankina, SUN-FLOWER; **132** Hannamariah, marssanya; **134** Iriskana, Photo Melon; **136** Le Do, liskus; **137–138** Aopsan, Claudio Divizia; **141** Sashkin; **143** AS Food studio, smilewithjul; **144** AS Food studio; **147** Lukas Gojda, Valentina Proskurina; **148** Yaping; **149** Kyselova Inna, Triff; **150** KMNPhoto; **152** Elena Schweitzer, Iriskana; **153** Lifestyle Graphic; **154** Tropper2000; **159** Dimedrol68; **160** Dimedrol68, liskus, SOMMAI; **163** Danny Smythe; **164** normallens; **165–166** Tadeusz Wejkszo; **169** Andrea Izzotti, Celso Diniz, Chris Bradshaw, Christian Musat, Denton Rumsey, Don Mammoser, f11 photo, FloridaStock, GUDKOV ANDREY, Henryk Sadura, Jason Patrick Ross, Jayne Carney, liquid studios, moosehenderson, Romrodphoto; **171** Rido, smilewithjul; **172** Bajinda, liskus, Maks Narodenko; **174** Elnur, Ksuxa-muxa; **177** Narong Jongsirikul; **179** Alexey D. Vedernikov; **180** Kletr, smilewithjul; **181** ArtMari, Nattika, palform; **182** Claudio Divizia, Palform; **183** Africa Studio, palform; **184** Drozhzhina Elena; **186** mayer kleinostheim, palform; **187** palform, Natalia D; **190** Boris Sosnovyy, palform; **192** Africa Studio, palform; **193** palform, Redchocolate, Lenorko; **194** Lenorko, palform, Redchocolate, TerraceStudio; **197** Karkas, Coprid, Olga Popova, palform;

199 stockcreations; **200** Gbuglok, palform; **202** Olga Lyubkin, palform; **207** Erofeeva Natalya, palform; **208** palform, Phase4Studios, Picsfive; **209** ArtnLera, palform, paulaphoto; **211** ajt, Palform; **212** ArtnLera, FabrikaSimf, Palform; **214** Balabolka, EtiAmmos, monticello, palform; **215** ArtnLera, Cergios, palform; **216** Caimacanul, Design56, Redchocolate; **218** Balabolka, Michelle D. Milliman; **221** Balabolka, Odua Images; **222** palform, Vstock24; **223** Ocram, palform; **224** palform, Vangert; **225** Ivaschenko Roman, palform; **226** Juthamat8899; **227** Andrey_Kuzmin; **228** mr. chanwit wangsuk, palform; **230** COLOA Studio, LHF Graphics; **231** Cheers Group, HelgaLin, palform; **233** Anneka, Kschrei, palform, Vesna cvorovic; **234** Denis Pepin, palform; **235** Ivory27; **236** palform, Pao Laroid; **237** nld, Runrun2; **238** HamsterMan, Robyn Mackenzie; **239** Craig Wactor, palform; **240** AlexPic, mohamad firdaus bin ramli; **242** AlexPic, Quang Ho; **243** Natalia7, palform; **245** Bryan Solomon, motorolka, palform; **246** r.classen, palform, Valentina Proskurina; **247** Maria Jeffs; **250** En min Shen; **251** oksana2010; **252** Somboon Bunproy; **254** artnLera, Hong Vo, sevenke, Tiwat K; **255** Shippee; **256** HodagMedia; **259** Kletr; **262** Africa Studio; **264** smilewithjul, Steve Cukrov; **268** Dontree; **272** Jiradet Ponari; **283** palform, Shuter; **286** Vdimage; **289** Alekseykolotvin; **290** Suzanne Tucker; **291** Victor Moussa; **299** JARIRIYAWAT; **303** Kovalenko Dmitriy, Route55; **306** Roman Dick; **314** Gl0ck, Tiwat K; **315** Tom Pavlasek; **318** Undrey; **320** Plufflyman; **322** Irina Fischer; **325** Bragin Alexey; **326** Ksenia Palimski; **329** areeya_ann; **333** Coprid; **334** balabolka, MaxCab; **335** Drozhzhina Elena, palform; **337** Vadim Sadovski; **338** palform; **340** palform, RomanStrela; **341** Fotokostic, Oleg Romanko, VVO; **346** cherezoff, palform; **347–348** akiyoko, palform; **356** artnLera, Dmitry Zimin, En min Shen; **357** artnLera, Olivier Le Queinec; **358** EHStockphoto; **359** Maks Narodenko; Matt Benoit; **360** Pavlo_K; **361** Svetlana Serebryakova, Olga Nikonova; **362** LAURA_VN, Quang Ho; **363** bluehand, Olga Nikonova; **364** Miroslav Halama; **366** LittleMiss, MarGi; **367** lana rinck; **369** Roma Borman; **370** Roma Borman; **372** aquariagirl1970, Tim UR; **373** Africa Studio, Simon Bratt; **374** balabolka, Max Lashcheuski; **375** Madlen; **378** Aopsan, Claudio Divizia, Natasha Pankina; **379** kruraphoto; **380** Ultimax; **383** vikky; **384** palform, YUTTASAK SAMPACHANO; **385** anna. q, Iriskana, Quanthem; **386** Iriskana, ES sarawuth, topform; **387** Surrphoto; **390** BW Folsom; **391** balabolka, Leigh Prather; **392** Lotus_studio; **394** Mauro Rodrigues; **395** Alchena; **396** Andrey Eremin, Iriskana; **397–398** abdrahimmahfar; **400** marre; **402** jannoon028; **403** Aluna1, Pandapaw; **404** Aluna1, Tropper2000; **407** Simic Vojislav; **408** Iriskana, Peshkova; **411** photosync, redchocolate; **412** NinaM; **414** Erica Truex, irin-k; **415** Cherdchai charasri, Erica Truex; **418** CrackerClips Stock Media; **419** Aliaksei Tarasau, Flower Studio, LilKar; **420–421** Aliaksei Tarasau; **422** Aliaksei Tarasau, Smit; **423** Erica Truex, Valdis Skudre; **424** Joshua Lewis, Tiwat K; **425** STILLFX; **426** Chones; **428** Erica Truex, Sergiy Kuzmin; **430** Katstudio, Tiwat K; **431** attapoljochosobig, Iriskana; **432** JUN3, Iriskana; **434** Protasov AN;

435–436 Aliaksei Tarasau; 438 Smileus; 439 David Franklin, Iriskana, palform; 440 irin-k, Iurii Osadchi; 441 Oksana2010; 442, 444 Khvost, Ronald Sumners, Surrphoto; 446 Sergey Chayko; 455 Africa Studio; 457 Hurst Photo; 458 Olga Nayashkova; 462 CKP1001; 468 Africa Studio, blue67design; 469 IB Photography; 471 Grynold; 474 Nata-Lia; 475 Artsimo; 480 SunshineVector, trekandshoot; 481 PhotoMediaGroup; 486 GreenArt; 492 baibaz; 494 balabolk; 495 Scruggelgreen; 498 t50; 499 MaskaRad; 500 Palokha Tetiana; 502 bestv; 505 Exopixel; 506 ANGHI, liskus; 508 Africa Studio, Natasha Pankina; 509 Jessica Torres Photography; 511–512 Tsekhmister; 514 Vladimir Jotov; 515 Mybona, Zeligen; 521 Anyunov, Iriskana; 522 balabolka, Julia-art; 526 images.etc, Iriskana; 529 balabolka, KAWEESTUDIO; 530 Iriskana, Mamuka Gotsiridze; 531 6493866629; 532 Africa Studio, Erica Truex, GraphicsRF; 534 En min Shen, Samathi; 538 Gargantiopa; 539 balabolka, CameraOnHand; 540 Sommai damrongpanich; 542 Iriskana, Maryna korotenko; 546 ImagePixel; 547 balabolka, Iriskana, nechaevkon, Zeligen; 548 Studio KIWI; 549 Hintau Aliaksei; 550 Mega Pixel; 551 Billion Photos; 552 Billion Photos; 553 Yellow Cat; 554 serg_dibrova; 555 Domnitsky; 558 Tetiana Rostopira, Tiwat K; 559 FeellFree; 560 FeellFree; 561 Hsagencia; 564 Africa Studio, Arka38, Tiwat K; 566 Valeri Potapova; 567 Alslusky; 568 Mega Pixel; 569 Anutr Yossundara; 570 vvoe; 571 Tiwat K, Tobik; 572 Arnon Phutthajak, goir; 574 Mark Herreid, smilewithjul; 576 Beautiful landscape, smilewithjul; 578 Krungchingpixs, Kubias; 585 SUN-FLOWER; 588 DenisNata, Natasha Pankina; 589 baibaz; 592 Iriskana, Roxana Bashyrova; 593 Brenda Carson; 594 Sumire8; 599 Africa Studio; 600 Anton Havelaar, Iriskana; 602 Peter Kotoff; 603 Happy monkey, Iriskana; 604 Iriskana, supachai sumrubsuk; 605 Ivan Smuk; 606 Africa Studio, Iriskana; 608 Olena Mykhaylova; 609 Ruth Black; 610 Oleksandr Lysenko, Primiaou; 612 Elnur; 614 Ever; 615 Kellis, Steve Collender, somchaij, Suzanne Tucker; 616 sabza; 617 Mega Pixel, Quang Ho, Kaiskynet Studio; 618 higyou, Kellis, posteriori, photo one somchaij, Suzanne Tucker; 619 chromatos, TerryM; 620 Chones, Kaiskynet Studio, kolopach, Quang Ho; 621 robert_s; 622 Iriskana, bioraven; 625 Africa Studio, Keith Homan, somchaij, Timmary; 626 Fleuraya, lacote, somchaij; 627 Hortimages; 628 Steve Collender, Lestertair; 630 Vector things; 631 gowithstock;

632 Steve Collender; 634 Fleuraya; 635 Maksym Bondarchuk; 636 Dorottya Mathe, Natasha Pankina; 637 Alina Cardiae Photography, Iakiv Pekarskyi, Iasha, M. Unal Ozmen, More Images; 638 Take Photo, design56, Hong Vo; 639 Domnitsky, Vitaly Zorkin; 641 GrigoryL, Roman Samokhin; 642 IB Photography 643 Khumthong; 644 amero, Mariusz Szczygiel; 646 jiangdi; 647 Alex Mit, Denis Churin; 648 s_oleg; 649 Tim UR, ZoneCreative; 650 More Images; 652 Iriskana, JGade; 653 Jim Vallee; 654 TanyaRozhnovskaya; 657 Maks Narodenko, Zirconicusso; 658 Quang Ho; 659 SUN-FLOWER; 662 PeachLoveU; 664 George3973, Grigor Unkovski, smilewithjul, Timquo; 665 Sia-James; 666 Nito; 667 Africa Studio; 673 Besjunior; 675 Jojoo64; 676 Africa Studio, Creative icon styles, CyrilLutz, ParvinMaharramov, Joe Belanger, UltimaS; 680 artnLera, Kaspri; 681 smilewithjul, Standard Studio; 684 Kaiskynet Studio, liskus; 687 Hank Shiffman, Joe Belanger, jannoon028; 688 Cbenjasuwan, Mtsaride, Mega Pixel, Yanas, rzstudio; 692 goran cakmazovic, marssanya; 700 valkoinen; 707 balabolka, endeavor; 709 KhanunHaHa, Ksuxa-muxa, Natasha Pankina; 710 palform, Sanzhar Murzin; 711 fotoscool, Irin-k, Palform; 714 Anucha Tiemsom, Moxumbic; 715 yevgeniy11; 716 Effective stock photos, palform, Tiwat-K; 718 Ksuxa-muxa, Roblan, Tiwat K; 719 STILLFX; 724 Sergey Sizov; 726 Natasha Pankina, M Kunz; 730 donatas1205; 731 boivin nicolas; 732 Natasha Pankina, Evgeny Tomeev; 734 MicroOne; 735 liskus, SHUTTER TOP; 736 Ksuxa-muxa, Palmform; Seregam; 737 YUU-ME; 738 Vladislav Lyutov; 743 GO DESIGN, Suradech Prapairat; 747 akiyoko; 752 Diana Elfmarkova, runLenarun; 753 artnlera, Redstone; 760 Nortongo; A5 Amfoto, Gts; A8 P Maxwell Photography; A12 Igor Kovalchuk

Manual del estudiante, usadas solo en Student Bookshelf y en la Guía del maestro: MEi ArtMari, Rawpixel.com, Pixfiction, Disavorabuth; ME1 Africa Studio, opicobello; ME2 iadams; ME3 Palabra; ME5 Harvepino; ME6 Tatiana Popova; ME8 Chiyacat; ME9 Kyselova Inna, Markus Mainka; ME10 ArtMari; ME11 Disavorabuth; ME12 ArtMari, Disavorabuth; ME13–ME14 ArtMari; ME18 Rawpixel.com